DORES BUCOFACIAIS

```
D695    Dores bucofaciais : conceitos e terapêutica / Organizadores,
        Eduardo Grossmann, Helson José de Paiva, Angela Maria
        Fernandes Vieira de Paiva. – São Paulo : Artes Médicas,
        2013.
        231 p. ; 25 cm.

        ISBN 978-85-367-0193-6

        1. Odontologia. 2. Dor bucofacial. I. Grossmann, Eduardo.
        II. Paiva, Helson José de. III. Paiva, Angela Maria Fernandes
        Vieira de.
                                                        CDU 616.314
```

Catalogação na publicação: Ana Paula M. Magnus – CRB 10/2052

ORGANIZADORES

Eduardo Grossmann
Helson José de Paiva
Angela Maria Fernandes Vieira de Paiva

DORES BUCOFACIAIS

CONCEITOS E TERAPÊUTICA

2013

© Editora Artes Médicas Ltda., 2013

Diretor editorial: *Milton Hecht*
Gerente editorial: *Letícia Bispo de Lima*

Colaboraram nesta edição
Editora: *Juliana Lopes Bernardino*
Produção editorial: *Regiane da Silva Miyashiro*
Capa: *Neide Siqueira*
Imagem da capa: ©*iStockphoto.com/Jana Blašková, 2012: Maxillofacial concept x-ray jaws*
Preparação de originais: *Dida Bessana*
Leitura final: *Queni Winters*
Projeto gráfico e editoração: *Join Bureau*

Reservados todos os direitos de publicação, em língua portuguesa, à
EDITORA ARTES MÉDICAS LTDA., uma empresa do GRUPO A EDUCAÇÃO S.A.

Editora Artes Médicas Ltda.
Rua Dr. Cesário Mota Jr., 63 – Vila Buarque
01221-020 – São Paulo – SP
Tel.: (11) 3221-9033 Fax: (11) 3223-6635

É proibida a duplicação ou reprodução deste volume, no todo ou em parte, sob quaisquer formas ou por quaisquer meios (eletrônico, mecânico, gravação, fotocópia, distribuição na Web e outros), sem permissão expressa da Editora.

SÃO PAULO
Av. Embaixador Macedo Soares, 10.735 – Pavilhão 5
Cond. Espace Center – Vila Anastácio
05095-035 – São Paulo – SP
Fone: (11) 3665-1100 Fax: (11) 3667-1333

SAC 0800 703-3444 – www.grupoa.com.br

IMPRESSO NO BRASIL
PRINTED IN BRAZIL

AUTORES

EDUARDO GROSSMANN

Cirurgião bucomaxilofacial do Hospital Mãe de Deus, RS, e do Hospital Santa Rita/Complexo Hospitalar Santa Casa de Misericórdia de Porto Alegre, RS. Professor associado responsável pela disciplina de Dor Craniofacial Aplicada à Odontologia da Universidade Federal do Rio Grande do Sul (UFRGS). Membro fundador do Comitê de Dor Orofacial da Sociedade Brasileira para o Estudo da Dor (SBED). Diretor do Centro de Dor e Deformidade Orofacial de Porto Alegre (Cenddor). Diretor do Departamento de Disfunção Temporomandibular e Dor Orofacial da Sociedade Gaúcha para o Estudo da Dor (Soged). Especialista em Disfunção Temporomandibular e Dor Orofacial pelo Conselho Federal de Odontologia (CFO). Especialista em Dor e Anestesia Condutiva pela Faculdade de Medicina da UFRGS. Mestre em Cirurgia e Traumatologia Bucomaxilofacial pela Pontifícia Universidade Católica do Rio Grande do Sul (PUCRS). Doutor em Estomatologia Clínica pela PUCRS.

HELSON JOSÉ DE PAIVA

Cirurgião-dentista. Especialista em Disfunção Temporomandibular e Dor Orofacial pelo CFO. Certificação em Dor pela SBED. Mestre e doutor em Odontologia: Reabilitação Oral pela Faculdade de Odontologia de Bauru da Universidade de São Paulo (FOB/USP).

ANGELA MARIA FERNANDES VIEIRA DE PAIVA

Cirurgiã-dentista. Especialista em Disfunção Temporomandibular e Dor Orofacial pelo CFO. Mestre em Clínicas Odontológicas pela Universidade Federal do Rio Grande do Norte (UFRN).

FLORENTINO FERNANDES MENDES

Médico anestesiologista. Professor adjunto de Anestesiologia da Universidade Federal de Ciências da Saúde de Porto Alegre (UFCSPA). Especialista em Tratamento da Dor pela UFRGS. Mestre em Farmacologia pela UFCSPA. Doutor em Medicina: Cirurgia pela Faculdade de Ciências Médicas da Santa Casa de São Paulo (FCMSCSP).

JAIME OLAVO MARQUEZ

Médico especialista em Neurologia pela Associação Médica Brasileira (AMB) – área de atuação: dor. Membro titular da Academia Brasileira de Neurologia (ABN). Vice-coordenador do Departamento de Dor da ABN. Coordenador do Centro Multidisciplinar de Dor da Secretaria Municipal de Saúde de Uberaba. Professor visitante de Neurologia da Universidade Duke (EUA). Doutor em Neurologia pela USP, Ribeirão Preto. Pós-doutor em Neurologia: Dor pela Universidade Duke (EUA). *Fellow* na *Pain Clinic* da Universidade de Washington WS (EUA).

THIAGO KREUTZ GROSSMANN

Acadêmico de Medicina da UFCSPA. Membro da Liga de Dor da UFCSPA.

APRESENTAÇÃO

A dor é uma das sensações mais fortemente negativas que o ser humano pode experimentar. Exige atenção e resposta. A dor aguda alerta o indivíduo para o prejuízo e o faz lidar com a ameaça. A dor aguda fornece proteção aos desafios ambientais. É fundamental para a sobrevivência e, portanto, tem um propósito. No entanto, algumas dores podem durar além do tempo de cicatrização, mais do que o normal e, portanto, deixam de ter valor de proteção. Essas dores são denominadas crônicas, podendo tornar-se destrutivas para o espírito humano, levando a uma redução significativa na qualidade de vida.

Alguns dos tipos mais comuns de dores crônicas são originários de estruturas musculoesqueléticas. Certamente, dores crônicas nos membros e no torso têm grande impacto sobre a capacidade funcional do indivíduo, mas, para o sofrimento do paciente com dor bucofacial crônica, outros elementos emocionais tornam-se importantes. É interessante notar que aproximadamente 45% do córtex sensorial humano é dedicado a face, boca e estruturas bucais. Esse grau de dedicação sensorial sugere que tais estruturas têm grande significado para o indivíduo, e a dor sentida nessas estruturas de impacto afetam muito sua qualidade de vida. Por exemplo, a dor nas estruturas bucofaciais limita sobremaneira a capacidade de mastigar, o que é evidentemente essencial para a sobrevivência. Embora os tempos modernos nos permitam viver a vida sem mastigar (ou seja, dietas líquidas, sonda de gastrotomia, alimentação intravenosa), sabemos que a incapacidade para se alimentar ameaça nossa existência. Logo, a dor crônica na face, instintivamente, ameaça nossa sobrevivência. Além disso, dor nas estruturas bucofaciais compromete a capacidade de falar, o que é essencial em uma sociedade dependente da comunicação. Outro aspecto da dor bucofacial crônica – que muitas vezes passa despercebido pelo médico – é o componente emocional. As estruturas bucofaciais são muito importantes para o indivíduo expressar suas emoções. O sorriso, o franzir da fronte e as lágrimas são expressos por nossa face. Atividades íntimas, como beijar, também podem ser comprometidas pela dor facial. A maioria dos médicos é completamente alheia a esses

Apresentação

componentes muito significativos e pessoais da dor bucofacial. Portanto, os médicos precisam entender que a dor sentida nas estruturas bucofaciais é muito mais ameaçadora, significativa e pessoal do que a dor sentida em outras áreas do corpo. Entender esses conceitos a partir das informações contidas neste livro é importante para a prática da odontologia.

Uma vez que o cirurgião-dentista é o provedor de cuidados primários de saúde para o sistema estomatognático, ele deve ser conhecedor da anatomia, da função e da disfunção desse complexo sistema musculoesquelético. Somente por meio de uma sólida compreensão do sistema estomatognático o cirurgião-dentista é capaz de selecionar tratamento efetivo para o sofrimento do paciente com dor e/ou disfunção das estruturas bucofaciais. Na verdade, para tratar efetivamente a disfunção, é preciso primeiro conhecer a função normal, já que o estabelecimento desta é o objetivo do tratamento. Profissionais da saúde que não têm uma compreensão clara e precisa da função normal estão fadados ao fracasso. Portanto, os cirurgiões-dentistas devem adotar o conceito de compreensão da função estomatognática normal.

O fato desafiador é que o sistema estomatognático humano é muito complexo. Mesmo alguns dos aspectos mais sutis que costumam ser negligenciados podem ser extremamente importantes no estabelecimento de um diagnóstico específico da dor bucofacial. Devemos sempre lembrar que estabelecer o diagnóstico correto é a tarefa mais crítica do médico em relação ao paciente, e é somente com tal diagnóstico que o tratamento adequado pode ser selecionado. Todo cirurgião-dentista deve atingir uma compreensão de como esse complexo e original sistema estomatognático funciona. Nada é mais básico para a prática da odontologia.

Este livro reúne as informações necessárias para compreensão do sistema estomatognático e também das relações da dor bucofacial com as articulações temporomandibulares, os músculos e a oclusão dentária. A anatomia e as funções do sistema estomatognático, incluindo a neuroanatomia básica para entender os mecanismos da dor bucofacial, também são discutidas. Os conhecimentos adquiridos a partir deste livro representarão, sem dúvida, uma importante contribuição ao longo do caminho na ajuda profissional aos pacientes.

Jeffrey P. Okeson, DMD
Professor e Chefe do Departamento de Ciências da Saúde Bucal
Diretor do Centro Universitário de Dor Orofacial da Faculdade
de Odontologia do Kentucky (Lexington, Kentucky, EUA)

FOREWORD

Pain is one of the most powerful negative emotions a human can experience. It demands attention and response. Acute pain alarms the individual to the injury allowing the sufferer to address the threat. Acute pain provides protection from environmental challenges. It is basic to survival and therefore has purpose. However some pains last far longer than normal healing time and therefore no longer have protective value. These pains are termed chronic. These pains can become destructive to the human spirit, leading to significant reduction in the quality of life.

Some of the most common types of chronic pains originate from musculoskeletal structures. Certainly chronic pains in the limbs and back impact greatly on the individual's ability to function, yet for the patient suffering with chronic orofacial pain, additional emotional elements become important considerations. It is interesting to note that approximately 45% of the human sensory cortex is dedicated to the face, mouth and oral structures. This degree of sensory dedication suggests that these structures have significant meaning to the individual. In fact, pain felt in these structures impact greatly on the individual's quality of life. For example, pain in the orofacial structures significantly limits the ability to chew which is of course essential for survival. Although in these modern times we can sustain life without chewing (i.e. liquid diets, stomach tubes, intravenous feeding) instinctively we know that the inability to feed, threatens one's existence. Therefore chronic pain in the face instinctively threatens one's survival. Also, pain in the orofacial structures compromises the ability to speak which is essential in a society dependent upon communication. A third aspect of chronic orofacial pain that often goes unrecognized by the clinician is the emotional component. The orofacial structures are very important to the individual for the expression of one's emotions. The smiles and frowns, the laughter and the tears are all expressed by our faces. Intimate activities such as kissing are also compromised by pain in the face. Most clinicians are quite oblivious to this very significant and personal component of

Foreword

orofacial pain. Therefore clinicians need to appreciate that pain felt in the orofacial structures is much more threatening, meaningful and personal than pain felt in other areas of the body. Understanding these concepts is why information gained from this textbook is so important to the practice of dentistry.

Since the dental practitioner is the primary health care provider for the stomatognathic system, he or she must be knowledgeable of the anatomy, function and dysfunction of this complex musculoskeletal system. It is only through a sound understanding of the stomatognathic system can the dental practitioner select effective treatment for the patient suffering with pain and/or dysfunction of orofacial structures. In fact, in order to effectively treat dysfunction, one must first know function, since establishing normal function is the treatment goal of therapy. Therapists who do not have a clear and precise appreciation for normal function are doomed to failure. Therefore dental practitioners must embrace the concept of understanding normal stomatognathic function.

The challenging fact is that the human stomatognathic system is very complex. Even some of the most subtle features that are commonly over looked can be extremely important when establishing a specific diagnosis of orofacial pain. One should always remember that establishing the proper diagnosis is the most critical task the clinician can accomplish for the patient. It is only through proper diagnosis can proper treatment be selected. Every dentist owes it to his or her patients to achieve an understanding of how this complicated and unique stomatognathic system works. Nothing is more basic to the practice of dentistry.

This textbook provides the reader with the necessary information to understand the stomatognathic system and appreciate the relationships of orofacial pain to the temporomandibular joints, the muscles and the dental occlusion. The reader will acquire insight to the anatomy and functions of the stomatognathic system including the neuroanatomy basic to understanding orofacial pain mechanisms. The knowledge acquired from this textbook will go a long way in helping the clinician help patients.

Jeffrey P. Okeson, DMD
Professor and Chair Department of Oral Health Science
Director, Orofacial Pain Center University of Kentucky College
of Dentistry Lexington, Kentucky, EUA

PREFÁCIO

A formação de um profissional tem muito a ver com seus mestres; o desenvolvimento de uma especialidade o tem mais ainda, com seus defensores, seus criadores, seus primeiros especialistas e, como não poderia deixar de ser, com aqueles que procuram difundi-la por meio do magistério, em suas aulas, publicações científicas, conferências e cursos, tornando-a acessível àqueles que ainda a desconhecem ou dela têm pouco conhecimento.

Desde a criação e a regulamentação da especialidade de Disfunção Temporomandibular (DTM) e Dor Orofacial no Brasil, em 2002, pela sábia decisão de um expressivo número de cirurgiões-dentistas reunidos no Encontro Nacional de Especialidades Odontológicas (ENEO), promovido pelo Conselho Federal de Odontologia (CFO), em Manaus, o que se tem visto pelo país é o interesse e a participação de um número cada vez maior de profissionais em cursos de curta duração, aperfeiçoamentos, especializações e mestrados na área. Proliferam os trabalhos científicos de pesquisa e divulgação com boa qualidade, em periódicos internacionais e nacionais de grande impacto. Os livros-texto abordando o tema continuam a ser publicados com seriedade e elevado padrão científico.

Há que se destacar, nesse contexto, a indiscutível participação das principais sociedades médicas do país ligadas ao estudo da dor e os espaços abertos por elas aos cirurgiões-dentistas, especialistas ou não, em seus congressos, jornadas, simpósios e publicações oficiais.

A Sociedade Brasileira para o Estudo da Dor (SBED), capítulo da *International Association for the Study of Pain* (IASP), criou o seu Comitê de Dor Orofacial há alguns anos, o qual tem trabalhado constantemente por meio de seus coordenadores e colaboradores para difundir os ensinamentos em DTM e Dor Orofacial. Por sua vez, a Sociedade Brasileira de Cefaleia (SBCe) também criou seu Comitê de Dor Orofacial.

Agradecemos a todos que, de algum modo, fomentaram a criação da especialidade e contribuíram – e contribuem a cada momento – para a formação de novos especialistas, com suas aulas, publicações e cursos. Agradecemos a todos aqueles que militam no estudo e no tratamento da dor, em particular da dor orofacial.

Por fim, que esta obra – que nasceu numa conversa informal ocorrida durante o Congresso de Dor da SBED em Goiânia, em 2008 – seja uma contribuição no sentido de auxiliar no alívio da dor daqueles que a sentem, melhorando a qualidade de suas vidas.

Eduardo Grossmann
Helson José de Paiva
Angela Maria Fernandes Vieira de Paiva
Organizadores

SUMÁRIO

CAPÍTULO 1 SIGLAS, PREFIXOS E SUFIXOS 15
Angela Maria Fernandes Vieira de Paiva
Helson José de Paiva

CAPÍTULO 2 OCLUSÃO 25
Angela Maria Fernandes Vieira de Paiva
Helson José de Paiva
Eduardo Grossmann

CAPÍTULO 3 ANATOMIA DE CABEÇA E PESCOÇO 63
Eduardo Grossmann
Thiago Kreutz Grossmann
Helson José de Paiva
Angela Maria Fernandes Vieira de Paiva

CAPÍTULO 4 NEUROANATOMIA E NEUROLOGIA 85
Eduardo Grossmann
Thiago Kreutz Grossmann
Jaime Olavo Marquez

Sumário

CAPÍTULO 5   **DORES BUCOFACIAIS** 115
Eduardo Grossmann

CAPÍTULO 6   **TERAPÊUTICA FARMACOLÓGICA**...................... 145
Helson José de Paiva
Eduardo Grossmann
Angela Maria Fernandes Vieira de Paiva
Florentino Fernandes Mendes

CAPÍTULO 7   **TERAPÊUTICA CLÍNICA E CIRÚRGICA** 211
Eduardo Grossmann
Helson José de Paiva
Thiago Kreutz Grossmann
Angela Maria Fernandes Vieira de Paiva

Capítulo 1

SIGLAS, PREFIXOS E SUFIXOS

Angela Maria Fernandes Vieira de Paiva
Helson José de Paiva

A

A • Na disciplina de fisiologia significa o símbolo do ar alveolar. Em eletricidade é igual ao símbolo do ampère. Prefixo que significa falta, deficiência.

AAOP • *American Academy of Orofacial Pain* (Academia Americana de Dor Orofacial).

AAS • Ácido acetilsalicílico.

Ab- • Palavra de origem latina que significa distante, afastado de.

AB • Tipo de grupo sanguíneo ABO.

ACh • Acetilcolina.

Acro- • Prefixo grego que indica estreita relação com as extremidades: p. ex., uma mandíbula com crescimento anormal no sentido posteroanterior.

ACTH • Abreviatura de origem inglesa descrita como *adrenocorticotrofic hormone*. Designa o hormônio adrenocorticotrófico (corticotrofina).

Actin-, actino- • Prefixo que significa raio.

Ad- • Prefixo de origem latina que indica proximidade, aproximação. O oposto de ab.

AD • Abreviatura empregada nas receitas de produtos medicinais; significa adicionar.

Aden-, adeno- • Prefixo de origem grega que indica uma relação com uma glândula ou com um nódulo linfático.

ADH • Abreviatura do termo inglês *antidiuretic hormon*. Chamado hormônio antidiurético ou vasopressina.

ADM • Amplitude de movimentos.

ADP • Adenosina difosfato.

Ag • Símbolo químico da prata.

AHC • Auto-hipnose cognitiva.

Ai-, alo- • Prefixo de origem grega que significa outro, que corresponde a um estado anormal, diferente.

Aids • Doença descoberta na década de 1980, caracterizada por uma imunodeficiência adquirida, relacionada a um vírus (retrovírus), que destrói as defesas imunológicas do indivíduo (linfócitos T) possibilitando o aparecimento de infecções oportunistas. A transmissão se dá pelo contato de sangue e esperma. Até o presente momento não há cura, e sim uma sobrevida dos pacientes infectados.

Aine • Abreviação de anti-inflamatório não esteroidal.

Algia- • Sufixo de origem grega que significa dor.

Algo- • Prefixo de origem grega que indica relação com a dor.

AMMRS • Atividade muscular mastigatória rítmica durante o sono.

Ampa • Ácido alfa 2-amino 3-hidroxi 5-metil 4-isoxasole propiônico.

AMP cíclico • Uma molécula formada a partir do ATP (trifosfato de adenosina) pela ação da enzima adenilatociclase, servindo como um segundo mensageiro para determinados hormônios e neurotransmissores.

AMX • Abertura máxima.

ANA • Articulador não ajustável.

Ana- • Prefixo de origem grega com vários significados: em excesso, em cima, de novo.

Anfi-, anfo- • Prefixo de origem grega que significa ambos, em torno de.

Ange-, angio- • Prefixo de origem grega que indica uma relação com um vaso sanguíneo ou linfático.

Anquil-, anquilo- • Prefixo de origem grega que significa fixado, uma aderência, uma soldadura.

Ant-, anti- • Prefixo de origem grega que transmite ideia de oposição ou de proteção.

Ante- • Prefixo de origem latina que indica uma posição ou um deslocamento para frente.

Anvisa • Agência Nacional de Vigilância Sanitária.

AP • Artrite psoriática.

AP • Anteroposterior.

APT • Apertamento.

AR • Artrite reumatoide.

Arcon • Contração das palavras inglesas *articulation condyle*.

ARJ • Artrite reumatoide juvenil.

ASA • *American Society of Anesthesiology* (Sociedade Americana de Anestesiologia).

ASA • Articulador semiajustável.

ATA • Articulador totalmente ajustável.

ATM • Articulação temporomandibular.

ATP • Adenosina trifosfato; trifosfato de adenosina.

AV • Abreviatura de atrioventricular; empregado principalmente em eletrocardiografia.

AVC • Acidente vascular cerebral.

AVD • Atividade de vida diária

AVE • Acidente vascular encefálico

Avitaminose B1 • Sinônimo de beribéri.

Avitaminose C • Sinônimo de escorbuto.

Avitaminose D • Sinônimo de raquitismo.

AVP • Atividade de vida prática.

Axial, ais- • Relativo ao eixo de um corpo.

B

Basi-, baso- • Prefixo de origem grega que indica uma relação com a base de um corpo ou de um órgão.

BD • Bruxismo diurno.

BDI • Inventário de depressão de Beck.

BF • B – ponto mais inferior do conduto auditivo externo. F – divisão do tronco do nervo facial.

BHE • Barreira hematoencefálica. Barreira biológica que apresenta na sua constituição astrócitos e vasos capilares encefálicos especializados (filtros) que evitam a passagem de substâncias do sangue para o encéfalo e ao líquor.

Blasto- • Prefixo de origem grega que significa germe, broto, tecido embrionário.

Blefar-, blefaro- • Prefixo de origem grega que tem relação com a pálpebra.

BPI • *Brief pain inventory* (Inventário de dor breve).

Brevi- • Prefixo de origem latina que indica uma brevidade.

BS • Bruxismo do sono.
BSI • *Bradford Somatic Inventory* (Inventário Somático de Bradford).

C

5HT • Serotonina.
CCD • Cefaleia crônica diária.
CCK • Colecistoquinina.
-cele • Sufixo de origem grega que significa uma dilatação localizada, frequentemente devida a um acúmulo de líquido. Por exemplo, mucocele.
-centese • Sufixo de origem grega que significa picada ou punção.
CGRP (CPGR) • Peptídeo relacionado ao gene da calcitonina.
CID • Classificação Internacional de Doenças.
Cleido- • Prefixo de origem grega que indica uma relação com a clavícula.
CoCr • Cobalto-cromo.
COX • Cicloxigenase.
COX-1 • Cicloxigenase 1.
COX-2 • Cicloxigenase 2.
COX-3 • Cicloxigenase 3.
CPME • Corno posterior, da substância cinzenta, da medula espinhal.
CRP • Crepitação.
CS • Cefaleia em salvas.
CT • Calcitonina – hormônio hipocalcemiante produzido pelas células parafoliculares da glândula tireoide, que reduz os níveis sanguíneos de cálcio e fosfato, consequentemente, inibindo a reabsorção óssea e aumentando a absorção desses elementos pela matriz óssea.
CTT • Cefaleia tipo tensional; cefaleia tipo tensão.

D

DAC • Drogas anticonvulsivantes.
Dacri-, dacrio- • Prefixo de origem grega que indica uma relação com as lágrimas ou com o aparelho lacrimal.
DAD • Doença articular degenerativa.
DAN • Desoclusão pelos anteriores.
DCA • Desoclusão pelo canino.
DDCR • Deslocamento do disco com redução.
DDSR • Deslocamento do disco sem redução.
Delta • Quarta letra do alfabeto grego (maiúscula e minúscula) Δ e δ.
DFGC • Desoclusão por função em grupo completa.
DFGI • Desoclusão por função em grupo incompleta (ou parcial).
DNA • Abreviatura de ácido desoxirribonucleico.
DOF • Dor orofacial.
Dort • Distúrbios osteomusculares relacionados ao trabalho.
DSR • Distrofia simpático-reflexa.
DTM • Disfunção temporomandibular.
DV • Dimensão vertical.
DVO • Dimensão vertical de oclusão.
DVP • Dimensão vertical postural.
DVR • Dimensão vertical de repouso.

E

EA • Espondilite anquilosante.
EAV • Escala analógico-visual.
ECG • Eletrocardiografia; eletrocardiograma.
EDTA • Abreviatura de ácido edético.
EEG • Abreviatura de eletroencefalograma ou de eletroencelalografia.
EEG • Estimulação eletrogalvânica – estímulo elétrico que emprega corrente direta (galvânica) onde há contração das fibras musculares. Pode ser empregada para o alívio da dor.
EFL • Espaço funcional livre.
EJ • Epitélio juncional.
ELF • Espaço livre funcional.

ELI • Espaço livre interoclusal.
EMG • Eletromiografia.
End-, endo- • Prefixo de origem grega que significa dentro.
EOG • Eletroculografia – registro dos movimentos oculares voluntários ou reflexos.
EPG • Eletropupilografia – registro das variações de corrente elétrica causadas pelas modificações dos diâmetros das pupilas, por meio de estímulos excitatórios, luz.
Epi- • Prefixo de origem grega que significa sobre, acima de.
Eritr-, eritro- • Prefixo de origem grega que significa vermelho.
Escler-, esclero- • Prefixo de origem grega que significa duro.
Esfen-, esfeno- • Prefixo de origem grega que significa canto. Está relacionado com o osso esfenoide.
Esplan-, esplaneno- • Prefixo de origem grega que significa víscera.
EST • Estalido.
Esteno- • Prefixo de origem grega que significa estreito, retraído.
Estesio-, -estesia • Prefixo e sufixo de origem grega que significa sensação. Está relacionado com a sensibilidade.
EV • Endovenosa.
EVA • Escala visual analógica.
Extra- • Prefixo de origem latina que significa exterior.

F

FAC • Faceta.
Fag-, fago-, -fago • Prefixo de origem grega que significa um ato de comer.
FAN • Fator antinuclear; autoanticorpo dirigido contra constituintes do núcleo das células.
FC • Frequência cardíaca.
FCE • Fluido cerebrospinal.

FDA • *Food and Drug Administration.*
FGA • Função em grupo anterior.
FGC • Função em grupo completa.
FGP • Função em grupo parcial.
Fig. • Figura.
Flog-, flogo- • Prefixo de origem grega que se relaciona com inflamação.
FMUSP • Faculdade de Medicina da Universidade de São Paulo.
FNT • Fonoterapia.
Fot-, foto- • Prefixo de origem grega que indica uma relação com a luz.
FSC • Fluxo sanguíneo cerebral.
FSH • Hormônio foliculoestimulante ou gonadotrofina A.
FST • Fisioterapia.
FTR • Frequências termorregulatórias.

G

Gaba • Ácido gamaminobutílico; substância neuromoduladora.
GAN • Guia anterior.
GCP • Escala graduada de dor crônica.
GIN • Guia incisal.
Gloss-, glosso- • Prefixo de origem grega que indica relação com a língua.
Glossofaríngeo • Relativo à língua e à faringe. Ver Nervo glossofaríngeo.
GLU • Glutamato.
Gnat-, gnato- • Prefixo de origem grega que indica uma relação com a maxila.
GPC • Gerador de padrão central.
Guna • Gengivite ulceronecrosante aguda.

H

HB • Abreviatura de hemoglobina.
HC • História clínica.
Hemi- • Prefixo de origem grega que significa metade.

HHA • Eixo hipotálamo-hipófise-adrenal.
Hiper- • Prefixo de origem grega que significa aumento, excesso ou uma posição acima.
Hipo- • Prefixo de origem grega que significa diminuído, insuficiente, diminuição em uma posição inferior.
HIV • Vírus da imunodeficiência humana.
Homo- • Prefixo de origem grega que significa semelhança, igualdade, uniformidade.
HPA • Eixo hipotálamo-pituitária-adrenal.
HPC • Hemicrania paroxística crônica.

I

Iasp • *International Association for the Study of Pain* (Associação Internacional para o Estudo da Dor).
ICSD • *International Classification of Sleep Disorders* (Classificação Internacional dos Distúrbios do Sono).
Idate • Inventário de ansiedade traço-estado.
IG • Inserção conjuntiva.
IHS • *International Headache Society* (Sociedade Internacional de Cefaleia).
IL-1 • Interleucina 1.
IM • Intramuscular.
Imao • Inibidores da monoaminoxidase.
IRM • Imagem de ressonância magnética.
IRMN • Imagem de ressonância magnética nuclear.
IRNM • Imagem de ressonância nuclear magnética.
Iso- • Prefixo de origem grega que significa igual, semelhante, simétrico.
ISRS (IRSS) • Inibidores seletivos da recaptação de serotonina.
ITE • Sufixo grego que designa "inflamação".

L

Laser • (*Light Amplification by Stimulated Emission of Radiation*). Vários tipos estão disponíveis: o *soft laser* usado em medicina para cicatrização de feridas e alívio de dor muscular tem sido utilizado para dor de DTM com resultados variados. Em alguns estudos bem desenhados, os resultados após a aplicação do *laser* e do placebo não diferiram de modo significativo.
LBL • Lado de balanceio.
LCNC • Lesão cervical não cariosa.
LCR • Líquido cefalorraquidiano.
LCV • Lesão cerebrovascular.
LER • Lesão por esforço repetitivo. Lesões observadas em articulações, tendões e sinoviais de profissionais como digitadores, datilógrafos, pianistas, telefonistas.
LES • Lúpus eritematoso sistêmico.
Leuc-, leuco- • Prefixo de origem grega que significa branco.
LH • Abreviatura de hormônio luteinizante ou gonadotrofina B.
Linf-, linfo- • Prefixo de origem grega que indica uma estreita relação com a linfa.
Lip-, lipo- • Prefixo de origem grega que está relacionado com as gorduras (lipídeos). Pode-se tratar também uma insuficiência. Por exemplo, lipotímia.
LPM • Lado de predominância mastigatória.
LTB • Lado de trabalho.

M

Man • Mandibular.
MAO • Monoaminoxidase.
MAV • Malformação arteriovenosa.
Max • Maxilar.
Mens • Estimulação neural microelétrica (microcorrente).
Meta- • Prefixo de origem grega que significa uma transformação, uma mudança.
MI • Modelo inferior.
MIC • Máxima intercuspidação.
MIH • Máxima intercuspidação habitual.

MMPI • *Minnesota Multiphasic Personality Inventory* (Inventário Multifásico de Personalidade Minnesota).
MORA • Aparelho ortopédico reposicionador da mandíbula.
Morf-, morfo- • Prefixo de origem grega que indica uma relação com a forma.
MPC • Movimento passivo contínuo – é aquele movimento realizado em uma determinada parte do organismo, de forma organizada, com intervalos regulares, mediado por um equipamento, aparelho ou assistido por um profissional especializado. O objetivo é restabelecer a normalidade funcional da estrutura comprometida.
MPD • *Miofascial pain-disfunction*; dor e disfunção miofascial.
MPMS • Movimentos periódicos dos membros, durante o sono.
MPQ • *McGill Pain Questionnaire*; Questionário de dor McGill.
MS • Modelo superior.

N

Nas-, naso- • Prefixo de origem latina que indica relação com o nariz.
Neo- • Prefixo de origem grega que significa novo.
Neuro- • Prefixo de origem grega que indica relação com os nervos.
NGF • Fator de crescimento do nervo.
NMDA • N-metil-D-aspartato; receptor ionotrópico para o glutamato.
NREM • Não REM.
NT • Neuralgia trigeminal.
NTE • Núcleo do trato espinhal.
NTS • Núcleo do trato solitário.

O

OA • Osteoartrose; osteoartrite.
OC • Oclusão cêntrica.
Odont-, odonto- • Prefixo de origem grega que indica uma relação com dente(s).
Oligo- • Prefixo de origem grega que significa pouco.
OMS • Organização Mundial da Saúde.
ORL-1 • Receptor órfão.
Oste-, osteo- • Prefixo de origem grega que indica relação com o osso, os ossos.
Ot-, otos- • Prefixo de origem grega que está relacionado à orelha.
Oxi- • Prefixo de origem grega que significa agudo, excessivo.

P

PA • Posteroanterior.
PA • Pressão arterial.
PAF • Fator ativador de plaquetas.
Paleo- • Prefixo de origem grega que significa antigo.
PCA • Analgesia controlada pelo paciente.
PCP • Posição de contato posterior.
Peri- • Prefixo de origem grega que significa em torno de.
PET • Tomografia por emissão de pósitrons.
PG • Ponto-gatilho.
PGE • Prostaglandina.
PMI • Posição de máxima intercuspidação.
PNS • Postura no sono.
Poli- • Prefixo de origem grega que significa vários(as) muito, numerosos. O oposto de oligo-.
PP • Posição postural.
PPF • Prótese parcial fixa.
PPR • Prótese parcial removível.
Praxia • Movimentos coordenados normais.
Pré- • Prefixo de origem latina que significa antes, diante.
Presbi- • Prefixo de origem grega que indica velhice.
PTO • Prótese total.

Q

QPR • Queixa principal.
QV • Qualidade de vida.

R

RC • Relação cêntrica; relação central.
REM • *Rapid eyes movement* (movimento rápido dos olhos).
Retro- • Prefixo de origem latina que indica uma posição ou um deslocamento para trás.
RMN • Ressonância magnética nuclear.
RNA • Ácido ribonucleico.
ROC • Relação de oclusão cêntrica.
-rragia • Sufixo de origem grega que significa jato, corrimento repentino.
-rreia • Sufixo de origem grega que significa corrimento; por exemplo, sialorreia.

S

SAB • Síndrome da ardência bucal.
SAHOS • Síndrome da apneia/hipopneia obstrutiva do sono.
SAOS • Síndrome da apneia obstrutiva do sono.
SBCe • Sociedade Brasileira de Cefaleia.
SBED • Sociedade Brasileira para o Estudo da Dor.
SDRC (SCDR) • Síndrome da dor regional complexa.
SE • Sistema estomatognático.
Sepsia • Sufixo de origem grega que significa putrefação.
SFM • Síndrome da fibromialgia.
SG • Sulco gengival.
SI • Córtex somatossensorial primário.
SIC • Sociedade Internacional de Cefaleia.
SII • Córtex somatossensorial secundário.
Sin- • Prefixo de origem grega que significa com, junto, em sentido de fusão.
Sindesmo- • Prefixo de origem grega que significa união, ligação, ligamento.
SNA • Sistema nervoso autônomo.
SNC • Sistema nervoso central.
SNNVS • Sistema nervoso neurovegetativo simpático.
SNP • Sistema nervoso periférico.
SNS • Sistema nervoso simpático.
SNS • Sistema nervoso somático.
Sonred • Sociedade Norte-Rio-Grandense de Estudo da Dor.
SP • Substância "P"; neuropeptídeo que produz dor.
SPECT • *Single photon emission computed tomography* (Tomografia computadorizada por emissão simples de fótons).
SSRI (ISRS) • Inibidor seletivo da receptação de serotonina.
Staxi • Inventário de expressão de raiva como traço de estado.
Sunct • *Síndrome sunct* (*Short lasting, unilateral, neuralgiform, headache, with conjuntival injection and tearing*). (Cefaleia neuralgiforme de curta duração com hiperemia conjuntival e lacrimejamento).
Supra- • Prefixo de origem latina que significa acima de, que indica uma posição superior.

T

TA • Abreviatura de tensão arterial.
Taqui- • Prefixo de origem grega que significa rápido.
TC (*TC scan*) • Tomografia computadorizada.
TCD • Terapia centrada na disfunção (orientada pelo psicólogo).
Tens • *Transcutaneous electrical neural stimulation* (estimulação elétrica neural transcutânea); estimulação elétrica de baixa voltagem

dos nervos sensitivos. É empregada em Fisioterapia, Odontologia e Medicina com o intuito de aliviar a dor.
Tetraiodotironina • Tiroxina. Abrev.: T4.
TH • Trespasse horizontal.
TM • Temporomandibular.
TMJ • *Temporomandibular joint* (articulação temporomandibular).
TNF • Fator de necrose tumoral.
TP • *Trigger point* (ponto gatilho, ponto desencadeador).
TPG • Tubérculo pós-glenoide.
Trofo-, -trofia- • Prefixo e sufixo de origem grega que significa nutriente.
Tromb-, trombo- • Prefixo grego que significa coágulo.
TRV • Travesseiro.
TSH • Abreviatura da tireotrofina, hormônio estimulante da tireoide.
TV • Trespasse vertical.
TXB • Toxina botulínica.
TXB-A • Toxina botulínica do tipo A.
T3 • Abreviatura de tri-iodotironina. Ver Hormônio tireoidiano.
T4 • Abreviatura de tetraiodotironina. Ver Tiroxina.

U

Uni- • Prefixo de origem latina que significa singular, um mono, único.

V

VAS • Ver Escala visual-analógica no Capítulo 2.
VDO • Ver Dimensão vertical de oclusão no Capítulo 2.
VHS • Velocidade de hemossedimentação.
Vitamina antiberibéri • Sinonímia de tiamina.
Vitamina anti-hemorrágica • Sinonímia de vitamina K.
Vitamina antineurítica • Sinonímia de tiamina.
Vitamina antipelagrosa • Sinonímia de ácido nicotínico ou de nicotinamida.
Vitamina antiscorbuto • Sinonímia de vitamina C.
Vitamina antixeroftálmica • Sinonímia de vitamina A.
Vitamina B1 • Sinonímia de tiamina.
Vitamina B2 • Sinonímia de riboflavina.
Vitamina B3 • Sinonímia de nicotinamida.
Vitamina B6 • Sinonímia de piridoxina.
Vitamina B8 • Sinonímia de biotina.
Vitamina B9 • Sinonímia de ácido fólico.
VP • Ventroposterior.

W

Whympi • *West Haven-Yale Multidimensional Pain Inventory* (Inventário multidimensional de dor West Haven-Yale).

LEITURAS SUGERIDAS

Andrade Filho AC. Dor: diagnóstico e tratamento. São Paulo: Roca; 2001.

Cardoso EM, Costa M. Minidicionário de termos técnicos em saúde. Goiânia: AB; 2006.

Crossman AR, Neary D. Neuroanatomia: um texto ilustrado em cores. Rio de Janeiro: Guanabara Koogan; 2002.

De Leeuw R. Orofacial pain: guidelines for assessment, diagnosis, and management. 4th ed. Chicago: Quintessence; 2008.

Grossmann E. Glossário de cabeça e pescoço. São Paulo: Quintessence; 2008.

Kato K. Dicionário termos técnicos de saúde. São Paulo: Conexão; 2005.

Leituras sugeridas

Paiva HJ, Bosco AF. Oclusão: noções e conceitos básicos. São Paulo: Santos; 1997.

Paiva HJ. Noções e conceitos básicos em oclusão, disfunção temporomandibular e dor orofacial. São Paulo: Santos; 2008.

Perroti-Garcia AJ. Vocabulário para odontologia. São Paulo: SBS; 2003.

Wolkoff AG. Dicionário ilustrado de termos médicos e saúde. São Paulo: Rideel; 2005.

Capítulo 2

OCLUSÃO

Angela Maria Fernandes Vieira de Paiva
Helson José de Paiva
Eduardo Grossmann

A

Abertura (da boca; mandibular; bucal) • Movimento de abaixamento da mandíbula, executado durante seu afastamento em relação à maxila.

Abertura máxima • Movimento de separação máxima da mandíbula em relação à maxila, cujo valor mínimo considerado normal é de aproximadamente 40 mm. Segundo Solberg e colaboradores[1], os homens abrem a boca mais amplamente que as mulheres. Uma abertura interincisal de 40 mm é um limite realista muito baixo para pessoas de 10 a 70 anos. Ageberg demonstrou que a chance de se observar uma abertura interincisal de 40 mm ou menos, em jovens sadios, é de aproximadamente 2%. Hansson e Nilner[2] comentaram haver muitos pacientes com disfunção e abertura de boca maior do que 40 mm.

Abfração • Perda patológica de substância dentária dura causada por forças de carga biomecânica. Imagina-se que tal perda seja devida à flexão.

Abrasão • Desgaste de estrutura ou da substância por meio de um processo mecânico anormal, como a fricção com a pele e os dentes (usura). Nessas condições, a dimensão vertical de oclusão pode ser mantida à custa de irrupção passiva. Desgaste patológico de substância dentária por outras causas além da mastigação (bruxismo). O desgaste dentário pode ser mais rápido que o mecanismo de compensação pela irrupção passiva, provocando a diminuição da dimensão vertical de oclusão.

Agenesia dentária • Não formação ou desenvolvimento anormal do órgão dentário.

Agnatia • Anomalia de desenvolvimento caracterizada pela ausência da mandíbula.

Ajuste • Em Odontologia, diz-se da modificação feita sobre uma prótese ou sobre os dentes naturais para assegurar a adaptação, a função ou a aceitação pelo paciente.

Ajuste oclusal • Qualquer alteração na oclusão para desenvolver relações harmônicas dos dentes entre si, e destes com o mecanismo neuromuscular, as articulações temporomandibulares e as estruturas de suporte periodontal. Refere-se a qualquer alteração das superfícies oclusais dos dentes ou das restaurações.

Ala-trago (linha) • Linha (imaginária) que vai da borda inferior da asa do nariz à borda superior do trago. Frequentemente, é usada com um terceiro ponto no trago oponente, no intuito de estabelecer-se o plano ala-trago. Idealmente, considera-se que o plano ala-trago encontre-se paralelo ao plano oclusal, que apresenta, por sua vez, uma angulação de aproximadamente 10° com o plano horizontal de Frankfurt, quando observado no plano sagital mediano.

Alginato • Hidrocoloide irreversível, constituído de um sal de ácido algínico, que, ao ter seu estado físico alterado por uma reação química irreversível, torna-se o alginato de cálcio insolúvel. Ao ser misturado à água, transforma-se temporariamente em uma massa elástica, permitindo-se seu uso na tomada de impressões (moldagem).

Altura cuspídea • Distância perpendicular entre a ponta de uma cúspide e seu plano basal.

Alvéolo • Cavidade do processo alveolar, da maxila ou da mandíbula, na qual a raiz de um dente é segura pelo ligamento periodontal.

Ameias • Nicho; vão interdentário; embrasura. Ver Embrasura.

Análise oclusal (análise funcional da oclusão; análise oclusal funcional) • Estudo das relações entre dentes antagonistas, feito clinicamente ou por meio de modelos de estudo montados em articulador. Tem a finalidade de examinar e avaliar a oclusão dentária, bem como as relações das superfícies oclusais dos dentes antagonistas.

Angle (classificação das maloclusões de) • Classificação que divide as más oclusões em três classes amplas (Classe I, também denominada neutroclusão; Classe II, também denominada distoclusão, que tem ainda duas subdivisões; Classe III, ou mesioclusão). Baseia-se nas relações anteroposteriores maxilomandibulares e fundamenta-se, originalmente, na teoria de que o primeiro molar superior permanente estaria invariavelmente numa posição correta e imutável. Ver Distoclusão e Mesioclusão.

Ângulo • Junção de duas ou mais superfícies.

Ângulo ANB • Na análise cefalométrica, o ângulo formado entre a linha násio-ponto A e a linha násio-ponto B.

Ângulo cuspídeo • Ângulo formado pela vertente de uma aresta de cúspide com o plano de oclusão, medido no sentido mesodistal ou vestibulolingual.

Ângulo da eminência • Ângulo formado entre o plano horizontal e o plano descrito pela cabeça da mandíbula, no movimento protrusivo, observado no plano sagital. Favorece a desoclusão dos dentes posteriores.

Ângulo de Bennett • Ângulo formado entre o plano sagital e a trajetória de avanço do côndilo do lado de balanceio, visualizado no plano horizontal durante os movimentos laterais da mandíbula. Apresenta, em média, 15°. Durante esse deslocamento, o côndilo se movimenta para frente, para baixo e para dentro.

Ângulo de Fischer (Rudolf Fischer, dentista suíço) • Ângulo formado pela intersecção das trajetórias condilares (protrusiva e do lado de não trabalho) observado do plano sagital.

Ângulo do plano mandibular de Frankfurt • Na língua inglesa, também conhecido pela sigla FMA. É o ângulo formado pela intersecção do plano horizontal de Frankfurt com o plano mandibular.

Ângulo SNA • Em cefalometria, refere-se ao ângulo que mede a relação anteroposterior da maxila em relação à base anterior do crânio; demonstra o grau de prognatismo ou retrognatismo maxilar.

Ângulo SNB • Em cefalometria, refere-se ao ângulo que mede a relação anteroposterior da mandíbula em relação à base anterior do crânio.

Anodontia • Ausência congênita de dentes (decíduos ou permanentes).

Apertamento • Hábito parafuncional em que o indivíduo exerce pressão (esforço), com os dentes intercuspidados, isto é, numa relação estática dente a dente. Designado também "bruxismo cêntrico".

Apertamento dentário • Hábito parafuncional diurno e/ou noturno extremamente comum que pode passar despercebido pelo paciente e gerar desgastes dentários localizados (facetas), espessamento do ligamento periodontal (sinal radiográfico), pericementite (sinal clínico) e mesmo sensibilidade muscular dolorosa. Pode também provocar hipertrofia dos músculos mastigatórios, principalmente do masseter e menos frequentemente do temporal.

Apinhamento • Condição de mau posicionamento dentário na qual os dentes (com frequência os anteriores inferiores) se encontram agrupados desordenadamente, por falta de espaço no arco. Em ortodontia, é comumente citado como "discrepância negativa de modelo".

Arco de fechamento • Arco circular ou elíptico determinado pelo fechamento da mandíbula. É frequentemente observado a partir do plano sagital mediano, usando um ponto de referência na mandíbula (com frequência a margem incisal mesial do incisivo central inferior).

Arco dentário • Estrutura composta pelos dentes naturais e pelo osso alveolar.

Arco facial • Dispositivo acessório dos articuladores, empregado para registrar a relação espacial do arco superior com algum ponto ou pontos de referência anatômica, e então transferir essa relação a um articulador; orienta os modelos na mesma relação com o eixo de abertura do articulador. Geralmente, os pontos de referência são o eixo horizontal transversal das cabeças mandibulares e outro ponto selecionado.

Arco facial arbitrário • Arco facial cujas extremidades são reguladas para se ajustar sobre pontos faciais predeterminados com base em valores médios arbitrários. Por exemplo: arcos faciais dos articuladores Whip-Mix, Dentatus, Bio-Art, Gnatus, Dent-Flex, Kavo.

Arco facial cinemático • Arco facial cujas extremidades podem ser ajustadas para a localização do eixo horizontal transverso da mandíbula. Por exemplo: arcos faciais dos articuladores de Stuart, Denar, Tadachi Tamaki.

Arco gótico • Delimitação traçada por um estilete, preso à maxila, sobre uma placa de registro presa à mandíbula, com os dentes separados, quando a mandíbula executa movimentos retrusivos e laterais de um lado a outro. O vértice do arco representa a relação retrusiva da mandíbula com a maxila. Esse traçado corresponde à metade posterior do "envelope de movimento" horizontal.

Arcon • Contração das palavras inglesas *articulator* e *condyle*, empregada para caracterizar um articulador que contém os elementos da guia condilar em seu membro superior e os elementos condilares no membro inferior. Os articuladores Whip-Mix, Bio-Art, Dent-Flex e Gnatus (modelo antigo) são exemplos.

Área de contato proximal • Aumento da área de abrangência do contato dentário interproximal, por desgaste de esmalte, resultante dos pequenos movimentos executados pelos dentes. Quando o desgaste se torna exacerbado pela idade, estima-se que ocorra uma diminuição de mais de 1 cm na extensão anteroposterior do arco dentário.

Arestas • Cristas das vertentes dos dentes que saem das cúspides, em um dente posterior, e são contíguas com outras áreas ou terminam na fossa central.

Arestas oblíquas (pontes de esmalte) • São estruturas que correm das cúspides mesiolinguais de todos os primeiros molares superiores (e de alguns segundos molares) e se unem à aresta triangular distovestibular. Elas podem ser contínuas ou separadas por uma fissura.

Arestas transversais • Estruturas que atravessam o dente entre as cúspides vestibular e lingual, como no primeiro pré-molar inferior, podendo se ligar a duas outras arestas.

Arestas triangulares • Estruturas que correm das cúspides para a fossa central de todos os dentes posteriores, exceto do primeiro pré-molar inferior.

Articulação craniomandibular • Ver Articulação temporomandibular no Capítulo 3.

Articulação temporomandibular (ATM) • É a articulação constituída por cabeça mandibular, disco, fossa mandibular, cápsula articular; membrana sinovial; músculo pterigoideo lateral; ligamentos internos de sustentação do disco e os externos, como o temporomandibular, esfeno e estilomandibular. Classifica-se como uma articulação do tipo gínglimo bilateral. O movimento no compartimento articular superior é principalmente de translação, ao passo que, no inferior, é principalmente rotacional.

Articulador • Instrumento mecânico que representa as articulações temporomandibulares, a maxila e a mandíbula, no qual os modelos superiores e inferiores podem ser fixados para simular alguns movimentos mandibulares. Podem ser do tipo charneira, semiajustáveis ou totalmente ajustáveis.

Articulador ajustável • Articulador que permite algum ajuste limitado nos planos sagital e horizontal para simular os movimentos mandibulares.

Articulador arcon • Articulador que aplica o esquema "Arcon". Este instrumento mantém diretrizes anatômicas pelo uso de análogos condilares no dispositivo inferior e nas fossas no superior.

Articulador de bisagra (charneira) • Modelo simplificado de articulador, no qual só são executados movimentos de abertura e de fechamento em torno de um eixo fixo de modo semelhante a uma dobradiça.

Articulador de trajetória condilar fixa • São articuladores que têm valores médios fixos e permitem movimentos laterais e protrusivos por intermédio de uma inclinação e uma distância das esferas condilares fixas.

Articulador não ajustável • Articulador que não permite ajuste para a simulação dos movimentos mandibulares.

Articulador semiajustável (articulador de valor médio) • Tipo de articulador que permite ajustes para a simulação dos movimentos mandibulares médios. Nesse articulador, os mecanismos das trajetórias condilares são ajustáveis no plano sagital, incluindo também as mesas incisais ajustáveis, um ajuste para o movimento mandibular lateral (Bennett) e, ocasionalmente, um ajuste da distância entre as esferas condilares. Um arco facial também se encontra disponível.

Articulador totalmente ajustável • Tem um mecanismo condilar complexo, ajustável em três planos. Permite a replicação do movimento tridimensional da mandíbula. O ajuste da trajetória das esferas condilares é possível pela modificação da trajetória padrão ou substituição desta por trajetórias de curvaturas diferentes. O movimento de Bennett é ajustável e a distância interesferas pode variar. Mesas incisais ajustáveis podem ser usadas.

Assimetria da mandíbula • Condição presente quando os lados direito e esquerdo da mandíbula não são imagens em espelho um do outro.

Assimetria de movimento • Condição observada quando o movimento mandibular apresenta um componente lateral na abertura e no fechamento, especialmente em uma visão do plano frontal.

Atividade fisiológica "normal" • Atividade funcional característica de um órgão ou sistema, pelo equilíbrio homeostático do organismo.

Atrição • Desgaste mecânico fisiológico, limitado às superfícies contatantes dos dentes, resultante da mastigação ou parafunção.

Atrofia • Enfraquecimento da célula, tecido ou órgão. Um músculo pode se tornar diminuído por muitas causas, como desuso, neuropatia e/ou distúrbios metabólicos.

Atrofia muscular • Perda de tecido muscular, principalmente devido à falta de uso.

Aumento na dimensão vertical de oclusão • Aumento da distância vertical entre a mandíbula e a maxila por meio de modificações dos dentes, posições dentárias ou registros de mordida.

Auscultação • Processo de determinação das condições de várias partes do corpo por meio da escuta dos sons emitidos.

Axial • Que se relaciona ao longo eixo de um dente.

Axiversão • Designação da má posição dentária na qual o dente se encontra com uma inclinação axial incorreta. A mais comumente encontrada é a mesioversão, pela perda do dente situado à mesial.

B

Base da dentadura • Parte de uma dentadura que repousa sobre os tecidos de suporte e na qual os dentes estão inseridos.

BDI (sigla) • Instrumento composto de 21 itens, para avaliar a severidade da depressão em adultos e adolescentes. Foi elaborado por Beck e Steer[3] e validado para o Brasil por Cunha.[4]

Bipodismo • Tipo de contato oclusal em que uma cúspide toca em dois pontos da fossa antagonista, ou em duas cristas marginais.

Borda da dentadura • Borda periférica da margem de uma base de dentadura na junção da superfície polida com a superfície de moldagem; abrange toda a base da dentadura até os limites vestibular, lingual e posterior.

Braquete • Dispositivo individual colado a um dente individual para sustentar arcos metálicos.

Bruxismo (bricismo; briquismo) • Desgaste ou ranger dos dentes parafuncional, geralmente durante o sono. Apertamento involuntário dos dentes, associado a movimentos mandibulares laterais e protrusivos, involuntários rítmicos ou espasmos não funcionais, que resulta no rangido e no desgaste anormal dos dentes. Frequentemente, ocasiona traumatismos oclusais e, se prolongado, diminuição da dimensão vertical de oclusão. Hábito geralmente associado ao estresse emocional, à ansiedade, ao medo ou à fadiga, no qual os dentes inferiores se movem lateralmente, ou protrusivamente, enquanto contatam com os dentes superiores, resultando em padrões de desgaste anormais sobre eles.

Bruxofaceta • Superfície achatada altamente polida, localizada em determinados pontos dos dentes antagonistas, resultante da prática do bruxismo.

Bruxomania • Condição psicogênica frequentemente relacionada àquela fase do bruxismo que ocorre inconscientemente enquanto o indivíduo está alerta, exceto durante a mastigação.

Bull • Acrônimo das palavras inglesas *Bucal--Upper-Lingual-Lower*. Sugerido por Schuyler[5] como uma das regras básicas para o ajuste oclusal. Segundo o autor, as cúspides de suporte ou contenção cêntrica (vestibulares inferiores e palatinas superiores) são beneficiadas e preservadas quando se ajustam às cúspides de balanceio ou não funcionais (vestibulares superiores e linguais inferiores).

C

Cabeça de não trabalho • Designação dada à cabeça mandibular do lado de balanceio.
Cabeça de trabalho • Designação dada à cabeça mandibular do lado de trabalho.
Cabeça mandibular • Processo ósseo de forma elipsoide (para alguns em forma de barril), que permite a articulação com a fossa mandibular na base do crânio.
Canino • Um dos quatro tipos de dentes humanos. Cada um dos caninos encontra-se localizado entre os incisivos laterais e os primeiros pré-molares, na dentadura permanente. Os caninos situam-se no limite entre os segmentos anterior e posterior dos arcos dentários.
Cantilever • Projeção de eixo ou membro sustentada por apenas uma extremidade.
Carga axial • Força exercida na direção do longo eixo de um dente.
Carga imediata • Colocação de carga oclusal/incisal total sobre um implante dentário recém-instalado.
Carga progressiva • Aumento gradual na aplicação de força sobre um implante dentário, quando intencionalmente feita por meio de uma prótese, ou involuntariamente, por forças oriundas de estruturas anatômicas adjacentes, ou carga parafuncional.
Cêntrica longa • Liberdade para fechar a mandíbula, quer dentro da relação central, quer levemente anterior a ela, sem variação da dimensão vertical de oclusão.
Centro de rotação • Ponto ao redor do qual outros pontos em um corpo se movem. Eixo de rotação vertical imaginário coronal-horizontal e sagital que passa através das regiões de ambas as cabeças da mandíbula e sobre o qual a mandíbula roda, a fim de prover movimentos tridimensionais.
Ciclo mastigatório • Representação tridimensional do movimento mandibular produzida durante a mastigação.
Cinesiografia • Medida e registro gráfico do movimento de partes do corpo.
Cinesiologia • Estudo do movimento do corpo humano.
Cirurgia de implante • Fase da implantodontia que consiste na seleção, no planejamento e na instalação do corpo do implante e *abutment*.
Cirurgia de implante dentário (primeiro estágio) • É o procedimento cirúrgico inicial na colocação de um implante dentário. Para implantes intraósseos, refere-se ao rebatimento dos tecidos bucal, mucoso e de revestimento, preparo da área do implante (ou seja, remoção do osso alveolar e, ocasionalmente, formação de rosca), colocação do corpo do implante dentário e sutura dos tecidos moles de revestimento sobrejacentes.
Cirurgia de implante dentário (segundo estágio) • É o segundo tempo cirúrgico na colocação de um implante dentário. Após o rebatimento do retalho, a face oclusal do corpo do implante é exposta, o parafuso de cobertura é removido e o *abutment* provisório ou definitivo é instalado. Então, os tecidos de revestimento são (quando necessário) unidos.
Clique (*clicking*) • Ver Estalido.
Clique de abertura média • Clique da articulação temporomandibular que ocorre durante a translação, ou protrusiva da(s) cabeça(s) da mandíbula.
Clique de abertura precoce • Clique da articulação temporomandibular que ocorre no início da translação da(s) cabeça(s) da mandíbula.
Clique de abertura tardia • Clique da articulação temporomandibular que ocorre imediatamente antes do fim da abertura.

Clique de fechamento precoce • Clique que ocorre na articulação temporomandibular no início da translação retrusiva.

Clique de fechamento tardio • Clique que ocorre na articulação temporomandibular imediatamente antes do fim do fechamento.

Clique recíproco • Par de cliques que ocorre na articulação temporomandibular, sendo um durante o movimento de abertura e o outro durante os movimentos de fechamento em amplitudes interincisais diferentes. Sinal clínico patognomônico de deslocamento do disco com redução.

Colapso posterior de mordida (colapso da oclusão) • Situação de desarmonia oclusal na qual, principalmente pela ausência múltipla de elementos dentários posteriores, a mandíbula não pode ser adequadamente estabilizada contra a maxila. Em geral se manifesta com axiversões acentuadas, extrusões e redução da dimensão vertical de oclusão.

Complexo disco-cabeça • Complexo formado pela cabeça da mandíbula e seu disco articular, funcionando como uma articulação simples.

Componente anterior (da força mastigatória) • Designação dada à resultante mesial que ocorre nos pontos de contato dos dentes, devido à inclinação axial dos elementos permanentes e das forças musculares da mastigação. Não deve ser confundida com a "tendência à mesialização" (tendência ao deslocamento mesial) que é uma condição inerente aos dentes que tendem a movimentar-se mesialmente, mesmo antes de estarem em oclusão.

Componentes de oclusão • Denominam-se os vários elementos envolvidos na oclusão, como as articulações temporomandibulares e sua musculatura associada, os dentes, suas superfícies de contato e os tecidos de revestimento, e/ou as estruturas de suporte para próteses.

Contato de intercuspidação • Contato entre as cúspides dos dentes oponentes.

Contato de intercuspidação máxima • Contato dentário na posição de intercuspidação máxima.

Contato defletivo • Contato dentário que desloca um dente, desvia a mandíbula de sua trajetória normal de fechamento, ou desloca uma prótese removível de sua posição. Relaciona-se ao contato prematuro.

Contato em balanceio (contato não funcional) • Contato dentário do lado oposto àquele em cuja direção a mandíbula se movimenta na lateralidade.

Contato oclusal inicial • O primeiro contato ou o contato inicial dos dentes antagonistas.

Contato prematuro • Contato não fisiológico entre dentes antagonistas que impede ou dificulta o fechamento mandibular completo ou sem desvios. Assemelha-se ao contato defletivo.

Contato retruído • Contato de um dente ou dentes ao longo da trajetória retrusiva de fechamento. Refere-se ao contato inicial de um dente ou dentes durante o fechamento ao redor de um eixo transversal horizontal.

Contatos do lado de trabalho • Contatos dentários no lado em direção ao qual a mandíbula é movimentada durante os movimentos de trabalho.

Contenção cêntrica • Estabilização do movimento mandibular de fechamento, resultante da máxima intercuspidação dentária, que ocorre quando há contatos entre cúspides e fossas antagonistas.

Contralateral • Que ocorre ou age em conjunto com partes semelhantes em um lado oposto.

Coroa • Porção de um dente, coberta pelo esmalte, que se projeta normalmente além dos tecidos gengivais e é visível na cavidade bucal. Este termo também é empregado para designar a substituição protética, parcial ou total, de um dente ausente.

Coroa anatômica • Porção de um dente natural coberta pelo esmalte e suportada inferiormente pela dentina. Ela se estende da junção amelocimentária à porção incisal ou oclusal do dente.

Coroa artificial • Restauração fixa que envolve três ou mais superfícies axiais e a superfície oclusal ou margem incisal de um dente natural, geralmente de ouro, porcelana odontológica ou resina acrílica.

Coroa de implante • Emprego errôneo do termo; uma coroa ou prótese parcial fixa não é um dispositivo passível de implantação. A prótese recebe suporte e estabilidade do implante dentário.

Coronoplastia • Alteração na morfologia da porção coronária de dentes naturais, a fim de eliminar estímulos proprioceptivos nocivos à neuromusculatura, restabelecer ou regularizar sua anatomia. O objetivo da coronoplastia é remover as interferências que desviam a porção terminal da trajetória mandibular de fechamento completo, numa oclusão estável.

Corpo do implante • Porção do implante dentário que fornece ancoragem no osso por meio de um processo de integração tecidual.

Crepitação (das articulações temporomandibulares) • Ruído articular semelhante àquele produzido pela movimentação de fragmentos ósseos fraturados (deslizando sobre areia) ou a movimentação de ar em espaços tissulares. Assemelha-se também ao som de grãos de sal queimando no fogo ou fios de cabelo sendo friccionados entre os dedos. Quando ocorre na ATM, normalmente reflete estágios avançados de processos degenerativos. É observada durante o movimento.

Cristas marginais • Estruturas contíguas com arestas das cúspides que formam as margens proximais.

Curva de compensação • Curvatura anteroposterior (no plano mediano) e lateral (no plano frontal) no alinhamento das superfícies oclusais e margens incisais dos dentes artificiais, desenvolvida com a finalidade de equilibrar ou balancear a oclusão. Corresponde à curva de Spee na oclusão natural. Refere-se também à curvatura do alinhamento das superfícies oclusais dos dentes, desenvolvida para compensar as influências de abertura induzidas pelas guias condilares e incisal durante os movimentos mandibulares excursivos laterais e protrusivos. É um meio de manter os contatos dentários posteriores sobre os molares e prover os contatos em balanceio nas próteses totais quando a mandíbula se movimenta em protrusão.

Curva de oclusão • Curva média estabelecida pelas margens incisais e superfícies oclusais dos dentes anteriores e posteriores, em ambos os arcos.

Curva de Spee (curva anteroposterior) • É a curvatura anatômica estabelecida pelo alinhamento oclusal dos dentes, projetada sobre o plano mediano, que se inicia na ponta de cúspide do canino inferior, passando pelas cúspides vestibulares dos pré-molares e molares naturais, continuando em direção à borda anterior do ramo ascendente da mandíbula e se encerrando na porção mais anterior da cabeça mandibular. Foi descrita por Ferdinand Graf Spee, anatomista alemão, em 1890.

Curva de Wilson • Também conhecida como curva médio-lateral. Baseada na teoria na qual a oclusão deveria ser esférica. Consiste em uma curvatura da cúspide projetada no plano frontal, expressa em ambos os arcos, sendo a curva no arco inferior côncava, e no superior, convexa. A curvatura no arco inferior é afetada por uma inclinação lingual igual dos molares direitos e esquerdos de tal forma que as pontas das cúspides correspondentes alinhadas possam ser incluídas nas circunferências de um círculo. A curvatura transversa da cúspide dos dentes superiores é afetada pelas inclinações vestibulares iguais de seus longos eixos.

Curvatura oclusal • Curva de uma dentição na qual as superfícies oclusais se encontram, observada dos planos frontal e sagital.

Cúspides • Elementos anatômicos de forma piramidal, com base quadrangular, que se situam nas faces oclusais dos dentes posteriores. São constituídas por planos inclinados denominados vertentes, sendo duas oclusais (vertentes triturantes) e duas vestibulares ou linguais (vertentes lisas), divididas pelas arestas longitudinais mesial e distal, apresentando na sua porção mais alta o ápice ou ponta de cúspide.

Cúspides de balanceio (cúspides não funcionais; cúspides de não contenção cêntrica) • São aquelas que não ocluem com os dentes antagonistas, são as cúspides linguais dos dentes inferiores e as cúspides vestibulares dos dentes superiores. Embora sejam chamadas não funcionais, têm a função de proteger os tecidos moles (bochechas e língua) durante a atividade mastigatória.

Cúspides de suporte (cúspides funcionais; cúspides de contenção cêntrica) • São as cúspides ou as margens incisais que ocluem entre si entre os dentes antagonistas e sustentam a oclusão cêntrica. Geralmente, são as cúspides vestibulares dos dentes inferiores e as cúspides linguais (palatinas) dos dentes superiores, além das margens incisais dos dentes anteriores inferiores. São importantes na oclusão porque estabelecem e mantêm a dimensão vertical de oclusão (DVO).

Cúspides-guias • São as cúspides vestibulares superiores e linguais inferiores dos dentes posteriores. As superfícies que proporcionam as guias são as cristas triangulares internas e suas vertentes. As superfícies linguais dos incisivos inferiores e caninos são também superfícies-guias.

Cúspides impactantes (cúspides êmbolo) • Diz-se das cúspides que tendem a forçar ou impactar alimentos nas áreas proximais, com frequência quando há ausência do ponto de contato interproximal. Mais comumente as cúspides de suporte podem atuar como tal.

D

Deflexão • Deslocamento da mandíbula para um dos lados durante a abertura da boca, que pode ou não estar limitada, e que não volta à linha média no fim do movimento da abertura bucal.

Deglutição • Ato de engolir; ação combinada de diversos órgãos na qual o bolo alimentar é empurrado pela língua para a faringe e para o esôfago em direção ao estômago.

Deglutição "vazia" • Designação dada à deglutição apenas da saliva, sem a presença de líquidos ou do bolo alimentar, executada para a lubrificação de parte das vias aéreas superiores e da orofaringe.

Dentadura artificial • Substituto artificial dos dentes naturais no arco e suas estruturas associadas.

Dentadura decídua • Proveniente da primeira dentição humana, normalmente composta por 20 dentes que são esfoliados e substituídos pela dentadura permanente. O termo **decíduo** refere-se a qualquer estrutura anatômica relativa à dentadura decídua.

Dentadura mista • Estágio de desenvolvimento no qual ocorre a esfoliação dos dentes decíduos e irrupção dos dentes permanentes. Situação de transição entre a primeira e a segunda dentadura, em que são encontrados, ao mesmo tempo, dentes decíduos e permanentes na cavidade bucal.

Dentadura natural • Designação dada coletivamente aos dentes naturais nos arcos dentários superior e inferior; pode ser decídua, mista ou permanente.

Dentário • Relativo ou pertencente ao dente.

Dentina • Porção de um dente natural coberta por esmalte ou cimento. Caracteriza a parte volumosa do dente. Consiste em um tecido calcificado semelhante a osso, porém mais denso.

Desarmonia oclusal • Fenômeno no qual os contatos das superfícies oclusais dos dentes antagonistas não estão em harmonia com outros contatos dentários e/ou componentes anatômicos e fisiológicos do complexo craniomandibular.

Descondicionamento muscular (desprogramação) • Processo de eliminação do condicionamento proprioceptivo de um músculo. O *myo-monitor*, mio-TENS 14, o *Jig* de Lucia e o *Leaf-gauge* de Long Jr. são os métodos mais comuns que podem ser usados com a finalidade de devolver ao músculo seu comprimento normal de repouso.

Desempenho mastigatório • Medida da redução de alimentos, passível de obtenção após condições de teste padronizadas.

Desgaste seletivo • Ver Ajuste oclusal.

Desinserção do disco • Separação periférica do disco de suas inserções capsulares, ligamentosas ou ósseas.

Deslizamento cêntrico • Movimento da mandíbula em relação cêntrica, a partir do contato oclusal inicial até a posição de intercuspidação máxima.

Deslocamento • Estado ou ato de estar deslocado, como o deslocamento de um ou mais ossos de uma articulação.

Desoclusão • Separação dos dentes oponentes durante os movimentos mandibulares excêntricos.

Desoclusão pelo canino (guia canino; oclusão com proteção de canino) • Padrão de articulação mutuamente protegida no qual, durante os movimentos mandibulares excursivos, as sobreposições vertical e horizontal permitem contato só nos caninos daquele lado, desocluindo os dentes posteriores.

Desoclusão por função em grupo (função em grupo; oclusão com função em grupo) • Tipo ou padrão de oclusão, na oclusão natural, no qual, durante os movimentos excursivos da mandíbula de lateralidade, ocorrem contatos múltiplos entre os dentes superiores e inferiores no lado de trabalho, com uma ação em grupo para distribuir as forças oclusais. Os contatos dentários podem ser simultâneos ou ocorrer progressivamente a partir dos caninos, seguindo-se os pré-molares e os molares.

Desordem, disfunção temporomandibular • Ver Disfunção temporomandibular.

Desprogramador • Refere-se aos vários tipos de dispositivos ou materiais usados para alterar o mecanismo proprioceptivo durante o fechamento mandibular.

Desvio • Deslocamento da mandíbula para um dos lados durante a abertura da boca, que pode ou não estar limitada, e que volta à linha média no fim da abertura bucal.

Desvio lateral • Ver Translação mandibular.

Desvio protrusivo • Movimento desviado na protrusão que finaliza na posição cêntrica e é indicativo de interferência durante o movimento.

Determinantes da morfologia oclusal • Conjunto de elementos constituído pelos fatores fixos da oclusão representados pelo movimento de Bennett, inclinação da guia condilar e pelos fatores variáveis da oclusão, representados pela guia anterior, o plano de oclusão e a curva de Spee. Tais elementos e suas variações permitem o estabelecimento dos padrões ou dos esquemas oclusais individuais.

Determinantes do movimento mandibular • Estruturas anatômicas que estabelecem ou limitam os movimentos da mandíbula. O determinante anterior do movimento mandibular é a oclusão dentária (guia anterior; guia incisal). Os determinantes posteriores do movimento mandibular são as articulações temporomandibulares e as estruturas associadas e a oclusão dos dentes posteriores.

Detrusão • Movimento inferior da cabeça mandibular.

Diastema • Espaço entre dois dentes adjacentes no mesmo arco dentário, originário do processo eruptivo em si, migração dentária ou iatrogenia (falta de contato proximal). Espaço entre os dentes decíduos ou permanentes relacionado ou não ao desenvolvimento fisiológico da dentição.

Dimensão vertical • Medida vertical da face entre dois pontos quaisquer, selecionados arbitrária e convenientemente, localizados um acima e outro abaixo da boca, em geral na linha média ou próximos a ela, sendo um em uma estrutura fixa e o outro em uma estrutura móvel.

Dimensão vertical de fala • Distância medida entre dois pontos selecionados quando as superfícies oclusais estão em sua proximidade mais íntima durante a fala.

Dimensão vertical de oclusão (DVO) • Dimensão vertical da face, quando os dentes estão em máxima intercuspidação, ou os rodetes de cera estão em contato com a mandíbula em relação cêntrica.

Dimensão vertical de repouso neuromuscular (DVRN) • Dimensão vertical de menor atividade eletromiográfica.

Dimensão vertical postural (DVP) • Dimensão vertical de repouso.

Diminuição da dimensão vertical • Diminuição da medida vertical da face, resultante da perda de dentes, modificação da forma dentária por cáries, restaurações ou próteses inadequadas e alterações nas posições dentárias por atrito ou desgaste, movimentação dos dentes ou, nos pacientes desdentados totais, por reabsorção dos rebordos residuais. Também é erroneamente denominada "perda" da dimensão vertical. É comum quando houve perda de um número significativo de dentes posteriores, e os anteriores remanescentes são responsáveis pelo contato mandibular cêntrico.

Diminuição induzida da dimensão vertical • Tipo de procedimento feito durante o ajuste da oclusão, indicado na dentadura natural quando for necessária a obtenção de um maior número de dentes em contato e das guias incisais, nas relações de Classe II de Angle suaves ou pouco evidentes (mordida aberta).

Disfunção extracapsular • Problema associado com o sistema mastigatório, no qual os fatores etiológicos estão localizados fora da cápsula da articulação temporomandibular.

Disfunção temporomandibular • É um termo que descreve um grupo de doenças que afetam funcionalmente o aparelho mastigatório, particularmente a musculatura mastigatória e a articulação temporomandibular (ATM).

Dispositivo mora (*mandibular orthopedic repositioning apliance*) • Abreviatura empregada para designar um tipo de esplinte oclusal mandibular usado com o objetivo de reposicionar a mandíbula, a fim de melhorar o equilíbrio neuromuscular e a relação interarcos.

Distância interesferas condilares • Distância, em milímetros (mm), entre os centros rotacionais das esferas condilares direita e esquerda. Nos articuladores, distância, em milímetros, entre o centro da esfera condilar direita e a esquerda. No articulador Whip-Mix está representada pelos seguintes valores médios: 96 mm (com esferas na posição "S"); 110 mm (com esferas na posição "M") e 124 mm (com esferas na posição "L").

Distância interoclusal • Distância entre as superfícies oclusais dos dentes superiores e inferiores, quando a mandíbula está em uma posição específica. A distância interoclusal é equivalente à diferença entre a dimensão vertical de repouso (DVR) e a dimensão vertical de oclusão (DVO). Também denominada espaço funcional livre (EFL), espaço livre interoclusal (ELI), espaço funcional de pronúncia (EFP).

Distoclusão • Relação maxilomandibular que caracteriza a maloclusão de Classe II (segundo a classificação de Angle). Indica uma situação na qual o arco dentário inferior localiza-se posteriormente ao superior. Apresenta duas subdivisões: a subdivisão 1 indica a presença de incisivos superiores vestibularizados; a subdivisão 2 denota a presença de incisivos centrais superiores lingualizados e incisivos laterais superiores vestibularizados.

Distoversão • Designação da má posição dentária na qual o dente se encontra desviado para posição distal à normal.

E

Eficiência mastigatória • Esforço muscular necessário para que seja alcançado um determinado grau de redução dos alimentos. A maior eficiência mastigatória é obtida com a dentadura natural, seguida, em ordem decrescente, pelas próteses fixas (aproximadamente 80%), próteses parciais removíveis (50%) e próteses totais ou dentaduras artificiais totais (20%).

Eixo de translação • Eixo horizontal que, a partir da dimensão vertical de repouso, atravessa um ponto no corpo da mandíbula, permitindo os movimentos de abertura e fechamento.

Eixo horizontal transversal (eixo de rotação mandibular; eixo terminal de rotação) • Linha imaginária entre as cabeças mandibulares, em torno da qual a mandíbula pode rotacionar no plano sagital.

Eixo instantâneo de rotação • Centro hipotético de rotação de um corpo em movimento, observado a partir de um determinado plano, em qualquer ponto do tempo. Para qualquer corpo que apresente movimento plano, há alguns pontos, em qualquer instante, que têm velocidade zero e, num dado momento, encontrar-se-ão fixos. A linha que une esses pontos é o eixo instantâneo de rotação. A intersecção desta linha com o plano de movimento é denominada centro instantâneo de rotação.

Eixo sagital • Linha anteroposterior imaginária ao redor da qual a mandíbula pode rotacionar, quando observada do plano frontal.

Eixo terminal de rotação • Eixo imaginário que passa no interior das cabeças da mandíbula, o qual é contido pelas paredes articulares superior, mediana e anterior da fossa mandibular, em relação cêntrica. Ver Eixo horizontal transversal.

Eletrodos de superfície • Eletrodos eletromiográficos receptores colocados sobre a pele, no longo eixo de um músculo, para registrar os potenciais de ação daquele músculo ou grupo muscular.

Eletromiografia • Registro gráfico do potencial elétrico de um músculo. Pode ser feita durante o sono.

Eletromiógrafo • Aparelho usado para registrar graficamente os impulsos elétricos gerados pela atividade muscular.

Embrasura • Espaço definido pelas superfícies de dois dentes adjacentes; há quatro espaços de embrasura para cada área de contato proximal: oclusal/incisal, mesial, distal e gengival.

Encerramento diagnóstico • Procedimento de grande uso em oclusão e prótese, através do qual, em modelos de estudo montados em articulador, executa-se o encerramento sobre os dentes existentes e nos espaços protéticos, criando-se um "protótipo" da reconstrução oclusal que poderá ser desenvolvida em cada caso.

Envelope de função • Espaço tridimensional, contido nos limites de movimentação, que define o movimento mandibular durante a função mastigatória e/ou a fonação.

Envelope de movimento • Espaço tridimensional circunscrito pelos movimentos mandibulares extremos, dentro do qual todos os movimentos mandibulares não restritos ocorrem.

Equilíbrio neuromuscular • Sinônimo de equilíbrio dinâmico. A soma de todas as estruturas musculares e ligamentos da cabeça, pescoço e componentes posturais, que se contrapõe, à medida que se relacionam com a posição da mandíbula, em relação ao crânio.

Equilíbrio oclusal • Condição em que há contatos simultâneos dos dentes antagonistas ou análogos dentários (ou seja, bordas de oclusão) em ambos os lados dos arcos dentários durante os movimentos excêntricos, dentro da faixa funcional. O mesmo termo refere-se ainda à modificação da forma oclusal dos dentes com a intenção de equalizar o estresse oclusal, produzindo-se contatos oclusais simultâneos ou relações harmônicas entre as cúspides.

Erosão • Perda progressiva de substância dentária por processos químicos que não envolvem ação bacteriana, produzindo defeitos que são acentuadamente definidos; depressões frequentes nas áreas vestibulares cervicais. Ver Perimolise.

Esmalte • Porção superficial, translúcida, fina, extremamente dura e calcificada do dente natural que cobre a coroa anatômica e protege a dentina. É a substância mais dura do corpo.

Espaço de Donders • Espaço entre o dorso da língua e abaixo dos palatos duro e mole quando a mandíbula e a língua estão em posição de repouso.

Espaço de Nance (Espaço livre de Nance: *leeway space*) • Designação dada à diferença entre a soma dos diâmetros mesodistais dos molares e caninos decíduos de um hemiarco e a soma dos diâmetros dos dentes permanentes correspondentes (canino, primeiro pré-molar e segundo pré-molar). No arco inferior esta diferença espacial é de aproximadamente 1,7 mm e no superior, de 0,9 mm, de cada lado, conforme descrito por Nance.

Espaço do disco • Área radiolúcida em uma radiografia da articulação temporomandibular entre a cabeça mandibular e a fossa mandibular, que corresponde ao espaço ocupado pelo disco articular.

Espaço funcional livre (espaço interoclusal de repouso; distância interoclusal; espaço livre interoclusal; espaço funcional de pronúncia) • É a distância entre as superfícies oclusais dos dentes superiores e inferiores, quando a mandíbula se encontra em sua posição específica. Pode ser determinado calculando-se a diferença entre a dimensão vertical de repouso (DVR) e dimensão vertical de oclusão (DVO). Afastamento ou separação vertical entre as superfícies oclusais e incisais dos dentes ou entre os rodetes de cera, decorrente da posição postural. Varia, normalmente, de 1 a 4 mm.

Espaço primata • Diastema interdentário localizado entre o incisivo lateral e o canino decíduos no arco superior e entre o canino e o primeiro molar decíduos no arco inferior. Sua importância no desenvolvimento da oclusão se justifica por ser um espaço compensatório das diferenças de tamanho entre os dentes decíduos e permanentes, no momento da irrupção desses últimos.

Espaço protético • Espaço interdentário produzido por perda dentária ou agenesia. Espaço existente entre dois dentes, contíguos ou não, provocado por ausência e não substituição de um ou mais elementos dentários. Espaço interdentário capaz de permitir a reposição de um ou mais elementos dentários ausentes, por meio de próteses parciais fixas ou removíveis.

Esplintagem (contenção dentária; esplintamento) • Técnica de fixação entre vários dentes com mobilidade, por meio de um dispositivo rígido ou flexível, por razões periodontais ou traumáticas, com a intenção de manter fixo o elemento afetado, protegendo-o.

Pode ser feita com fios de aço, resina, próteses parciais fixas ou removíveis e próteses adesivas. Também pode ser realizada para evitar a extrusão de dentes.

Esplinte • Dispositivo rígido ou flexível que mantém uma parte deslocada ou móvel em posição; também é usado para manter uma parte danificada em posição e protegê-la. Refere-se também a um material rígido ou flexível empregado para proteger, imobilizar ou restringir o movimento de um elemento.

Esplinte de reposicionamento • Dispositivo de esplintagem intrabucal confeccionado para alterar, de forma temporária ou permanente, a posição relativa da mandíbula em relação à maxila.

Esplinte oclusal • Ver os diferentes tipos de Placas oclusais.

Esplinte oclusal funcional • Dispositivo que guia os movimentos da mandíbula por meio do controle do plano e da extensão de movimentação.

Esplinte resiliente • Dispositivo resiliente que cobre os dentes superiores ou inferiores com a finalidade de evitar o trauma aos dentes ou agir como um desprogramador.

Estabilidade oclusal • Equalização dos contatos que evita a movimentação dentária após o fechamento.

Estabilização • Assentamento de uma prótese fixa ou removível de tal forma que não apresente báscula, ou seja, deslocada sob pressão.

Estalido (clique; estalo) • Tipo de ruído articular na articulação temporomandibular, que pode ser resultante do relacionamento anormal entre a cabeça da mandíbula, o disco e a fossa mandibular. Assemelha-se, grosseiramente, ao ruído produzido pelo estalar de dedos, agudo e breve. Frequentemente ocorre nos movimentos de abertura ou de fechamento mandibular, sendo considerado um dos mais frequentes sinais de disfunção do sistema estomatognático. O termo *clicking* refere-se a uma série de estalidos sucessivos, passível de identificação por exame com estetoscópio ou palpação.

Estética dentária • Aplicação de princípios de estética a dentes naturais ou artificiais e restaurações.

Estomatognático • Adjetivo que se refere aos arcos e à boca, coletivamente.

Estresse • Conjunto de reações do organismo a agressões de ordens física e psíquica, entre outras, capazes de alterar a homeostase.

Etiologia • Origem ou causa de uma doença ou síndrome patológica. Também denomina o estudo ou a teoria dos fatores causadores das doenças ou síndromes.

Excêntrico • Que se desvia de uma trajetória circular. Refere-se a qualquer posição mandibular que não seja sua posição normal.

Excursão • Movimento para fora e para trás ou de uma posição média de um eixo. Em Odontologia, refere-se ao movimento que ocorre quando a mandíbula se move além da posição de intercuspidação.

Extensão de movimento • Extensão, medida em graus de um círculo, por meio da qual uma articulação pode ser estendida ou flexionada. Refere-se à extensão de abertura e excursões laterais e protrusivas da articulação temporomandibular.

Extrusão (irrupção passiva; irrupção contínua) • Processo contínuo de irrupção dentária, mesmo após o completo desenvolvimento de um dente que ocorre como resultado da ausência de seu antagonista. Designação também dada aos movimentos dentários para compensar os desgastes fisiológicos das superfícies oclusais e proximais e margens incisais. É o movimento dentário além do plano oclusal natural, que pode ser acompanhado por um movimento semelhante dos tecidos de suporte.

F

Faceta • Designação dada a uma pequena superfície plana em qualquer elemento duro.

Faceta de contato • Área que circunscreve a ampliação de um ponto de contato, oclusal ou proximal, resultante do desgaste causado pela atrição entre dentes vizinhos ou antagonistas.

Fatores fixos da oclusão (determinantes fixos da oclusão; determinantes dos movimentos mandibulares; determinantes da morfologia oclusal) • São as estruturas anatômicas que determinam ou limitam os movimentos da mandíbula. O determinante anterior do movimento mandibular é a articulação dentária. Os determinantes posteriores do movimento mandibular são as articulações temporomandibulares e suas estruturas associadas.

Fatores móveis da oclusão (determinantes móveis da oclusão; determinantes variáveis da oclusão; determinantes dos movimentos mandibulares; determinantes da morfologia oclusal) • Os fatores considerados na oclusão natural adulta são: (1) a guia anterior; (2) o plano de oclusão; (3) as curvas de Spee e Wilson; (4) a altura de cúspides; e (5) os traspasses vertical e horizontal.

Feedback • Mecanismo de resposta; realimentação ou retroalimentação, que pode ser positiva, quando reforçar uma determinada situação, ou negativa, quando o produto final exerce efeito inibidor sobre a situação apresentada.

Fenômeno de Christensen • Situação em que se observa afastamento ou separação vertical das superfícies oclusais, na região posterior, quando é executado o movimento protrusivo mandibular.

Fisiológico • Refere-se à conformação do corpo à função normal de seus tecidos ou órgãos. É o oposto de patológico.

Fisiopatologia • Ciência da modificação das funções do corpo pelos processos patológicos.

Fisioterapeuta • Profissional de saúde especializado na aplicação e no acompanhamento de exercícios e outras atividades físicas, com o propósito de auxiliar na reabilitação de doentes e de ampliar a capacidade física deles, com menos dor e melhor qualidade de vida.

Fluxo (salivar) • Diz-se do volume de saliva produzida durante aproximadamente 5 minutos de estímulo, durante os quais o paciente é orientado a mascar uma goma-base ou um pedaço de cera parafina (cerca de 1,5 g). Antes de tal procedimento propriamente dito, o paciente deverá ter mascado os produtos supracitados, desprezando o conteúdo salivar produzido no primeiro minuto.

Fonética • Ciência dos sons fonados.

Força oclusal • Resultado da força muscular aplicada aos dentes oponentes; é a força criada pela ação dinâmica dos músculos durante o ato fisiológico de mastigação; resultado da atividade muscular aplicada aos dentes antagonistas.

Forças mastigatórias • Forças motoras criadas pela ação dinâmica dos músculos durante o ato fisiológico da mastigação.

Fossa • Depressão arredondada, escavação ou concavidade numa superfície anatômica.

Fossa central • Sulco entre as cúspides vestibular e lingual de um dente natural ou artificial; depressão larga e profunda na porção central da superfície oclusal de um molar.

Fossa lingual • Depressão larga e rasa na superfície lingual de um dente anterior.

Fossa triangular • Depressão larga de forma piramidal localizada nas superfícies oclusais dos dentes posteriores e adjacente às cristas marginais mesiais e distais.

Fóssula • Pequena depressão aguda, em forma de ponto, em uma superfície de esmalte geralmente localizada no ponto de intersecção de um ou mais sulcos de desenvolvimento.

Frêmito • Vibração perceptível à palpação; em Odontologia, é uma vibração palpável quando os dentes entram em contato.

Front-platô (placa anterior de mordida; platô anterior; front-plateau) • Tipo de placa oclusal diagnóstica, confeccionada em resina acrílica auto ou termopolimerizável, em geral adaptada aos dentes anteriores superiores que permite toque apenas dos dentes anteriores inferiores contra uma superfície plana (platô). Sua ação baseia-se no princípio fisiológico de modificação da propriocepção e de manutenção dos músculos próximos à posição de dimensão vertical de repouso. Como os dentes posteriores ficam fora de oclusão, seu uso deve ser limitado a poucos dias para evitar a possibilidade de irrupção passiva desses dentes.

Função em grupo • Tipo de relação oclusal, na oclusão natural, no qual, durante os movimentos excursivos de lateralidade da mandíbula, as cúspides de suporte dos dentes inferiores deslizam contra as cúspides de balanceio dos dentes superiores do lado de trabalho. Os contatos dentários, simultâneos, incluem caninos, pré-molares e molares, distribuindo os esforços oclusais sobre um número maior de dentes.

G

Garfo (do arco facial) • Acessório do arco facial, usado para fixar um registro interoclusal, por meio de cera ou godiva de baixa fusão, ao arco facial propriamente dito.

Gengiva • Tecido fibroso de revestimento, coberto por epitélio, que envolve o dente e é contínuo com a membrana periodontal e os tecidos mucosos da boca.

Gengiva inserida • Porção da gengiva firme, densa e unida ao periósteo subjacente, osso e dente.

Gengival • Relacionado ou pertinente à gengiva. É o tecido fibroso coberto pela membrana mucosa que envolve o dente.

Giroversão • Designação de má posição dentária individual na qual o dente se encontra girado sobre seu longo eixo, levando suas faces anatômicas a ocupar posições anormais.

Gnátio • É o ponto ósseo mais inferior no plano mediano da mandíbula.

Gnatodinamômetro • Instrumento elaborado para medir a força exercida no fechamento mandibular, a pressão de mordida.

Gnatofisiologia (gnatofisiologia clínica) • Disciplina de alguns currículos odontológicos dedicada ao estudo, à pesquisa e ao ensino de anatomia, histologia e fisiopatologia do sistema mastigatório (sistema estomatognático). Normalmente embasada nos conhecimentos oriundos da escola gnatológica. Em algumas faculdades de Odontologia, é conhecida como Disciplina de Oclusão.

Gnatologia • Ciência (Escola de Oclusão) que trata da biologia de todo o sistema mastigatório: morfologia, anatomia, histologia, fisiologia, patologia e terapêutica, incluindo as relações do sistema estomatognático com a saúde do resto do organismo. Criada por volta dos anos 1920 por B. B. McCollum. Inclui procedimentos de diagnóstico aplicado, terapêutica e reabilitação.

Guia • Influência das superfícies oclusais dos dentes superiores ou inferiores sobre o movimento mandibular.

Guia anterior (desoclusão pelos anteriores; guia incisal; guia incisiva) • Influência das superfícies de contato dos dentes anteriores nos movimentos mandibulares limitados pelos dentes. Influência das superfícies de contato do pino-guia e mesa incisal sobre os movimentos articulares. Designa ainda a confecção de uma relação dos dentes anteriores, evitando o contato dos dentes posteriores em todos os movimentos mandibulares excêntricos.

Guia canino (desoclusão pelo canino) • Forma de articulação mutuamente protegida na qual as sobreposições vertical e horizontal dos dentes caninos desocluem os dentes posteriores nos movimentos excursivos da mandíbula. Influência criada pelas superfícies oclusais dos dentes ou trajetórias das cabeças mandibulares, sobre o movimento mandibular.

Guia condilar • Guia mandibular gerada pela cabeça da mandíbula e pelo disco articular ao longo de sua trajetória pelo contorno da fossa mandibular até atingir o topo do tubérculo articular.

Guia condiliana (guia condilar; guia condílica) • Dispositivo mecânico localizado na região posterossuperior de um articulador que controla o movimento de sua parte móvel.

Guia cuspídea • Guia proporcionada pelas pontas de cúspides dos dentes posteriores antagonistas.

Guia incisal (desoclusão pelos anteriores) • Influência das superfícies de contato dos dentes superiores e anteriores sobre os movimentos mandibulares. Guia proporcionada pelas superfícies linguais dos incisivos superiores quando as margens dos incisivos inferiores os contatam durante o movimento protrusivo da mandíbula. No articulador, refere-se à influência das superfícies de contato do pino-guia e mesa incisal sobre os movimentos do articulador.

Gustação • Ato de perceber um sabor.

H

Hábito • Disposição duradoura adquirida pela repetição frequente de um ato, uso, postura. Costumes, hábitos paranormais: roer unhas, morder lábios, bochechas, morder gelo, objetos.

Hábito de língua • Movimentos conscientes ou inconscientes da língua, não relacionados a funções intencionais. Estes hábitos podem produzir más oclusões ou injúrias aos tecidos da língua ou ao periodonto.

Hábitos parafuncionais (parafunções) • Hábitos anormais, desenvolvidos frequentemente de modo reflexo, que se transformam em funções acessórias anormais e comprometem as atividades fisiológicas do sistema estomatognático. Podem ser citados, entre outros: apertamento dentário; roer unhas (onicofagia); umedecer, sugar ou morder os lábios; ranger os dentes; morder a língua ou as bochechas; quebrar ou mastigar palitos de dentes ou fósforos, gelo; morder lápis, canetas ou instrumentos de trabalho.

Harmonia oclusal • Condição, em relações cêntrica e excêntrica, na qual não há contatos interceptivos ou deflectivos das superfícies oclusais.

Harmonia oclusal funcional • Relação oclusal dos dentes antagonistas, em todas as extensões e movimentos funcionais, capaz de fornecer a maior eficiência mastigatória sem causar pressão indevida ou trauma aos tecidos de suporte.

Hiperatividade (dos músculos da mastigação) • Excesso de atividade motora dos músculos diretamente envolvidos com as funções do sistema estomatognático, geralmente relacionada a padrões mastigatórios unilaterais ou atípicos, ou ainda ao aparecimento de hábitos parafuncionais.

Homeostasia • Estabilização dos estados normais do corpo ou meio interno do organismo. É alcançada por um mecanismo de sistema de controle ativado pelo *feedback* negativo, o qual, por sua vez, inicia uma resposta positiva apropriada que mantém o equilíbrio.

Horizontal (plano) • Qualquer plano transversal perpendicular aos planos mediano e frontal, dividindo o corpo em antímeros superior e inferior. Em Odontologia, refere-se ao plano que passa através de um dente, perpendicularmente a seu longo eixo.

I

Iatrogenia • Alteração patológica provocada involuntariamente no paciente por qualquer tipo de tratamento.

Impacto mastigatório • Batida de curta trajetória que condiz com o término de cada ciclo mastigatório visando ao preparo progressivo do bolo alimentar para a deglutição.

Implantação • Ato de enxertar ou inserir um material, como uma substância aloplástica, uma droga encapsulada ou tecido no corpo de um receptor.

Implante • Qualquer objeto ou material, como uma substância aloplástica ou outro tecido, que seja parcial ou completamente inserida ou enxertada no corpo para finalidades terapêuticas, diagnósticas, protéticas ou experimentais. Ver os diferentes tipos de Implantes.

Implante dentário intraósseo • Dispositivo colocado no osso alveolar e/ou basal da mandíbula ou maxila e que atravessa apenas uma cortical óssea. O implante dentário intraósseo é composto de um componente de ancoragem, denominado corpo do implante intraósseo, que, idealmente, fica dentro do osso, e um componente de retenção, denominado *abutment* do implante dentário intraósseo. Esses elementos se unem por meio de parafusos, superfícies rosqueáveis ou cimento e, unidos, dão suporte a próteses fixas ou removíveis.

Implante dentário subperiosteal • Implante dentário supraósseo colocado sob o periósteo e acima da cortical óssea. Foi idealizado pelo dentista sueco G. S. Dahl.

Implante intraósseo em estrutura no ramo • Desenho de implante dentário que consiste em um *abutment* supragengival intrabucal horizontal na forma de uma barra e segmentos de implante intraósseo colocados nas áreas do ramo e da sínfise como uma secção (implantes confeccionados em uma peça de metal), ou duas secções (implantes de segmentos anteriores e horizontais conectados no momento da colocação), ou cinco secções (um implante consistindo em cinco secções nas quais os segmentos de implante intraósseo são colocados independentemente com partes que se encaixam).

Implante intraósseo no ramo • Refere-se a um implante intraósseo inserido, em parte, no ramo da mandíbula.

Implante subperiosteal unilateral • Implante dentário supraósseo que fornece *abutments* para suporte de uma prótese dentária fixa ou removível em um arco parcialmente desdentado.

Implantodontia • Termo histologicamente concebido como o estudo ou a ciência de colocação e a reabilitação de implantes dentários.

Incisal • Que se relaciona à margem cortante de um dente incisivo.

Incisivo • Um dos quatro tipos de dentes humanos. Os oito incisivos, localizados na região anterior da maxila e mandíbula, são usados para a incisão (corte).

Inclinação condilar lateral • Ângulo formado pela trajetória da cabeça da mandíbula em movimento no plano horizontal em relação ao plano mediano (movimento anteroposterior) e no plano frontal em relação ao plano horizontal (movimento superior-inferior). Ver Laterotrusão.

Infrairrupção • Falha na irrupção de um dente para alcançar o plano de oclusão estabelecido.

Infraversão (infraoclusão) • Designação da má posição dentária individual na qual o dente se encontra aquém (abaixo) do plano de oclusão. Ocorre normalmente em dentes com processo de anquilose.

Integração óssea • Inserção ou conexão direta aparente do tecido ósseo a um material aloplástico inerte sem interposição de tecido conectivo. É o processo e a conexão direta resultante da superfície de um material exógeno com os tecidos ósseos do hospedeiro, sem interposição de tecido conectivo fibroso. Esse termo refere-se ainda à interface entre os materiais aloplásticos e o osso.

Intercondilar (intercabeças) • Situado entre as duas cabeças da mandíbula.

Intercuspidação • Engrenamento das cúspides dos dentes antagonistas.

Interdentário • Que se situa entre as superfícies proximais dos dentes de um mesmo arco.

Interface do implante • Junção da superfície de um implante dentário com os tecidos circundantes do hospedeiro.

Interferência • Em Odontologia, quaisquer contatos dentários que interferem ou impedem o movimento mandibular harmonioso.

Interferência de balanceio • Contatos indesejáveis das superfícies oclusais antagonistas, no lado de não trabalho.

Interferência do disco • Interferência do movimento mandibular decorrente de uma patologia e/ou disfunção do disco articular.

Interferência oclusal • Qualquer contato oclusal que dificulta ou impede que as demais superfícies oclusais obtenham contatos estáveis e harmoniosos.

Interoclusal • Situado entre as superfícies oclusais de dentes antagonistas.

Interposição de língua • Padrão infantil de deglutição no qual a língua se interpõe entre os incisivos ou rebordos alveolares durante os estágios iniciais de deglutição, resultando, em alguns casos, em mordida aberta anterior, deformação dos arcos e/ou função anormal.

Interproximal • Entre as superfícies proximais dos dentes naturais adjacentes.

Intracondilar • Refere-se ao que se localiza ou ocorre no interior da cabeça da mandíbula.

Intrusão • Aprofundamento de elemento dentário em seu próprio alvéolo. Movimento de um dente na direção apical.

Irrupção (Ativa) • Movimento axial ou oclusal do dente, a partir de sua posição de desenvolvimento, dentro da maxila ou da mandíbula, até sua posição funcional no plano oclusal.

Irrupção ectópica • Tipo de irrupção anormal em que o dente permanente irrompe fora de sua posição normal.

Irrupção passiva • Ver Extrusão.

J

Jig (dispositivo desprogramador anterior; *jig* de LUCIA) • Literalmente, a palavra significa "padrão calibrador". Em oclusão e prótese, constitui-se em um dispositivo de interferência anterior, confeccionado em resina acrílica autopolimerizável, adaptado aos incisivos centrais superiores, cuja porção palatina é formada por dois planos inclinados que se unem numa aresta orientada para a linha média. É empregado, normalmente, para facilitar e tornar mais precisa a tomada de registro na Posição de Relação Cêntrica. Durante os procedimentos prévios ao registro, é ajustado, com o auxílio de carbono ou de fita oclusal e de pedras montadas para resina acrílica, de modo que contra ele haja apenas um toque dos dentes anteriores inferiores (normalmente, um dos incisivos centrais), ficando um mínimo de separação (desoclusão) dos dentes posteriores, sem qualquer tipo de contato dentário, permitindo, assim, a obtenção de um registro com espessura mínima e sem desvios do posicionamento mandibular.

Seu princípio fisiológico de ação baseia-se na modificação dos reflexos proprioceptivos que orientam o correto assentamento mandibular, conforme preconizado e descrito pela primeira vez por Victor O. Lucia. Também é usado para desprogramação.

Junção amelocimentária • Área onde o esmalte e o cimento se encontram na região cervical de um dente; linha cervical.

L

Labial • Em direção a, ou que se relaciona aos lábios.

Lado de balanceio • Ver Lado de não trabalho.

Lado de não trabalho (lado não funcional) • Lado oposto ao lado de trabalho. Lado contrário àquele em que se localiza o bolo alimentar nos movimentos funcionais da mandíbula. Lado da mandíbula que, durante as excursões de trabalho, se aproxima do plano sagital mediano. Não deve haver contatos dentários, neste lado, na oclusão natural, durante os movimentos de lateralidade. A cabeça da mandíbula no lado de não trabalho é denominada côndilo do lado de não trabalho.

Lado de trabalho (lado funcional) • Lado em direção ao qual a mandíbula se desloca durante movimentos funcionais de lateralidade.

Lateral • Em direção à direita ou à esquerda no plano sagital mediano. Denota uma posição distante do plano mediano ou linha média do corpo ou de uma estrutura.

Laterodetrusão (movimento laterodetrusivo) • Movimento da cabeça mandibular para o lado e para baixo, no lado de trabalho.

Lateroprotrusão (movimento lateroprotrusivo) • Movimento protrusivo da cabeça mandibular no qual há um componente lateral.

Laterorretrusão (movimento laterorretrusivo) • Movimento da cabeça mandibular para o lado e para trás, no lado de trabalho.

Laterossurtrusão (movimento laterossurtrusivo) • Movimento da cabeça mandibular para o lado e para cima, no lado de trabalho.

Laterotrusão • Movimento da cabeça da mandíbula no lado de trabalho, no plano horizontal. Esse termo pode ser adotado em conjunto com termos que descrevem seu movimento em outros planos; por exemplo, laterodetrusão, lateroprotrusão, laterorretrusão e laterossurtrusão.

***Leaf-gauge* (Long Jr.)** • Dispositivo de interferência anterior construído em folhas de acetato, empregado para medir a distância entre dois pontos ou fornecer separação com dimensões determinadas. Conforme descrito na literatura por Long Jr.,[6] em 1973, constitui-se de dez folhas de acetato medindo 50,8 mm cada, com largura de 12,7 mm e espessura de 0,25 mm. Modificado por Araújo,[7] em 1983, constitui-se de 20 folhas de acetato (de filme radiográfico), medindo cada um 60 mm de comprimento, com 8 mm de largura e aproximadamente 0,35 mm de espessura. As folhas são presas por um colchete especial ou uma argola, em uma das extremidades, de modo que é possível separá-las ou agrupá-las para uso, conforme a necessidade. Segundo seu precursor, a utilização de tal dispositivo permite que, durante a retomada do registro em Relação Cêntrica, a ação das margens incisais dos incisivos inferiores pressionando o dispositivo contra a face palatina dos incisivos superiores, associada à pressão muscular exercida pelo paciente, leve as cabeças da mandíbula a se situarem mais superiormente dentro das fossas mandibulares, na posição de relação cêntrica.

Lei de Ante • Observação, em prótese parcial fixa, de que a área pericimentária somada de todos os dentes pilares que sustentam uma prótese parcial fixa deveria ser igual ou maior àquela do dente a ser substituído. Em prótese parcial removível, considera-se a área pericimentária dos dentes pilares somada à área mucosa da base da prótese.

Ligamento periodontal • Tecido que circunda as raízes dos dentes naturais, unindo-as ao osso alveolar. O ligamento periodontal fornece o caminho para os elementos nutricionais alcançarem o cimento e o osso, ajuda a sustentar o dente e a distribuir, como um amortecedor, os esforços da mastigação, provendo ainda percepção à dor e propriocepção para os mecanismos adaptativos associados com a mastigação.

Limitação (da abertura bucal) • Condição clínica de restrição, dificuldade ou impedimento do movimento de depressão mandibular, que reduz a abertura da boca. Frequentemente associada à dor, pode resultar tanto de condições espásticas dos músculos levantadores da mandíbula quanto de desarranjos internos da articulação temporomandibular.

Lingual • Próximo à, ou que se dirige à língua.

Linguoclusão • Oclusão na qual um dente ou grupo de dentes está localizado lingualmente em relação à sua posição normal.

Linguoversão • Designação da má posição dentária individual em que o dente se encontra deslocado lingualmente à sua posição normal. Situação de estar deslocado em direção à língua.

Linha de Camper • Linha imaginária que vai da borda inferior da asa do nariz a algum ponto definido do trago na orelha, geralmente a sua ponta. É usada, com frequência, com um terceiro ponto no trago oponente, com o objetivo de estabelecer o plano de Camper. Idealmente, o plano de Camper é considerado paralelo ao plano oclusal. O plano oclusal tem um ângulo de aproximadamente 10° em relação ao plano horizontal de Frankfurt, quando observado do plano sagital médio.

Linha média • Linha (imaginária) central que, seguindo a direção do longo eixo do corpo, divide duas metades: uma direita e outra esquerda.

Linha vibratória • Linha imaginária ao longo da porção posterior do palato que demarca a divisão entre os tecidos móveis e imóveis do palato mole. Pode ser identificada quando os tecidos móveis estão em função.

Localizador de eixo cinemático (localizador de eixo terminal; localizador cinemático individual) • Dispositivo semelhante a um arco facial em cujas extremidades são fixados estiletes, dirigidos para a região das cabeças mandibulares, adiante do trago e em cuja porção central é acoplada uma espécie de moldeira inferior provida de extensão extraoral (*clutch*) fixada no arco inferior por meio de alginato. O uso de tal instrumento permite que, na execução de pequenos movimentos de abertura e fechamento, o eixo de rotação mandibular em relação cêntrica seja captado com maior precisão.

Longo eixo • Linha teórica que passa por todo o comprimento do centro de um corpo.

M

Maloclusão • Qualquer desvio de um contato fisiologicamente aceitável entre os dois arcos dentários. Qualquer desvio de uma oclusão normal. Uma relação anormal dos dentes antagonistas. Quando trazidos à posição habitual, os dentes de um dos arcos assumem um contato anormal com aqueles do arco antagonista; geralmente é associada com o crescimento ou o desenvolvimento anormal do complexo mandibulomaxilar.

Mandibular • Que se situa na mandíbula, ou que diz respeito ou se relaciona a esta.

Mascar • Mastigar sem engolir.

Mastigação • Processo ou atividade pelo qual são triturados e preparados os alimentos para a deglutição e, posteriormente, para a digestão.

Mastigar • Triturar com os dentes. Apertar com os dentes, morder.

Material de moldagem • Qualquer substância ou combinação de substâncias usada para a confecção de uma moldagem ou reprodução negativa.

Maxilofacial • Referente aos arcos dentários, à face e às estruturas da cabeça e do pescoço.

Máxima intercuspidação (MIC; posição de máxima intercuspidação; PMI; oclusão cêntrica) • Posição mandibulomaxilar dentária, da oclusão natural ou artificial, em que o indivíduo tem todos os dentes nos arcos, anatômica e funcionalmente bem relacionados, com o máximo de contatos dentários interoclusais, adequadamente distribuídos e ausência de maloclusões. Caracteriza-se também pelo fato de ser uma posição de estabilidade oclusal, que se reflete na estabilidade mandibular, muscular e articular.

Máxima intercuspidação habitual (MIH; intercuspidação habitual; oclusão habitual) • Posição mandibulomaxilar dentária, na oclusão natural ou artificial, na qual o indivíduo é parcialmente dentado, com ou sem prótese, tendo o maior número de contatos dentários interoclusais que a condição permita, inadequadamente distribuídos. É também aquela que ocorre, mesmo que todos os dentes estejam presentes, mas o indivíduo seja portador de maloclusões. Caracteriza-se ainda por ser uma posição de instabilidade oclusal, que se reflete na estabilidade mandibular, muscular e articular.

Mediano • Relacionado à linha média.

Mesa oclusal (superfície oclusal) • Porção das superfícies oclusais dos dentes posteriores situada dentro do perímetro das pontas de cúspide e cristas marginais; a(s) porção(ões) funcional(is) da(s) superfície(s) oclusal(is) de um dente posterior.

Mesialização • Deslocamento de um dente em direção mesial.

Mesioclusão • Relação mandibulomaxilar que caracteriza a maloclusão de classe III (segundo a classificação de Angle). Indica uma situação na qual o arco dentário inferior localiza-se anteriormente ao superior. Nessa situação, os incisivos inferiores geralmente apresentam-se com mordida cruzada.

Mesioversão • Designação dada à má posição dentária na qual o dente se encontra mesial à sua posição normal. Indica que um dente está mais próximo do plano sagital mediano ou da linha média do que o normal.

Micrognatia • Condição congênita ou adquirida caracterizada por uma maxila ou mandíbula anormalmente pequena.

Micrognatia mandibular • Termo que indica uma mandíbula anormalmente pequena com retrusão associada do mento.

Micrognatia maxilar • Denota uma maxila anormalmente pequena associada a uma deficiência do terço médio da face.

Miocêntrico • Ponto terminal no espaço no qual, com a mandíbula na posição de repouso, a contração muscular tônica subsequente elevará a mandíbula no espaço interoclusal, ao longo da trajetória miocêntrica (equilibrada pelo músculo). Também é descrito como o contato oclusal inicial ao longo da trajetória miocêntrica (fechamento isotônico da mandíbula a partir da posição de repouso).

Modelo • Forma positiva, em tamanho natural, de determinado elemento ou estrutura, obtida pelo vazamento de substâncias no interior de uma matriz ou molde a partir do original.

Modelo definitivo • Réplica das superfícies dentárias, áreas do rebordo residual e/ou outras partes do arco dentário e/ou estruturas faciais usadas para confeccionar uma restauração ou prótese dentária.

Modelo de remontagem • Modelo associado a uma prótese empregado com a finalidade de reconduzir esta ao articulador, para ajustes e outros procedimentos subsequentes às prensagens e/ou às aplicações de materiais.

Modelo diagnóstico (modelo de estudo) • Reprodução positiva de um arco dentário ou parte dele, obtida pelo vazamento de gesso no interior de um molde, com finalidade de estudo, análise e planejamento de tratamentos ortodônticos, protéticos ou quaisquer outros.

Modelo dividido (*split-cast*) • Técnica de fixação de modelos no articulador em que são confeccionadas, na base desses, chaves de posição (canaletas em forma de cunha), que permitem que os modelos sejam removidos e possam voltar ao articulador na mesma posição. De larga aplicação nas próteses totais, possibilitam a remontagem após a polimerização, para ajustes compensatórios das alterações dimensionais sofridas pela resina.

Modelo modificado • Modelo ajustado por partes, antes do processamento da base de uma prótese. Também chamado de modelo corrigido.

Modo de repouso eletromiográfico • Registro da atividade muscular elétrica quando o paciente está na posição postural relaxada.

Molar • Um dos quatro tipos de dentes humanos, localizados distalmente em cada arco dentário, usados para esmagar e triturar os alimentos.

Moldagem • Conduta pela qual se imprime um objeto em forma negativa. Ato ou efeito de copiar, por meio de materiais especiais, a forma de um corpo, objeto, dentes ou tecidos bucais.

Moldagem maxilar • Moldagem do arco dentário ou de estruturas dentárias superiores.

Molde • Forma negativa obtida a partir de um objeto, dente ou arco dentário. Os materiais de moldagem mais comumente empregados são godiva, alginato e siliconas.

Moldeira • Instrumento no interior do qual determinado material pode ser aplicado e conduzido para obtenção de um negativo (molde) de determinada área ou elemento. É usada para conduzir, confinar e manter um material de moldagem enquanto esta é realizada.

Monopodismo • Tipo de contato oclusal em que ocorre o contato em apenas um ponto de um dente com seu antagonista. Para ser estável, deve ocorrer entre uma ponta de cúspide e o fundo de uma fossa.

Montagem • Procedimento de laboratório que une um modelo a um articulador, ou a um relacionador de modelos. Refere-se também à relação dos modelos entre si e o instrumento ao qual estão unidos.

Mordida aberta (relação oclusal aberta) • Ocorre em caso de ausência localizada de oclusão em determinado segmento do arco dentário, estando os demais dentes do arco ocluídos. Apresenta-se, quase sempre, na região anterior, embora possa também ocorrer na região posterior.

Mordida cruzada • Também denominada articulação reversa, é a relação oclusal na qual os dentes inferiores estão localizados vestibularmente aos dentes superiores antagonistas, estando as cúspides vestibulares superiores posicionadas nas fossas centrais dos dentes inferiores. Relação anormal de um dente de um dos arcos com o dente do arco antagonista, devido ao desvio vestibular ou lingual da posição dentária ou uma posição mandibular (ou maxilar) anormal.

Mordida de topo • Ver Oclusão topo a topo.

Movimento artrodial • Movimento articular de deslizamento.

Movimento de Bennett • Movimento de deslocamento lateral total da mandíbula, para o lado de trabalho, resultante do deslocamento das cabeças da mandíbula ao longo das vertentes da fossa mandibular, durante as trajetórias excursivas da mandíbula. Ver Laterotrusão.

Movimento de deslizamento • Ver Movimento de translação.

Movimento de rotação "condilar" • Movimento descrito pelas cabeças mandibulares em torno de um centro de rotação localizado neles próprios. Refere-se aos movimentos que as cabeças mandibulares executam dentro da fossa mandibular (predominantes no compartimento articular inferior), quando no início da abertura da boca (primeira etapa de abertura).

Movimento de translação "condilar" (apenas movimento de translação, significado geral) • Movimento executado pelas cabeças mandibulares, quando estas se deslocam em torno de um centro de rotação, que estaria localizado fora das fossas mandibulares. Considera-se o movimento descrito pelas cabeças mandibulares durante a segunda etapa de abertura da boca (predominantemente no compartimento articular superior).

Movimento excursivo • Movimento que ocorre quando a mandíbula se move além da posição de intercuspidação máxima.

Movimento lateral • Movimento realizado para a direita ou a esquerda do plano sagital mediano, observado principalmente no plano horizontal.

Movimento mandibular • Qualquer movimento do osso que contém o arco dentário inferior.

Movimento mandibular funcional • Todos os movimentos normais, adequados ou característicos da mandíbula durante a fala, a mastigação, o bocejo, a deglutição e os demais movimentos associados.

Movimento mandibular livre • Qualquer movimento mandibular realizado sem interferência. É o movimento não inibido da mandíbula.

Movimentos bordejantes • Movimentos mandibulares extremos, limitados pelas estruturas anatômicas, observados de um determinado plano. Extensão ou amplitude máxima na execução dos movimentos mandibulares.

Mufla • Porção de um sistema de aquecimento, em geral removível ou substituível, na qual pode ser inserido o material para processamento, sem a exposição direta ao elemento de aquecimento.

N

Násio (NA) • Ponto cefalométrico no qual a sutura frontonasal é dividida pelo plano sagital mediano. Usado em prótese e em oclusão para posicionar o terceiro ponto de referência dos articuladores semiajustáveis do tipo arcon (Whip-mix; Bio-art; Gnatus).

O

Ocluir • Levar os dentes inferiores ao contato com os dentes superiores. Elevar a mandíbula em fechamento até o contato dentário. Fechar a boca até a intercuspidação máxima.

Oclusal • Pertinente às superfícies mastigatórias dos dentes, das próteses ou dos rodetes posteriores.

Oclusão • Etimologicamente o vocábulo significa: fechar para cima (*oc*: para cima; *cludere*: fechar). O conceito original refere-se à ação executada aproximando anatomicamente dentes antagonistas. Qualquer contato entre as superfícies oclusais e incisais dos dentes superiores e inferiores. Funcional e biologicamente, significa a relação estática entre as superfícies incisais ou mastigatórias dos dentes superiores e inferiores e entre estes e as demais estruturas do sistema estomatognático.

Oclusão anatômica • Arranjo oclusal no qual os dentes artificiais posteriores apresentam superfícies mastigatórias que lembram aquelas de uma dentadura natural saudável, bem como articulam-se com superfícies naturais ou artificiais semelhantes.

Oclusão balanceada • Oclusão na qual há o contato simultâneo de dentes superiores e inferiores, à direita e à esquerda, nas áreas oclusais anteriores e posteriores, em posições cêntricas e excêntricas. Essa oclusão é assim planejada para evitar o deslocamento ou a rotação por ação de alavanca das bases das próteses, com relação às estruturas que as sustentam. É concebida para funcionar na boca; entretanto, é arranjada e pode ser mais bem observada nos articuladores.

Oclusão decídua • Oclusão pertinente à dentadura decídua, constituída por 20 elementos dentários, sendo dez no arco superior e dez no arco inferior.

Oclusão (disciplina de) • Disciplina do currículo odontológico, responsável pelo ensino dos conhecimentos acerca dos componentes anatômicos e fisiológicos do sistema estomatognático, nas condições de normalidade (normofunção) e nas condições anormais (disfunção), bem como a integração e a interação desse sistema com o restante do organismo e do assunto, com as demais áreas do conhecimento odontológico.

Oclusão em relação cêntrica (ORC) • Oclusão dos dentes antagonistas quando a mandíbula está em relação cêntrica com a maxila. Pode coincidir ou não com a posição de máxima intercuspidação.

Oclusão fisiológica • Situação de oclusão em harmonia com as funções do sistema mastigatório.

Oclusão fisiologicamente balanceada • Oclusão balanceada que está em harmonia com as articulações temporomandibulares e o sistema neuromuscular.

Oclusão funcional • Denominam-se os contatos dos dentes superiores e inferiores, durante a mastigação e a deglutição.

Oclusão natural normal (características da) • Situação funcional completamente harmônica de todo o sistema estomatognático ("SE"), onde dentes, periodonto, músculos, articulações temporomandibulares e demais estruturas estão com sua biologia totalmente saudável, sem nenhuma evidência de alterações anatômicas ou funcionais. É uma visão preconcebida de relações estruturais e funcionais. Tal oclusão não representa uma norma do ponto de vista estatístico e apenas ocasionalmente pode ser característica de um dado indivíduo. A oclusão ideal deveria preencher os seguintes requisitos: (1) todos os componentes do "SE" estão presentes; (2) as relações anatômicas clássicas existem; (3) a dentição está em harmonia com o osso basal; (4) o periodonto está saudável; (5) a oclusão é estável; (6) os dentes não exibem desgastes atricionais; (7) na protrusão os dentes posteriores desocluem; (8) nos movimentos laterais os dentes do lado de balanceio desocluem; (9) a posição postural permite um espaço livre interoclusal adequado; e (10) todas as necessidades de mastigação, deglutição, fonação, estética e respiração são alcançadas pelos pacientes.

Oclusão mecanicamente balanceada • Oclusão balanceada sem referência a considerações fisiológicas, como em uma articulação.

Oclusão mista • O mesmo que dentadura mista.

Oclusão não fisiológica (oclusão patológica) • Aquela na qual existem sinais e sintomas de patologia, disfunção ou adaptação inadequada de um ou mais componentes do "SE"; podem ser atribuídas às relações estruturais deficientes ou a atividade mandibular funcional ou parafuncional.

Oclusão normal • Diz-se da oclusão que atua em harmonia e não apresenta nenhuma manifestação patológica sobre os dentes ou as estruturas de suporte.

Oclusão patogênica • Relação oclusal capaz de produzir alterações patológicas no sistema estomatognático.

Oclusão permanente • Oclusão pertinente à dentadura permanente, constituída por 32 elementos dentários, sendo 16 no arco superior e 16 no arco inferior.

Oclusão terapêutica • Oclusão terapêutica é aquela modificada por modalidades terapêuticas apropriadas, de modo a mudar uma oclusão não fisiológica, senão teoricamente ideal. Esse tipo de oclusão pode conter modificações estruturais que não são necessariamente encontradas na natural, por otimizar a saúde e o potencial adaptativo do sistema mastigatório.

Oclusão topo a topo (oclusão margem a margem; mordida de topo) • Oclusão na qual os dentes anteriores superiores e inferiores antagonistas se tocam através de suas margens incisais, quando intercuspidados.

Oclusão traumática • Ver Trauma oclusal.

Oclusão traumatogênica • Maloclusão capaz de produzir injúria ao rebordo residual, aos dentes, às articulações temporomandibulares, aos músculos da mastigação e às estruturas de suporte dos dentes.

Oclusor • Modelo simplificado de articulador no qual só podem ser executados movimentos de abertura e fechamento, tipo bisagra.

Odontalgia • Uma dor sentida em um dente. Se o dente é a origem da dor, a odontalgia deveria ser odontogênica; caso contrário, seria heterotópica.

Overbite **(sobremordida)** • O mesmo que trespasse vertical.

Overjet **(sobressaliência)** • O mesmo que trespasse horizontal.

P

Padrão (de cera) • Porção de cera de forma definida que, quando incluída em massa de revestimento refratário e eliminada pelo calor, dá lugar a um molde a ser preenchido pela liga metálica específica. Pode também ser de resina acrílica ou misto (resina e cera).

Padrão oclusal (padrão de oclusão) • Forma ou desenho das superfícies oclusais e incisais dos dentes. Essas formas podem ser baseadas em conceitos anatômicos naturais ou modificados dos dentes.

Panorâmica (radiografia) • Técnica radiográfica odontológica desenvolvida especialmente para radiografar, simultânea e continuamente, toda a maxila e a mandíbula, além de vários outros acidentes anatômicos relacionados. Conhecida também com a designação de ortopantomografia.

Pantografia (traçado pantográfico) • Registro gráfico dos movimentos mandibulares em três dimensões, inscrito por estiletes sobre as mesas de registro de um pantógrafo; traçados do movimento mandibular registrado em placas nos planos horizontal e sagital.

Pantógrafo • Instrumento usado para registrar graficamente as trajetórias do movimento mandibular e proporcionar informações para os ajustes de um articulador.

Parafunção • Movimento mandibular (como o apertamento ou a atrição dentária), considerado extrafuncional e que resulta em faceta de desgastes no dente. Funções acessórias do sistema estomatognático, consideradas não normais, parcialmente destrutivas. Atividade muscular que resulta em movimentos que não são propriamente funcionais: apertar ou ranger os dentes, morder objetos, roer as unhas.

Perda da dimensão vertical (termo incorreto e em desuso) • Ver Diminuição da dimensão vertical.

Pericementite • Inflamação dos tecidos entre a raiz de um dente e o alvéolo que o contém. Inflamação do pericimento.

Peri-implantite • Em periodontia e implantodontia, é o termo empregado para descrever uma inflamação ao redor de um implante dentário, em geral ao redor de seu *abutment*. Entretanto, a terminologia sugerida inclui gengivite, gengivite aguda e gengivite crônica, pois o implante não exibe inflamação.

Perímetro oclusal • Ver Mesa Oclusal; (Superfície oclusal).

Perimolise (perimólise) • Processo de descalcificação ou perda de substância dentária, que se manifesta lentamente destruindo os tecidos duros da coroa dos dentes, principalmente esmalte e dentina, provocado por ações químicas como ingestão crônica de substâncias ácidas orgânicas ou inorgânicas (promovem erosão, abrasão das superfícies vestibulares dos dentes superiores anteriores); eructação, vômitos ou regurgitamento crônico (provocam alterações nas superfícies palatinas dos dentes superiores e inferiores anteriores); ou ações mecânicas (desgaste mecânico que não a mastigação).

Periodontia • Especialidade da Odontologia que trata especificamente das estruturas periodontais doentes.

Periodonto • Designação genérica dada aos tecidos que envolvem o órgão dentário.

Pilar (em inglês, *abutment*) • Parte ou estrutura que recebe diretamente apoio ou pressão; uma ancoragem. Dente, porção de um dente, ou porção de um implante dentário que serve de suporte e/ou retém uma prótese.

Pino incisal (pino guia anterior; pino guia incisal) • Pino metálico de forma cilíndrica preso a um dos ramos ou membros de um articulador e que mantém contato com a mesa incisal no ramo antagonista. Sua finalidade é manter a dimensão vertical estabelecida. Com a mesa incisal e os elementos condilares, dirige os movimentos laterais do articulador.

Placa de estabilização oclusal • É um dispositivo interoclusal (DIO); uma placa oclusal (órtese) usada com a finalidade de criar relações de contato estáveis entre a mandíbula e a maxila.

Placa de montagem • Dispositivo removível de metal ou resina que se une aos membros superior e inferior de um articulador, usados para fixar os modelos ao articulador.

Placa de reposicionamento mandibular • Placa oclusal empregada com a finalidade de modificar a posição mandibular, de caráter temporário ou permanente, criando assim novas relações entre o complexo cabeça/disco/fossa e permitindo o reposicionamento correto do disco da ATM e, em alguns casos, o desaparecimento do estalido.

Placa dentária (placa bacteriana) • Segundo Mandel,[8] é uma geleia bacteriana com milhões de microrganismos de pé, ombro a ombro. Uma definição mais formal foi formulada por Löe:[9] "Placa é o depósito bacteriano mole, não mineralizado, que se forma sobre os dentes (e próteses dentárias), que não são adequadamente higienizados." De modo geral, é uma película transparente que adere à superfície dos dentes e próteses, atuando como uma unidade bacteriana formada pela interação entre os microrganismos e seu meio ambiente, bem como pelas células descamadas da mucosa bucal, numa matriz de mucoproteínas e mucopolissacarídeos.

Placa oclusal (placa de mordida; esplinte oclusal; férula oclusal) • Aparelho (órtese) confeccionado em resina acrílica auto ou termopolimerizável, que pode ser usado tanto sobre os dentes da maxila quanto sobre os da mandíbula. Quando aplicado sobre os dentes superiores pode recobrir parcial ou totalmente o palato. Alguns tipos têm um plano inclinado na superfície palatina (região anterior) para facilitar as excursões mandibulares; outros têm a superfície de contato oclusal com os dentes antagonistas totalmente plana com a mesma finalidade e outros, ainda, são ajustados em relação aos contatos oclusais dos dentes inferiores. Podem ser usados nos casos de disfunção temporomandibular (DTM), para estabilização oclusal ou, ainda, com a finalidade de prevenir o desgaste dos dentes nos pacientes portadores de bruxismo.

Placa oclusal pivotante (aparelho oclusal em desuso) • Tipo de placa oclusal, normalmente adaptada à mandíbula, sobre cuja superfície há dois cones em resina, orientados para a fossa central dos primeiros molares superiores. Usado com finalidade semelhante à placa de reposicionamento.

Plano de Camper • Plano ósseo que passa pela extremidade da espinha nasal anterior e pela borda superior do trago.

Plano de oclusão (plano oclusal; linha de oclusão) • Plano médio estabelecido pelas superfícies incisais e oclusais dos dentes. Geralmente não é um plano, mas representa a média planar da curvatura dessas superfícies.

Plano do eixo orbital • Plano horizontal estabelecido pelo eixo horizontal transversal da mandíbula com um ponto na borda inferior da órbita direita ou esquerda (orbital). Esse plano pode ser usado como um ponto de referência horizontal.

Plano horizontal de Frankfurt • Plano estabelecido do ponto mais baixo da margem orbital ao ponto mais alto da margem do meato acústico externo, visualizado em representações de perfil.

Plano mandibular • Em cefalometria, indica o plano que passa ao longo da borda inferior da mandíbula.

Pogônio • Ponto mais anterior da mandíbula, em cefalometria.

Polpa • Tecido conectivo ricamente vascularizado, com muitas fibras nervosas de origem mesodérmica que preenchem a câmara pulpar e o canal radicular de um dente natural.

Ponto A • Ponto de reparo ósseo que representa o ponto mais profundo da concavidade pré-maxilar, entre a espinha nasal anterior e o próstio, observado em uma radiografia cefalométrica lateral.

Ponto de contato proximal (contatos interproximais) • Pontos mais convexos das faces proximais de uma coroa dentária que fazem contato com idênticos pontos de dentes vizinhos.

Posição acomodativa de repouso • Posição de repouso falsa da mandíbula, que resulta do condicionamento proprioceptivo do sistema nervoso central (SNC) para posicionar a mandíbula dentro de uma distância de contato conveniente à oclusão habitual. É uma posição adaptativa pela qual a musculatura se acomoda à oclusão existente.

Posição condilar de articulação • Posição das cabeças da mandíbula, na fossa mandibular, na qual o movimento articular axial é possível.

Posição de contato em retrusão • Relação oclusal guiada que ocorre na posição mais retruída das cabeças da mandíbula nas fossas mandibulares. É uma posição que pode estar mais retruída que a posição de relação cêntrica.

Posição fisiológica de repouso • Sinônimo de posição de repouso. É aquela posição mandibular na qual os vários músculos mandibulares, em especial dos grupos levantadores e depressores, estão simultaneamente em seus comprimentos de repouso e em tônus, de equilíbrio um com o outro. Nessa posição, as cabeças mandibulares encontram-se em posição neutra. É sempre definida (e só válida) a partir da posição postural ereta. É o ponto de referência para todos os procedimentos de diagnóstico e tratamento que envolvam a restauração da posição oclusal.

Posição oclusal • Relação da mandíbula com a maxila quando do fechamento da boca, possibilitando-se o contato entre os dentes; esta posição pode ou não coincidir com a oclusão cêntrica.

Posição postural (posição de repouso) • Ver Posição fisiológica de repouso.

Prematuridade oclusal • Qualquer contato dos dentes antagonistas que ocorre antes da intercuspidação planejada.

Pré-molar • Um dos quatro tipos de dentes humanos. Os oito pré-molares estão localizados entre os dentes canino e molar. Eles geralmente têm duas ou três cúspides e substituem os molares decíduos nas crianças, não existindo na dentição decídua.

Pressão de mordida (força oclusal) • Qualquer força exercida sobre as superfícies oclusais dos dentes quando estes se contatam, realizando o ato de morder. É o resultado da força muscular aplicada sobre dentes oponentes.

Processo alveolar • Estrutura óssea medular e compacta que circunda e sustenta os dentes.

Profundidade da fóssula • Distância que vai da parte mais funda dos dentes (fóssula) até o plano formado pela ponta das cúspides desses dentes (vértice).

Prótese • Área da odontologia que tem por fim substituir dentes ou tecidos craniofaciais perdidos, parcial ou totalmente, com substitutos artificiais. Visa à restauração e à manutenção da saúde bucal, ao conforto, à aparência, à saúde do paciente.

Prótese de implante • Termo mal empregado; uma prótese não é um dispositivo passível de implantação. A prótese (parcial fixa, parcial removível, total) pode ser sustentada ou retida, total ou parcialmente, pelos implantes dentários.

Prótese dentária • Substituto artificial de um ou mais dentes e/ou estruturas associadas.

Prótese imediata • Uma prótese total ou prótese parcial removível confeccionada para colocação imediatamente após a remoção dos dentes naturais.

Prótese parcial • É uma prótese dentária que restaura um ou mais, mas nem todos os dentes naturais e/ou partes associadas. É sustentada, em parte, por dentes naturais, coroas implanto--suportadas, pilares ou outras próteses parciais fixas e/ou pela mucosa. Pode ser fixa ou removível. Também pode receber denominações diversas, de acordo com o meio de retenção clínica; por exemplo, prótese parcial fixa retida por parafuso.

Prótese parcial fixa • Aquela que se coloca quando há poucas perdas dentárias, sendo cimentada de maneira que não possa ser removida. É apoiada sobre dentes naturais, raízes dentárias e/ou pilares de conexão de implantes.

Prótese parcial removível • Qualquer prótese que se coloca em desdentados parciais, substituindo parcialmente os dentes perdidosou ausentes. Pode ser removida de seu lugar e substituída a qualquer momento, sem complicações.

Prótese parcial suportada por *cantilever* • Prótese parcial fixa na qual o pôntico encontra-se apoiado numa única extremidade, por um ou mais pilares.

Prótese removível • Ramo da prótese que engloba a substituição de dentes e estruturas contíguas em pacientes desdentados ou parcialmente desdentados por meio de substitutos artificiais que podem ser removidos da boca.

Prótese sobre implante • Qualquer prótese (fixa, removível ou maxilofacial) que usa implantes dentários, em parte ou totalmente, para a retenção, o suporte e a estabilidade.

Prótese total (prótese completa) • Prótese dentária removível que substitui completamente os dentes e as estruturas associadas da maxila ou da mandíbula.

Protetor bucal • Dispositivo intrabucal resiliente, útil para reduzir as injúrias bucais e proteger os dentes e as estruturas circundantes de agressão física ou traumas.

Protração mandibular • Tipo de anomalia facial no qual o gnátio demonstra posicionamento anterior ao plano orbitário.

Protração maxilar • Tipo de anomalia facial no qual o ponto subnasal assume um posicionamento anterior ao plano orbitário.

Protrusão • Posição da mandíbula anterior à relação cêntrica.
Protrusivo • Relativo à protrusão.

Q

Quinteto de Hanau • Regras determinadas para a articulação balanceada de próteses, incluindo a guia incisal, a guia condilar, a altura de cúspides, o plano de oclusão e a curva de compensação. Foram descritas por Rudolph L. Hanau em 1926.

R

Radicular • Que diz respeito à raiz de um dente.
Radiografia cefalométrica • Radiografia padronizada do crânio e da face, usada em cefalometria.
Radiografia oblíqua transcraniana • Projeção radiográfica plana na qual o feixe central passa através do crânio e da articulação temporomandibular do lado oposto, exibindo uma visão lateral oblíqua da cabeça da mandíbula.
Radiografia panorâmica (radiografia ortopantomográfica) • Radiografia produzida por um aparelho panorâmico; também chamada de ortopantomografia. Esse termo refere-se também ao método radiográfico pelo qual podem ser obtidas radiografias contínuas dos arcos dentários superior e/ou inferior e suas estruturas associadas. A fonte de raio X pode ser posicionada intra ou extrabucalmente.
Raiz • Parte de um dente natural, apical à junção amelocimentária. É coberta pelo cimento e recebe inserção do ligamento periodontal, localizando-se implantada no osso alveolar.
Raiz (bifurcação) • Parte do sistema de raízes de um dente na qual o tronco da raiz se divide em dois ramos separados.

Raiz (trifurcação) • Parte do sistema de raízes de um dente na qual o tronco da raiz se divide em três ramos separados.
Reanatomização oclusal • Alteração intencional das superfícies oclusais dos dentes para alterar sua forma.
Recessão gengival • Migração da margem gengival em direção apical associada à desinserção de fibras por perda óssea.
Reconstrução alveolar • Qualquer procedimento cirúrgico adotado para recriar um rebordo alveolar residual acentuadamente reabsorvido.
Registro (interoclusal; das relações mandibulomaxilares; intermaxilar) • Registro da relação posicional mandibulomaxilar dos dentes ou rebordos desdentados, obtidos por meio da impressão dos dentes ou rodetes oclusais, sobre materiais como gesso, ceras, pastas de óxido de zinco e eugenol e resinas especiais ou outros materiais específicos.
Registro da relação cêntrica • Registro da relação mandibulomaxilar obtido com a mandíbula em relação cêntrica. O registro pode ser realizado intra ou extrabucalmente.
Registro da relação cêntrica em oclusão • Registro da relação cêntrica obtido na dimensão vertical de oclusão estabelecida.
Registro da relação mandibulomaxilar • Registro de qualquer variação do posicionamento da mandíbula em relação à maxila. Este registro pode ser feito em qualquer orientação vertical, horizontal ou lateral.
Registro de oclusão • Registro das superfícies oclusais antagonistas, realizado em qualquer relação mandibulomaxilar.
Registro do arco facial • Registro obtido por meio do arco facial.
Registro funcional • Impressão dos movimentos laterais e protrusivos da mandíbula nas superfícies de um registro de mordida ou outra superfície de registro.

Registro interoclusal lateral • Registro do posicionamento dentário ou arcos antagonistas, obtido na posição lateral direita ou esquerda da mandíbula.

Registro interoclusal protrusivo • Registro da posição mandibular em relação à maxila, quando ambas as cabeças da mandíbula se encontram mais anteriormente localizadas na fossa mandibular.

Relação cêntrica (relação central, posição de relação cêntrica; posição de contato em retrusão) • Relação mandibulomaxilar na qual as cabeças da mandíbula articulam-se com a porção avascular mais fina de seus discos respectivos com o complexo na posição mais anterior e superior, contra os tubérculos articulares. Essa posição é independente de contato dentário. Clinicamente, pode ser distinguida quando a mandíbula é direcionada superior e anteriormente. É restrita a um movimento puramente rotatório sobre o eixo horizontal transverso. Também designa a relação fisiológica mais retruída da mandíbula com a maxila a partir da qual é possível a execução de movimentos laterais. Pode existir em vários graus de separação dos arcos. Ocorre ao redor do eixo terminal de articulação. Pelo conceito clássico, é a relação mais posterior da mandíbula com a maxila, na qual as cabeças mandibulares se encontram numa situação mais superior, mais posterior e mais mediana na fossa mandibular, a partir da qual movimentos laterais podem ser executados. Pelo conceito moderno, segundo Dawson,[10] é a posição na qual as cabeças mandibulares se situam mais superior e anteriormente na fossa mandibular e se relacionam mais com o tubérculo articular do temporal. Por último, pelo conceito atual, segundo Paiva,[11] é a relação mais posterior da mandíbula com a maxila na qual as cabeças mandibulares se situam mais superior e anteriormente nas fossas mandibulares. É uma relação craniomandibular que independe do relacionamento dentário.

Relação em oclusão • Relação dos arcos na qual ocluem os dentes antagonistas.

Relação mandibulomaxilar • Qualquer uma das infinitas relações espaciais da mandíbula em relação à maxila.

Remineralização • Procedimento pelo qual se agregam sais minerais ao organismo; no esmalte dentário, denomina-se o fenômeno pelo qual, ao se restabelecer o pH bucal normal, a cavidade bucal readquire condições físico-químicas supersaturantes, de modo que o esmalte tende a ganhar cálcio e fosfato do meio bucal, tentando repor o mineral perdido pelo processo de desmineralização.

Remontagem • Qualquer método empregado para relacionar as restaurações em um articulador para a análise e/ou auxílio no desenvolvimento de um plano para o equilíbrio ou a reanatomização oclusal.

Reposicionamento mandibular • Procedimento que visa a guiar a mandíbula para ocluir numa posição predeterminada ou alterada.

Ressonância magnética nuclear • Procedimento radiológico que fornece imagens em diferentes planos, sem empregar radiação ionizante, sem efeito biológico nocivo até o presente momento. Consiste no registro de sinais dos núcleos de hidrogênio ressonantes. Há algumas contraindicações absolutas e relativas ao emprego desse exame de imagem. As absolutas são os casos de pacientes portadores de marca-passo cardíaco e clipes para aneurisma cerebral; as relativas são grávidas, portadores de válvulas cardíacas metálicas, presença de corpos ferromagnéticos junto a estruturas nobres, como globo ocular, arcos ortodônticos, pacientes claustrofóbicos, portadores de dispositivo intrauterino, com maquiagem definitiva recente e pacientes com estimulador cerebral com fio no controle de dores crônicas intratáveis.

Retenção da dentadura artificial • Resistência de uma dentadura artificial ao movimento de seu suporte tecidual, especialmente na direção vertical. Qualidade de uma dentadura ao reter-se em seu suporte tecidual e/ou dente pilar.

Retração gengival • Perda de inserção das fibras gengivais em relação ao dente, resultante da inflamação gengival. A gengiva afasta-se em relação ao dente no sentido vestibulolingual ou próximo-proximal.

Retração mandibular • Tipo de anomalia facial na qual o ponto gnátio se apresenta posteriormente localizado ao plano orbitário.

Retrodiscal • Ver Zona trilaminar.

Retrognático • Posição retruída da mandíbula em relação à maxila ou à base do crânio.

Retrusão • Movimento em direção posterior.

Retrusivo • Refere-se ao que assume uma localização posterior.

Ritmo (mastigatório) • Sucessão de movimentos mastigatórios que, embora não se processem com regularidade absoluta, constituem um conjunto fluente e homogêneo no tempo.

Rotação • Ação ou processo de rotação sobre um eixo, ou de forma semelhante. É o movimento de um corpo rígido no qual as partes se movem em vias circulares com seus centros situados em uma linha fixa denominada eixo de rotação. O plano do círculo sobre o qual o corpo se move é perpendicular ao eixo de rotação.

S

Sequela • Qualquer lesão ou disfunção resultante ou causada por uma injúria ou doença.

Sistema de implante • Componentes de implante dentário desenvolvidos para encaixarem-se. Um sistema de implante pode representar um conceito específico, inventor ou patente. Consiste nas partes e nos instrumentos necessários para realizar-se a colocação do corpo do implante, bem como dos componentes do *abutment* (pilar).

Sistema estomatognático (SE) • O mesmo que sistema mastigatório; combinação de estruturas envolvidas na fala e na recepção, na mastigação e na deglutição de alimentos, bem como ações parafuncionais.

Sistema mastigatório • Órgãos e estruturas primariamente designados para a execução da mastigação. Constituído pelos dentes com suas estruturas de suporte, articulações craniomandibulares, mandíbula, musculatura posicionadora e acessória, língua, lábios, bochechas, mucosa bucal e o complexo neurológico associado.

Sobrecarga (funcional) • Diz-se daquilo que transtorna ou aumenta a atividade funcional normal.

Sobredentadura (*overdenture*) • Prótese parcial removível ou total que cobre e se apoia sobre um ou mais dentes naturais remanescentes, raízes de dentes naturais e/ou implantes dentários, sendo, por esses, suportada. Também é conhecida como prótese *overlay* ou prótese superposta.

Sobrefechamento • Dimensão vertical de oclusão com uma distância interarcos reduzida, resultando numa distância interoclusal excessiva quando a mandíbula se encontra na posição de repouso. Essa situação coaduna-se com uma distância inter-rebordos diminuída quando os dentes estabelecem contato.

Sobremordida profunda (mordida excessiva) • Alteração oclusal, principalmente nos dentes anteriores, caracterizada por um traspasse vertical excessivo (às vezes, também, um traspasse horizontal excessivo), na qual as margens incisais dos dentes anteriores inferiores ocluem sobre o tecido mole da região anterior do palato, podendo produzir inflamação sobre o periodonto de proteção e sustentação.

Sobreposição horizontal • Ver Traspasse horizontal.

Sobreposição vertical • Ver Traspasse vertical.

***Status* oclusal** • Condição na qual se encontram, em um determinado momento, as superfícies oclusais, no que diz respeito às relações dentárias e de contato. Por extensão, o mesmo que *status* dentário.

Subestrutura de implante • Estrutura metálica de um implante extraósseo incluída sob os tecidos moles, em contato com o osso, e estabilizada por meio de parafusos intraósseos. Os tecidos periosteais retêm esta estrutura ao osso. A estrutura, na maioria das vezes, sustenta a prótese por meio de *abutments* (pilares) e outros componentes de grande resistência.

Subestrutura de implante subperiosteal • Estrutura metálica fundida que se adapta ao rebordo residual abaixo do periósteo e fornece o suporte para uma prótese dentária por meio de pilares ou outros mecanismos via mucosa; é o corpo do implante.

Sulco • Depressão ou cavidade alongada da superfície de um dente formado pelas vertentes das cúspides ou das cristas adjacentes.

Superestrutura de implante subperiosteal • Estrutura metálica, em geral localizada numa prótese removível, que se adapta ao *abutment* do implante e fornece a retenção para os dentes artificiais e o material de base da prótese.

Superfície distal • Área do dente que se distancia do plano sagital mediano segundo a curvatura do arco dentário superior ou inferior.

Superfície labial • Área de um dente anterior imediatamente adjacente aos lábios.

Superfície lingual • Área de um dente anterior ou posterior voltada para a língua.

Superfície mesial • Área de um dente próxima à linha média seguindo a curvatura do arco dentário.

Superfície oclusal • Área de um pré-molar ou molar dentro dos limites das cristas marginais. É a superfície de um dente posterior que faz contato com uma superfície oclusal oponente.

Superfície oclusal da dentadura • Porção da superfície de uma dentadura que faz contato com o arco dentário ou uma prótese antagonista.

Superfície proximal • Área de um dente natural adjacente a outro dente no mesmo arco dentário.

Superfície vestibular • Área de um dente posterior superior ou inferior imediatamente adjacente à bochecha.

Suprairrupção • Movimento de um dente ou dentes além do plano oclusal normal.

Supraoclusão • Maloclusão na qual as superfícies oclusais dos dentes estendem-se além do plano oclusal normal. Também é denominada sobreirrupção.

Supraversão • Designação da má posição dentária na qual o dente se encontra além da linha (ou do plano) de oclusão – abaixo, quando se tratar de dente superior e acima, quando se tratar do dente inferior.

T

Terapia provisória • Uso de procedimentos reversíveis para tratamento de distúrbios craniomandibulares/distúrbios temporomandibulares (DCM/DTM). Os tratamentos ortodônticos e protéticos mais definitivos são frequentemente indicados após comprovação do sucesso terapêutico durante um período adequado de tempo.

Terços • Divisão imaginária de um dente em partes relacionadas ao comprimento; por exemplo, oclusal, medial ou gengival, quando se refere a um comprimento oclusogengival de um dente; ou mesial, medial ou distal, quando se refere à largura mesiodistal de um dente.

Tomografia axial computadorizada (TC) • Técnica pela qual as informações por transmissão radiográfica, através de um corpo, são matematicamente reconstruídas num computador, obtendo-se uma representação elétrica de um corte transversal da anatomia de um paciente.

Tomografia (das ATM) • Técnica radiográfica na qual se usa um aparelho que movimenta a fonte de raios em uma direção e o filme se move em direção oposta. O resultado é uma radiografia na qual se obtém detalhe em determinado plano de tecido ou estrutura enquanto os tecidos e as áreas vizinhas são "borrados" sem precisão de detalhes. Conhecida também sob a denominação radiografia de seção corporal, apesar de as várias maneiras de fazer o exame terem recebido nomes diferentes.

Traçado pantográfico • Registro gráfico do movimento mandibular em três planos, registrado pelos estiletes sobre as mesas de registro de um pantógrafo. É o traçado do movimento mandibular registrado em placas, nos planos horizontal, sagital e coronal.

Traçador de arco gótico • Dispositivo que produz um traçado que lembra uma ponta de seta ou um arco gótico. O dispositivo é unido aos arcos antagonistas. O formato do traçado depende da localização relativa do ponto de marcação e da mesa de traçado. Considera-se que o ápice de um traçado obtido corretamente indique a relação mais retruída, e não restrita, da mandíbula com a maxila, ou seja, a própria relação cêntrica.

Trajetória da cabeça da mandíbula do lado de trabalho • Trajetória por meio da qual a cabeça da mandíbula se move no lado de trabalho, quando a mandíbula se movimenta em uma excursão lateral.

Trajetória da cabeça da mandíbula lateral • É a trajetória de movimento do conjunto cabeça-disco na fossa mandibular, quando se realiza um movimento mandibular lateral.

Trajetória da cabeça da mandíbula protrusiva • Trajetória por meio da qual a cabeça da mandíbula se move quando a mandíbula se movimenta anteriormente, a partir de sua posição inicial.

Trajetória de abertura e fechamento (mandibular) • Trajetória descrita pela mandíbula, durante o movimento de abertura da boca, observada no plano frontal. Quando considerada na abertura bucal máxima, pode significar clinicamente condições que vão desde a normalidade (trajetória sem desvio); disfunção bilateral do disco (trajetória com pequeno desvio para um dos lados); deslocamento anterior unilateral do disco (trajetória com desvio para o lado afetado e limitação de abertura), e desequilíbrio ou hábito na atividade muscular (trajetória com desvio para um dos lados sem limitação de abertura).

Trajetória funcionalmente gerada • Registro das trajetórias de movimento das superfícies oclusais dos dentes ou registro de oclusão de um arco dentário ou outro material unido aos dentes; registros de oclusão do arco antagonista.

Trajetória oclusal • Contato oclusal deslizante. Refere-se também à trajetória de movimento de uma superfície oclusal.

Translação mandibular • Movimento translatório (médio-lateral) da mandíbula observado do plano frontal. Teoricamente, pode ocorrer sob a forma de um movimento translatório puro ao início do movimento, ou em combinação com uma rotação no estágio final do movimento.

Translação mandibular lateral imediata • A porção translatória do movimento lateral na qual a cabeça da mandíbula do lado de balanceio move-se essencialmente em direção reta, à medida que se afasta da posição de relação cêntrica.

Transversão (transposição) • Designação da má posição dentária na qual o dente se encontra com uma alteração da ordem no arco dentário, ou seja, localizado numa posição que não é a sua normal.

Traspasse horizontal (trespasse horizontal; *overjet*; **sobressaliência)** • Extensão de sobreposição dos dentes superiores sobre os dentes inferiores medida no plano horizontal quando em intercuspidação máxima.

Traspasse vertical (trespasse vertical; *overbite*; **sobremordida)** • Extensão da sobreposição dos dentes de um arco sobre os do arco antagonista medida no sentido vertical quando intercuspidados ao máximo. O termo é usualmente empregado para a distância na qual as margens incisais dos dentes superiores ultrapassam os inferiores, mas também pode ser usado para indicar as relações verticais de cúspides antagonistas.

Trauma oclusal (trauma de oclusão) • Injúria ou lesão a qualquer parte do periodonto ou do sistema mastigatório resultante de forças funcionais ou parafuncionais, que pode causar dano à inserção do periodonto por exceder suas capacidades adaptativas e reparadoras. Pode ser autolimitante ou progressivo.

Trauma oclusal primário • Efeitos induzidos por forças oclusais, anormais ou excessivas, que agem sobre os dentes com um suporte periodontal normal.

Trauma oclusal secundário • Efeitos induzidos por forças oclusais, normais ou anormais, que agem sobre os dentes com suporte periodontal comprometido.

Traumático • Relacionado com o que é causado por uma injúria.

Traumatogênico • Capaz de produzir injúria ou traumatismo.

Travamento cêntrico • Contato entre cúspides e fóssulas antagonistas que mantêm a DVO entre os arcos dentários.

Travamento crônico fechado • Com relação à articulação temporomandibular, trata-se de uma restrição da articulação, frequentemente caracterizada por uma longa duração, dor, crepitação e evidência radiográfica de assimetria articular.

Travamento mandibular • Diz-se, genericamente, de qualquer condição espástica dos músculos da mastigação, que impede ou dificulta os movimentos normais de abertura e/ou fechamento da boca.

Tripodismo • Princípio de equilíbrio ou estabilidade por meio de três pontos. Relação que se estabelece entre uma cúspide e sua fossa antagonista, em que apenas suas vertentes se tocam em três pontos, sem que a ponta da cúspide alcance o fundo da fossa. Princípio básico que caracteriza a técnica de enceramento progressivo, dente a dente/cúspide a fossa, preconizada por Peter K. Thomas.

Typodont • Réplica da dentadura natural e mucosa alveolar, ajustada de acordo com os movimentos médios das cabeças da mandíbula. É usada para o treinamento de alunos no tratamento odontológico, principalmente ortodôntico.

V

Vertente (das cúspides) • Cada um dos planos inclinados que se unem para constituir uma cúspide.

Verticulador • Instrumento mecânico, semelhante a um oclusor, cujos movimentos de abertura e fechamento são exclusivamente verticais, usado para a confecção de pequenos trabalhos de prótese fixa. Em relação aos articuladores tipo bisagra e aos semiajustáveis, tem a vantagem de dispensar o uso do modelo antagonista e dos registros interoclusais em cera. Uma matriz especialmente construída (normalmente em gesso especial) funciona como referência para o enceramento do trabalho.

Vestibular (face) • Nos dentes, diz-se das faces voltadas para o vestibulobucal. São as faces dos dentes voltadas para os lábios ou para as bochechas.

Vestibuloversão (labioversão) • Designação da má posição dentária na qual o dente encontra-se deslocado na direção dos lábios ou das bochechas.

Z

Zona de imunidade relativa • São áreas do dente que, a despeito das forças de atrito produzidas pelos lábios, bochechas e língua, encontram-se relativamente bem protegidas e não permitem um acúmulo excessivo de bactérias, apresentando, consequentemente, menor índice de lesões cariosas.

Zona neutra • Espaço potencial entre os lábios e as bochechas, de um lado, e a língua, de outro; área ou posição onde as forças entre a língua e as bochechas, ou lábios, são iguais.

Zona trilaminar • Correponde à quarta zona do disco, localizada posteriormente à banda posterior, do disco articular da ATM, contendo três estratos: o superior, composto por fibras elásticas; o intermediário, por tecido adiposo e um feixe vasculonervoso; e o inferior, composto, principalmente, por colágeno.

REFERÊNCIAS

1. Solberg WK, Woo MW, Houston JB. Prevalence of mandibular dysfunction in young adults. J Am Dent Assoc. 1979;98(1):25-34.
2. Hanson T, Nilner M. A study of the occurrence of symptoms of diseases of temporomandibular joints masticatory musculature and related structures. J Oral Rehabil. 1975;2(4):313-24.
3. Beck AT, Steer RA. Beck depression inventory: manual. San Antonio: Psychology Corporation; 1993.
4. Cunha JA. Manual da versão em português das escalas Beck. São Paulo: Casa do Psicólogo; 2001.
5. Schuyler CH. Fundamental principles in correcting of oclusal disharmony natural and artificial. J Am Dent Assoc. 1985;22.
6. Long Jr JH. Locating centric relation with a leaf gauge. J Prosth Dent. 1973;29(6):608-10.
7. Araujo CR. Estudo comparativo de duas metodologias para registro da relação cêntrica [dissertação]. São Paulo: Universidade de São Paulo; 1983.
8. Mandel ID. The role o saliva in maintaining oral homeostasis. J Am Dent Assoc. 1989;189:298-304.
9. Löe H. Oral hygiene in the prevention of caries and periodontal disease. In: The FDI's Second World Conferecen on Oral Health Promotion: core messages in oral health education. London: FDI, 1999.
10. Dawson PE. Functional occlusion: from TMJ to smile design. Canada: Mosby; 2007.
11. Paiva HJ. Estudo do registro da relação cêntrica em pacientes dentados utilizando a manipulação bilateral: análise comparativa de três técnicas. Tese (Doutorado) - Faculdade de Odontologia de Bauru, Universidade de São Paulo, 1985.

LEITURAS SUGERIDAS

Alencar Jr FG, Frincton J, Hathaway K. Oclusão, dores orofaciais e cefaléia. São Paulo: Santos; 2005.

Alves Neto O, Costa CM, Siqueira JT. Dor: princípios e prática. Porto Alegre: Artmed; 2009.

Andrade Filho AC. Dor: diagnóstico e tratamento. São Paulo: Roca; 2001.

Cardoso EM, Costa M. Minidicionário de termos técnicos em saúde. Goiânia: AB; 2006.

Leituras sugeridas

Carlsson GE, Magnusson T, Guimarães AS. Tratamento das disfunções temporomandibulares na clínica odontológica. São Paulo: Quintessence; 2006.

Colombini NE, Sanseverino C. Cirurgia da face: interpretação funcional e estética; dor craniofacial e ATM. Rio de Janeiro: Revinter; 2002.

Crossman AR, Neary D. Neuroanatomia: um texto ilustrado em cores. Rio de Janeiro: Guanabara Koogan; 2002.

De Leeuw R. Orofacial pain: guidelines for assessment, diagnosis, and management. 4th ed. Chicago: Quintessence; 2008.

Dicionário Brasileiro de Odontologia. São Paulo: EBO; 1986. v. 1: de A a Z – dicionário terminológico de odontologia.

Dicionário Brasileiro de Odontologia. São Paulo: EBO; 1986. v. 2: Vocabulário: inglês-português; espanhol-português.

Drummond JP. Dor: o que todo médico deve saber. São Paulo: Atheneu; 2006.

Galvão Filho S. Dicionário odonto-médico: inglês-português. São Paulo: Santos; 1998.

Glossary of prosthodontic terms. The Academy of Prosthodontics. J Prost Den. 2005;94 (1):10-92.

Grossmann E. Glossário de cabeça e pescoço. São Paulo: Quintessence; 2008.

Interlandi S. Ortodontia: bases para a iniciação. 5. ed. São Paulo: Artmed; 2002.

Isberg A. Disfunción de la articulación temporomandibular: una guia práctica. São Paulo: Artmed; 2003.

Laskin DM, Greene CS, Hylander WL. TMDs: an evidence-based approach to diagnosis and treatment. Chicago: Quintessence; 2006.

Lemos AI. Dor crônica: diagnóstico, investigação e tratamento. São Paulo: Atheneu; 2007.

Lund JP, Lavigne GJ, Dubner R, Sessle BJ. Dor orofacial: da ciência básica à conduta clínica. São Paulo: Quintessence; 2002.

Okeson JP. Tratamento das desordens temporomandibulares e oclusão. 6. ed. Rio de Janeiro: Elsevier; 2008.

Oliveira W. Disfunções temporomandibulares. São Paulo: Artmed; 2002.

Ouvídio EB, Furquim LZ. Dicionário ilustrado de ortodontia: inglês-português. São Paulo: Santos; 1995.

Paiva HJ. Oclusão de "a" a "z": conceitos, noções e condutas básicas. Natal: UFRN; 1990.

Paiva HJ. Oclusão: noções e conceitos básicos. São Paulo: Santos; 1997.

Paiva HJ. Noções e conceitos básicos em oclusão, disfunção temporomandibular e dor orofacial. São Paulo: Santos; 2008.

Perroti-Garcia AJ. Vocabulário para odontologia. São Paulo: SBS; 2003.

Rome J. Guia da clínica mayo sobre dor crônica. Rio de Janeiro: Anima; 2007.

Selten DL, Józefowicz RF. Atlas de neurociência humana de Netter. Porto Alegre: Artmed; 2005.

Sessle BJ, Lavigne GL, Lund JP, Dubner R. Dor orofacial da ciência básica à conduta clínica. São Paulo: Quintessence; 2010.

Sociedade Internacional de Cefaléia. Classificação internacional das cefaléias. 2. ed. São Paulo: Segmento Farma; 2004.

Teixeira MJ, Yeng LT, Kaziyama HH. Dor: síndrome dolorosa miofascial e dor músculo-esquelética. São Paulo: Roca; 2006.

Wolkoff AG. Dicionário ilustrado de termos médicos e saúde. São Paulo: Rideel; 2005.

Capítulo 3

ANATOMIA DE CABEÇA E PESCOÇO

Eduardo Grossmann
Thiago Kreutz Grossmann
Helson José de Paiva
Angela Maria Fernandes Vieira de Paiva

A

Abdução • Movimento que se afasta do plano mediano. Oposto à adução.

Aberração • Toda alteração que foge do padrão de normalidade, podendo ser reconhecida com um exame clínico e/ou de imagem. Por exemplo, acefalia.

Abertura • Órgão mantido aberto por sua estrutura (p. ex., faringe, laringe, traqueia).

Abertura e fechamento da boca • Movimento que se processa no sentido vertical quando a mandíbula se deprime, ou se levanta por ação muscular, mantendo estabilizado o osso hioide.

Abóbada craniana • O mesmo que calota craniana.

Abóbada palatina • Estrutura de aspecto côncavo, formada pelos processos palatinos do osso maxilar. É recoberta por uma mucosa rosada firmemente aderida a essa estrutura e limitada anterior e lateralmente pelos arcos dentários, continuando posteriormente por meio do véu palatino.

Acrinia • Diminuição ou ausência de secreções.

Acrocefalia • Deformação do crânio que o faz apresentar-se alto.

Acromegalia • Alteração anormal (aumento) das dimensões do mento, das orelhas, das mãos e dos pés em relação ao resto do corpo. Está quase sempre relacionada a uma neoplasia da hipófise.

Acrômio • Extremidade da espinha da omoplata que se articula com a clavícula.

Acromioclavicular • Relativo ao acrômio e à clavícula. Por exemplo, articulação acromioclavicular.

Acrômico (a, os) • Relativo ao acrômio. Por exemplo, faceta acromial.

Acústico • Relativo à função auditiva, aos sons. Por exemplo, nervo vestíbulo coclear.

Adenectomia • Remoção de um nódulo linfático ou de uma glândula.

Adquirido • O que não está presente no nascimento e aparece ao longo da vida. Por exemplo, herpes zóster.

Adução • Movimento que ocorre em direção à linha mediana do corpo. Antônimo de abdução.
Adventícia • Túnica externa de um vaso. Sinônimo de externa.
Agenesia • Ausência ou parada de desenvolvimento de uma porção do corpo. Por exemplo, agenesia da cabeça da mandíbula ou dental.
Agnatia • Ausência congênita da mandíbula.
Alveolar • Relativo a alvéolos. Por exemplo, alvéolos dentários.
Alveólise • Perda progressiva do osso alveolar envolvendo um ou mais dentes.
Alveolite • Processo inflamatório, onde está presente uma necrose da parede do alvéolo dentário.
Alvéolo dentário • Cavidade presente nos ossos da mandíbula e da maxila no qual estão contidos os dentes e suas estruturas de suporte.
Ameia gengival • Espaço demarcado por um ponto, ou por uma superfície de contato entre dois dentes adjacentes, junto a suas faces proximais, em geral ocupado pela papila gengival.
Amigdaliano • Relativo à amígdala. Atualmente emprega-se o termo tonsila.
Amilase • Enzima que ativa a hidrólise do amido em dextrinas e maltose. Pode estar presente na saliva e no suco pancreático.
Amilase salivar • Enzima presente na saliva que quebra as moléculas do amido.
Ampola • Dilatação de forma arredondada situada ao longo de um canal ou de uma cavidade.
Anasarca • Edema generalizado resultante de acúmulo de líquido no tecido celular e em cavidades orgânicas.
Anastomose • Vínculo anatômico que se estabelece entre estruturas tubulares, principalmente as artérias.
Anatômico • Relativo à anatomia.
Anfiartrose • Articulação semimóvel, em que as superfícies ósseas articulares estão separadas por um tecido conectivo fibroso ou fibrocartilagem a que ambas estão aderidas.
Angiologia • Parte da anatomia que estuda os vasos sanguíneos e linfáticos.
Angiomatoso (a) • Relativo a um angioma.
Anomalia • Desvio, variação da normalidade. Pode ser congênita ou adquirida.
Anomalia congênita • Toda anomalia morfológica, funcional ou bioquímica presente no nascimento. Pode ser visível ou detectada por exames complementares laboratoriais e/ou de imagem.
Anosmia • Ausência do sentido do olfato. Por exemplo, pode ocorrer de forma reversível no caso de estado gripal, ou ser irreversível no caso de neoplasia acometendo o andar superior da base do crânio (lâmina cribriforme do etmoide).
Anquilose dental • Quando o dente se une a seu osso alveolar, uma vez que a membrana periodontal ossifica.
Anterior • Aquilo que está mais perto ou na frente do corpo.
Antitireoidiano(a) • Que impede a secreção dos hormônios produzidos pela tireoide. Pode ser empregado no tratamento do hipertireoidismo.
Antrectomia • Remoção cirúrgica das paredes da mastoide.
Antro • Cavidade natural óssea ou visceral.
Antro da mastoide • Cavidade encontrada na porção petrosa do osso temporal, contendo ar em seu interior.
Apófise • Porção saliente de um osso.
Aponeurose • Tendão em forma de lâmina que une um músculo a outro ou com o próprio tecido ósseo.
Aponevrectomia • Procedimento cirúrgico que visa a remover parcial ou totalmente uma aponevrose.
Arcada • Estrutura anatômica em forma de arco.
Arcada dentária • Estrutura em forma de arco que abriga tanto os dentes das maxilas como os da mandíbula.

Artéria • Tipo de vaso sanguíneo elástico que transporta o sangue para longe do coração, em direção a todas as partes do organismo.

Artéria alveolar inferior • Ramo da artéria maxilar, surge nas proximidades do colo mandibular. Apresenta um trajeto inferior e lateral até atingir o canal da mandíbula. Antes de penetrá-lo, emite dois ramos colaterais; a artéria milo-hióidea e a artéria pterigóidea medial. No canal emite ramos para os dentes pré-molares que penetram via forame apical, assim como ramos alveolares e para o periodonto, consequentemente nutrindo tais estruturas. Na região dos pré-molares a artéria alveolar inferior se divide em artéria mentual e incisiva.

Artéria alveolar superior anterior • Ramo da artéria infraorbital que emite ramos para a polpa e o periodonto dos dentes incisivos e do canino superior, da gengiva vestibular e da parte anterior do soalho do seio maxilar.

Artéria alveolar superior posterior • Ramo direto da artéria maxilar que irriga a polpa e o periodonto do 3º, 2º e parte do 1º molar superior, excetuando a raiz mesial deste último. Vasculariza também a gengiva vestibular dessa região e parte posterior do soalho, do seio maxilar e da maxila.

Artéria angular • Ramo terminal da artéria facial, após fornecer ramos para a asa do nariz. Segue o sulco nasolabial até o ângulo medial da órbita. Irriga os tecidos situados lateralmente ao nariz.

Artéria auricular posterior • Ramo colateral e posterior da artéria carótida externa. Segue um trajeto de baixo para cima (caudocefálico) viajando entre o processo mastóideo e o meato acústico externo, terminando no couro cabeludo. Irriga a orelha interna, as células da mastoide e parte do couro cabeludo.

Artéria bucal • Ramo da artéria maxilar que tem uma direção inferior e lateral, com uma estreita relação com a porção superficial do músculo pterigóideo lateral. Irriga o músculo bucinador através de numerosos ramos até atingir a mucosa gengival da mandíbula.

Artéria carótida comum • Surge à direita do tronco arterial braquiocefálico e à esquerda diretamente da crossa da aorta. Localiza-se na parte lateral do pescoço, junto à traqueia e à laringe. Ao encontrar a margem superior da cartilagem tireóidea, se divide em artéria carótida externa, destinada ao pescoço e à face, e artéria carótida interna, que irriga o cérebro e o globo ocular.

Artéria carótida externa • Artéria que se origina da artéria carótida comum, tendo um trajeto ascendente cervical, localizando-se também abaixo do músculo esternocleidomastóideo. Localiza-se anteromedialmente à artéria carótida interna. Apresenta os seguintes ramos: artéria tireóidea superior, lingual, facial, faríngea ascendente, occipital, auricular posterior, temporal superficial e maxilar.

Artéria carótida interna • Ramo da artéria carótida comum que não apresenta ramos colaterais no nível cervical, localizada abaixo do músculo esternocleidomastóideo, penetrando no crânio através do canal carótico na parte petrosa do osso temporal. Na parte petrosa e cavernosa origina os seguintes ramos: para o soalho da caixa timpânica, para a dura-máter do clivo da sela, à hipófise e ao gânglio trigeminal. No interior do seio cavernoso dirige-se para o espaço subaracnóideo nas proximidades do canal óptico, originando a artéria oftálmica.

Artéria central da retina • O mais importante ramo da artéria oftálmica. Irriga a retina.

Artéria colateral • Ramo fornecido ao longo do trajeto de uma artéria.

Artéria esfenopalatina • Ramo terminal da artéria maxilar que penetra no forame esfenopalatino para irrigar a cavidade nasal (ramos septais posteriores e nasais laterais posteriores). Outro ramo que acompanha o trajeto do nervo incisivo junto ao septo nasal com destino final ao forame incisivo.

Artéria facial • Ramo anterior da artéria carótida externa, que oferece os seguintes ramos: palatina ascendente, massetérica superficial, pterigóidea medial, à glândula submandibular, submentual, labial inferior e superior, lateral do nariz e artéria angular.

Artéria faríngea ascendente • Único ramo medial da artéria carótida externa. Origina os seguintes ramos: a artéria meníngea posterior e os faríngeos. Estes, por sua vez, irão irrigar a parede da faringe e também o palato mole.

Artéria incisiva • Continuação da artéria alveolar inferior que envia ramos para os dentes incisivos e caninos com suas respectivas polpas e ossos alveolares. Pode se anastomosar com a do lado oposto junto à linha média.

Artéria infraorbital • Ramo da artéria maxilar que penetra na cavidade orbital através da fissura orbital inferior. Segue o trajeto por um canal de mesmo nome se exteriorizando através do forame infraorbital. Antes de sair por tal forame emite os seguintes ramos colaterais: artéria alveolar superior anterior e artéria alveolar superior média (pode estar ausente). Tais vasos irão vascularizar, respectivamente, os incisivos e caninos superiores, assim como pré-molares e raiz mesial do 1º molar superior. Some-se também a irrigação dos alvéolos de todos esses dentes, a parte do ligamento periodontal, a gengiva vestibular e a mucosa da parte anterior do soalho do seio maxilar. Quando a artéria infraorbital emerge pelo forame infraorbital emite os seguintes ramos terminais: artéria palpebral inferior, lateral do nariz, labial superior e para a região zigomática, nutrindo todas essas estruturas.

Artéria labial inferior • Ramo da artéria facial, podendo, em alguns casos, ter origem em um tronco único com a artéria labial superior, junto ao ângulo da boca. Irriga o lábio inferior.

Artéria labial superior • Ramo da artéria facial, apresentando-se mais calibrosa do que a labial inferior. Irriga o lábio superior, a asa do nariz e o septo nasal.

Artéria lacrimal • Ramo da artéria oftálmica. Irriga a glândula lacrimal.

Artéria lingual • Ramo anterior da artéria carótida externa que surge a partir do corno maior do osso hioide. Emite os ramos colaterais: ramo supra-hióideo, dorsal da língua, irrigando, respectivamente, as estruturas que se localizam acima do osso hioide, a base da língua, a epiglote, o pilar anterior do véu palatino. Os ramos terminais são a artéria sublingual e profunda da língua. Estes irrigam a mucosa do soalho bucal, a glândula sublingual, o frênulo da língua, a face lingual da sínfise mandibular, a musculatura e a mucosa da língua.

Artéria massetérica • Ramo inferior da artéria maxilar que atinge e irriga o respectivo músculo através da incisura da mandíbula.

Artéria maxilar • Maior ramo terminal da artéria carótida externa, surgindo desta na região parotídea, descrevendo um trajeto de lateral para medial, contornando o colo da mandíbula até atingir a fossa zigomática. Durante esse trajeto pode estar localizada acima da cabeça superior, abaixo ou entre ambas as cabeças do músculo pterigóideo lateral. Apresenta normalmente cinco ramos ascendentes: artéria timpânica anterior, meníngea média, temporal profunda posterior e anterior e meníngea menor. Há também cinco ramos descendentes: as artérias massetérica profunda, pterigóidea, alveolar inferior, bucal e palatina descendente. Os ramos posteriores são: a artéria do canal pterigóideo e a faríngea. Os anteriores são: a artéria alveolar superior posterior e a infraorbital.

Artéria meníngea acessória • Vaso não muito presente. Quando o é, trata-se de um ramo da artéria meníngea média. Penetra no crânio pelo forame oval. Irriga o seio cavernoso (parede lateral), o gânglio trigeminal e a dura-máter.

Artéria meníngea média • Ramo mais volumoso da artéria maxilar, que penetra no crânio através do forame espinhoso, passando a assumir uma direção anterolateral até sua divisão em dois ramos: o anterior e o posterior. Irriga a dura-máter do encéfalo e os ossos do crânio.

Artéria mentual • Ramo da artéria alveolar inferior que emerge pelo forame mentual, irrigando a pele do mento e da mucosa bucal. Faz anastomoses com ramos da artéria facial (artérias submentual e labial inferior).

Artéria milo-hióidea • Ramo da artéria alveolar inferior que acompanha o sulco milo-hióideo, terminando na superfície do músculo milo-hióideo, vascularizando-o, bem como o soalho da cavidade bucal.

Artéria occipital • Ramo posterior da carótida externa, que surge quando a artéria carótida externa corre posteriormente ao ramo mandibular. Irriga as seguintes estruturas: o músculo esternocleidomastóideo, parte dos músculos supra-hióideos, a parte posterior do couro cabeludo e as meninges junto à região occipital.

Artéria oftálmica • Ramo da artéria carótida interna que penetra o canal óptico para irrigar o olho, a órbita, a glândula lacrimal. Vasculariza também a mucosa do seio esfenoidal, as células etmoidais, grande parte da cavidade nasal, a dura-máter do andar anterior da base do crânio.

Artéria palatina ascendente • Ramo da artéria facial, com disposição quase vertical, que irriga a musculatura do palato e as tonsilas.

Artéria palatina descendente • Ramo inferior da artéria maxilar, que surge na fossa pterigopalatina que emite ramos (artéria palatina maior e menor) para irrigar o palato duro, o mole, a tuba auditiva e a tonsila palatina.

Artéria palatina maior • Ramo da artéria palatina descendente, intimamente relacionada com o forame palatino maior, localizado no osso palatino, que irriga o palato duro.

Artéria palatina menor • Ramo da artéria palatina descendente, intimamente relacionada com o forame palatino menor, localizado no osso palatino, que irriga o palato mole e parte do músculo palatoglosso.

Artéria profunda da língua • Ramo terminal da artéria lingual que irriga os músculos e a mucosa lingual.

Artéria sublingual • Ramo terminal da artéria lingual que irriga a glândula sublingual, a mucosa e os músculos do soalho da boca.

Artéria submentual • Surge na região submandibular, sendo um ramo da artéria facial que irriga a mucosa do soalho bucal, a glândula sublingual e os músculos digástrico e milo-hióideo, os linfonodos submandibulares.

Artéria supraorbital • Ramo da artéria oftálmica. Dá origem a ramos que se destinam e vascularizam a pálpebra superior, o frontal, a pele da região, os músculos orbicular do olho e o frontal.

Artéria temporal média • Ramo da artéria temporal superficial, que irriga o músculo temporal junto à sua porção média.

Artéria temporal profunda anterior • Ramo da maxilar que alcança o músculo temporal pela sua porção profunda. Irriga a região mais anterior do músculo temporal.

Artéria temporal profunda posterior • Ramo da maxilar que contribui para a irrigação do músculo temporal (parte posterior) à ATM, para o meato acústico.

Artéria temporal superficial • Menor ramo terminal da artéria carótida externa, originando-se no colo da mandíbula. Tem um trajeto vertical entre a ATM e o meato acústico externo, abandona a glândula parótida cruzando o arco zigomático, onde se torna mais superficial. Apresenta os seguintes ramos colaterais: artéria transversa da face, temporal média, ramos auriculares anteriores, zigomático orbital e a ATM. Dá origem a dois ramos terminais: um anterior, denominado artéria frontal, e outro posterior, denominado parietal.

Artéria terminal • Artéria desprovida de ramos ou de anastomoses e, uma vez que surge, a artéria geradora desaparece.

Artéria tireóidea superior • Primeiro ramo da carótida externa, sendo um dos três anteriores desta. Nasce a partir da margem superior da cartilagem tireóidea, tomando uma direção de cima para baixo (curva). Irriga estruturas localizadas abaixo da região infra-hióidea, ou seja, os músculos infra-hióideos, parte inferior do músculo esternocleidomastóideo, glândula tireoide e parte dos músculos da laringe.

Artéria transversa da face • Ramo colateral da artéria temporal superficial, que surge a partir do colo mandibular, tendo uma direção horizontal entre o ducto parotídeo e o arco zigomático. Irriga a glândula parótida e as estruturas faciais circunvizinhas.

Arterioespasmo • Espasmo das paredes de uma artéria.

Arteríola • Artéria de pequeno calibre, quase microscópica, que leva o sangue até o capilar.

Arteriólito • Porção de calcário alojado na parede de uma artéria.

Articulação • O lugar de união ou junção; um ponto de contato entre ossos, cartilagem e ossos, ou dentes e ossos.

Articulação fibrosa • Articulação que apresenta um movimento limitado ou sem movimento. Por exemplo, suturas do crânio.

Articulação sinovial • Articulação totalmente móvel (diartrose), preenchida por uma membrana sinovial. Está presente uma cavidade articular entre dois ossos que se articulam.

Articulação temporomandibular • Articulação que ocorre entre o processo condilar da mandíbula (cabeça e colo) e a fossa mandibular do osso temporal. Entre essas duas estruturas se interpõe um tecido fibrocartilagíneo denominado disco articular. Este, por sua vez, divide a cavidade articular em dois compartimentos: um superior e outro inferior. Ambos os compartimentos são preenchidos por líquido sinovial.

Articulação trocóidea • Articulação cujas superfícies apresentam-se sob a forma de um cilindro, permitindo uma rotação. Por exemplo, articulação atlantoaxial.

Articular • Que pertence a uma articulação.

Artrologia • Área da anatomia que se dedica ao estudo das articulações.

Assimetria • Falta total de simetria.

Aterosclerose • Doença na qual ocorre um espessamento das paredes das artérias com subsequente perda de sua elasticidade.

Ático • Porção superior da caixa timpânica onde está presente a cabeça do martelo e o corpo da bigorna.

Atireoidia • Ausência congênita da glândula tireoide e de seu produto de secreção, determinando mixedema no adulto.

Atlas • Primeira vértebra cervical que se articula acima com o occipital e abaixo com o áxis.

Auditivo • Que se relaciona à audição. Por exemplo, meato acústico externo, membrana timpânica.

Auricular • Relativo à orelha.

Áxis • Segunda vértebra cervical constituída de um prolongamento (processo odontoide ou dente do áxis), em torno do qual se executam os movimentos de rotação do atlas.

B

Boca • Orifício natural localizado abaixo do nariz e acima do osso hioide. É a porta de entrada do tubo digestório. É composta por uma cavidade (a cavidade bucal) que se comunica, anteriormente, com o meio externo, através do orifício bucal (limitado superior e inferiormente pelos lábios). Posteriormente, comunica-se com a faringe pelo istmo das fauces. Lateralmente está limitada pelas bochechas. Inferiormente, junto a seu soalho está assentado um conjunto de 17 músculos – a língua. A porção anterior da cavidade bucal denomina-se vestíbulo bucal e está separada da boca propriamente dita pelos arcos dentários e seus órgãos dentais.

C

Cartilagem • Tipo de tecido conectivo desprovido de vasos e nervos, depressível à compressão, elástico e resistente, cuja composição é de condrócitos, fibras colágenas e elásticas e uma matriz à base de condroitina sulfato. Há três tipos: cartilagem elástica, fibrosa e hialina.

Cartilagem auricular • Fibrocartilagem que compõe o pavilhão da orelha.

Cartilagem cricoide • Cartilagem ímpar da laringe, que se apresenta sob a forma de anel, localizada em sua parte inferior.

Cartilagem epiglótica • Cartilagem ímpar da laringe localizada na parte anterossuperior desta última, atrás da cartilagem tireoide.

Cartilagem tireóidea • Cartilagem ímpar e mediana, localizada na parte anterossuperior da laringe, limitada superiormente pelo osso hioide e inferiormente pela cartilagem cricoide. É formada por duas lâminas laterais fundidas que irão formar a parede anterior da laringe. Estão presentes também dois cornos superiores e dois inferiores.

Cartilagens da laringe • Conjunto de nove cartilagens, três pares e três ímpares. Limitam-se superiormente pelo osso hioide e inferiormente pela traqueia. Os pares são: as cartilagens aritenóideas, as corniculadas e as cuneiformes. As ímpares são: a cricóidea, a tireóidea e a epiglótica.

Cartilagens da traqueia • Anéis cartilaginosos de 14 a 20, incompletos, em forma de ferradura, onde a abertura está voltada para o esôfago posteriormente. Estão unidos por uma membrana fibroelástica – o ligamento anular.

Carúncula • Pequena saliência, ou eminência carnosa.

Cavidade glenoide • Cavidade de forma arredondada localizada em um osso, na qual se articula outro osso.

Cavidade medular • Espaço contido no interior da diáfise de um osso longo que contém a medula óssea amarela.

Cavidade nasal • A cavidade revestida de mucosa de cada lado do septo do nariz, que se abre na face pelas narinas e, na parte nasal da faringe, pelos côanos.

Cavidade pulpar • O espaço natural da coroa e da raiz do dente ocupada pela polpa e por seus tecidos adjacentes como nervos, vasos linfáticos e sanguíneos.

Cavidade timpânica • Cavidade da orelha média localizada entre o meato acústico externo externamente (a qual está separada pela membrana timpânica), e a orelha interna internamente. A cavidade timpânica se comunica com a rinofaringe através da tuba auditiva e continua posteriormente por meio das cavidades contidas no osso mastoide.

D

Distal • Que se afasta ou distancia do plano sagital mediano da face seguindo a curvatura do arco dentário. Também denomina um ponto remoto, longe do ponto de referência.

Ducto lacrimonasal • Ducto que transporta a secreção lacrimal (lágrimas) do saco lacrimal para o meato inferior da cavidade nasal.

Ducto linfático direito • Ducto que se forma a partir da convergência de vasos linfáticos do membro superior direito e do lado direito do tórax com o tronco jugular direito. Drena a metade direita da cabeça e do pescoço.

Ducto torácico • Vaso linfático que tem início como uma dilatação chamada cisterna do quilo. Recebe, por sua vez, a linfa do lado esquerdo da cabeça e do pescoço, do tórax, do braço esquerdo e do resto do corpo inferiormente às costelas, desaguando na veia subclávia esquerda. Antigamente denominado ducto linfático esquerdo.

Ductos semicirculares • Canais semicirculares membranáceos, que contêm cristas ampulares. São preenchidos de endolinfa que flutua na perilinfa desses canais ósseos. Têm íntima relação com o equilíbrio.

F

Faringe • Conduto musculomembranoso de posição mediana com um comprimento aproximado de 13 cm desde a base do crânio até a 7ª vértebra cervical. Pertence aos sistemas digestório e respiratório. Divide-se em três porções: uma superior relacionada com as fossas nasais (rinofaringe), uma parte média, com a cavidade bucal (bucofaringe) e uma parte inferior que corresponde à parte laríngea da faringe.

Faringite • Inflamação da faringe.

Faringoepiglótico • Relacionado à faringe e à epiglote. Por exemplo, prega faringoepiglótica.

Fasceíte • Processo inflamatório que envolve uma ou várias aponeuroses.

Fáscia • Lâmina fibrosa de tecido conectivo que recobre, sustenta e separa os músculos, sendo recoberta pela tela subcutânea.

Fáscia profunda • Lâmina de tecido conectivo que recobre um músculo para mantê-lo em seu local de origem.

Fáscia superficial • Lâmina de tecido conectivo fibroso localizada abaixo da derme da pele e acima da fáscia profunda dos músculos.

Fauces • Região mais posterior da cavidade bucal que se comunica com a faringe.

Fenda • Espaço alongado entre determinadas estruturas anatômicas. Por exemplo, fenda palatina.

Filiforme • Que se apresenta em forma de fio muito fino. Por exemplo, papilas filiformes da língua.

Fissura • Fenda anatômica ou patológica que se desenvolve em tecido duro ou mole.

Fissura orbital inferior • Fenda localizada entre a asa maior do esfenoide, o osso maxilar e zigomático, junto ao soalho da cavidade orbital. Por ela transitam os nervos zigomático e infraorbital (ramos da II divisão do nervo trigêmeo), a artéria infraorbital e a veia oftálmica inferior (dirigindo-se ao plexo venoso pterigóideo). A fissura orbital comunica a cavidade orbital com as fossas pterigopalatina e infratemporal.

Fissura orbital superior • Fenda localizada entre as asas maior e menor do esfenoide, lateralmente ao canal óptico. Por ela transitam o nervo oculomotor (III nervo craniano), nervo troclear (IV nervo craniano), nervo oftálmico (ramo da 1ª divisão do V nervo craniano, trigêmeo), nervo abducente (VI nervo craniano) e a veia oftálmica. Todas essas estruturas comunicam a órbita com o andar médio da base do crânio.

Fissura petrotimpânica • Fenda localizada na parte posterior da fossa mandibular que separa a parte timpânica da parte petrosa do osso temporal. Por ela transita o nervo corda do tímpano (ramo do VII nervo craniano, facial).

Fluido sinovial • Ver Sinóvia.

Forame • Palavra de origem latina que significa buraco, abertura. A comunicação entre duas cavidades de um órgão, ou um orifício em um osso, para a passagem de nervos ou vasos. Por exemplo, forame mandibular.

Forame da mandíbula • Orifício localizado, na maioria dos casos, no centro do ramo mandibular, junto à sua face lateral. Por ele transitam o nervo e os vasos alveolares inferiores.

Forame espinhoso • Orifício localizado no andar médio da base do crânio, presente no esfenoide, posteriormente ao forame oval do esfenoide. Nele transitam as artérias e as veias meníngeas médias.

Forame estilomastóideo • Orifício localizado entre o processo mastoide e estiloide do osso temporal por onde transita o nervo facial.

Forame infraorbital • Orifício localizado no osso maxilar, cerca de 0,5 cm abaixo da margem inferior da órbita por onde transitam o nervo, a veia e a artéria infraorbital.

Forame jugular • Orifício localizado no andar posterior da base do crânio, limitado anteriormente pela borda posterior da porção petrosa do osso temporal e posteriormente pelo osso occipital. Por ele transitam os nervos glossofaríngeo, vago, acessório e seio petroso inferior, seio sigmoide e artéria meníngea posterior.

Forame lacerado • Orifício localizado no andar médio da base do crânio, limitado pelo ápice da porção petrosa do temporal, o corpo do esfenoide e a borda posterior da grande asa deste osso, preenchido por cartilagem.

Forame magno • O maior orifício da base do crânio, localizado na linha média junto ao andar posterior da base do crânio, no osso occipital. Por ele transitam o bulbo, as artérias vertebrais, os ramos meníngeos das artérias vertebrais e as raízes espinais dos nervos acessórios.

Forame mentual • Orifício localizado no corpo da mandíbula, cerca de 0,5 cm acima da margem inferior da mandíbula, entre os dois pré-molares. Por ele transitam os nervos e vasos de mesmo nome.

Forame oval do esfenoide • Orifício localizado no andar médio do crânio, presente na asa maior do esfenoide, posterior ao forame redondo. Por ele transitam o nervo mandibular e a artéria meníngea menor.

Forame palatino maior • Orifício localizado no osso palatino, distal ao terceiro molar e anterior ao forame palatino menor. Por ele transitam os nervos e os vasos palatinos maiores.

Forame palatino menor • Orifício localizado no osso palatino, distal ao terceiro molar e posterior e de menor diâmetro do que o forame palatino maior. Por ele transitam os nervos e os vasos palatinos menores.

Forame redondo • Orifício localizado no andar médio da base do crânio, presente na asa maior do esfenoide, anterior ao forame oval. Por ele transita o nervo maxilar do trigêmeo.

Forame venoso • Orifício localizado no andar médio da base do crânio, presente na asa maior do esfenoide, medialmente ao forame oval e posteriormente ao forame redondo. Quando presente transita a pequena veia emissária.

Forame vertebral • Orifício que se localiza na porção central das vértebras. Por ele transitam principalmente a medula espinhal e demais estruturas relacionadas.

Forames alveolares superiores posteriores • Orifícios localizados no túber maxilar por onde transitam os nervos alveolares superiores posteriores (ramo da 2ª divisão do trigêmeo) e seus respectivos vasos.

Fossa • Depressão, concavidade que ocorre em determinada superfície do osso ou do dente.

Fossas nasais • Duas cavidades presentes no viscerocrânio, separadas entre si por um fino septo mediano, localizado acima da cavidade bucal, abaixo da cavidade craniana e para dentro das cavidades orbitais. Comunicam-se com a rinofaringe através dos côanos.

Fosseta • Leve depressão que pode ser encontrada junto ao osso ou ao dente.

Fóvea • Fossa rasa. Por exemplo, fóvea pterigóidea.

Freio (frênulo) • Estrutura anatômica em forma de prega que tem por finalidade limitar o movimento, por exemplo, da língua e do lábio superior.

G

Glabela • Saliência mediana, larga, que se localiza sobre a face externa do osso frontal, entre os dois arcos superciliares.
Glândula • Órgão composto por células epiteliais que têm como função secretar determinadas substâncias.
Glândula endócrina • Glândulas cujos produtos de secreção caem diretamente na corrente circulatória.
Glândula exócrina • Glândulas cujos produtos de secreção são eliminados na superfície da pele ou de uma mucosa.
Glândula lacrimal • Células secretoras que se localizam na porção anterolateral superior de cada órbita. Sua função é secretar lágrimas.
Glândula paratireoide • Uma das quatro glândulas endócrinas pequenas, localizadas na parte posterior e lateral da glândula tireoide.
Glândula parótida • A maior das glândulas salivares, em número par, localizada inferior e anteriormente às orelhas. Constituída de uma porção superficial e de outra profunda. Esta se comunica com o vestíbulo bucal através do ducto parotídeo. Esse ducto tem cerca de 5 cm de comprimento, emergindo da margem anterior dessa glândula, correndo superficialmente ao músculo masseter, perfurando o bucinador até encontrar a coroa do 2º molar superior.

H

Hioide • Osso em forma de ferradura, totalmente móvel, que se articula com a mandíbula através de ligamentos e músculos. Localiza-se na região cervical, ao nível da 3ª vértebra (C3), anterior e superiormente à cartilagem tireóidea. É composto de um corpo e dois processos; o corno maior e o menor.
Hipoglosso • É o 12º nervo craniano que inerva os músculos da língua. Ver Nervo hipoglosso no Capítulo 4.

I

Incisivo • Deriva do termo grego *incidere* que significa cortar. São em número de oito ao total, quatro localizados no maxilar e os outros quatro na mandíbula.
Incisura • Depressão, entalhe ou depressão localizada na superfície de um órgão ou estrutura. Por exemplo, incisura da mandíbula entre o processo coronoide e o condilar da mandíbula.
Interno • Que se localiza no interior do corpo. Que é introduzido no organismo por via oral ou parenteral.
Intra-arco • Que ocorre no interior da maxila ou da mandíbula.
Intra-articular • Que se localiza dentro de uma articulação.
Intracapsular • Que se localiza no interior, dentro da cápsula de uma articulação.
Intracondilar • Dentro da cabeça da mandíbula.
Intracraniano • No interior do crânio.
Intrameatal • Dentro do canal auditivo ou do meato.
Intraocular • Que se encontra ou se produz no interior do globo ocular. Por exemplo, hemorragia intraocular.
Intraoral • Dentro da cavidade bucal.
Intrínseco • Que é próprio de um órgão, tecido ou parte.
Istmo • Estreitamento, ou uma faixa estreita de tecido que une duas porções maiores.
Istmo da glote • Abertura na qual a cavidade bucal se comunica posteriormente com a faringe.

Istmo tireoidiano • Parte estreita da glândula tireoide reunindo os dois lobos tireoidianos.

J

Janela da cóclea (redonda) • Diminuta abertura entre a orelha média e a orelha interna, abaixo da janela do vestíbulo, recoberta pela membrana timpânica secundária.
Janela do vestíbulo (oval) • Diminuta abertura recoberta por membrana, entre a orelha média e a orelha interna, em que está ajustada a base do estribo.

L

Labial • Relativo ou em direção aos lábios.
Labirinto membranáceo • Estrutura localizada no interior do labirinto ósseo da orelha interna, contendo endolinfa em seu interior. É composto de utrículo, sáculo e ducto coclear.
Labirinto ósseo • Conjunto de cavidades ósseas da orelha interna composta pelo vestíbulo, pelos canais semicirculares e pela cóclea que se comunicam entre si. O labirinto ósseo é recoberto pelo periósteo e contém um líquido denominado perilinfa.
Labirinto vestibular • São os órgãos do equilíbrio, que englobam o utrículo, o sáculo e os ductos semicirculares.
Lamelas • Anéis concêntricos de matriz calcificada e dura, encontradas no osso compacto.
Ligamento • Bandas de tecido conectivo colágeno ligeiramente flexíveis e elásticas que unem as articulações. Os ligamentos da ATM são considerados agentes que limitam e restringem os movimentos bordejantes, mas recente revisão de literatura indicou que há conhecimento limitado sobre o real significado da função do ligamento.
Ligamento retrodiscal inferior • Tecido conectivo fibroso denso inserido superiormente junto à banda posterior do disco e inferiormente na porção posterior do colo mandibular. Sua função é restringir a rotação anterior do disco sobre a cabeça da mandíbula.
Ligamento retrodiscal superior • Tecido composto predominantemente por elastina, inserido inferiormente na banda posterior do disco e superiormente na fissura petrotimpânica. Sua função é auxiliar nos movimentos do complexo disco-cabeça mandibular.
Ligamentos colaterais da ATM • Ligamentos intrínsecos do disco, unindo-o à cabeça da mandíbula. Estão dispostos tanto medial como lateralmente. Os ligamentos permitem que o disco se desloque em condições normais só no sentido anteroposterior.
Linha nucal • Margem posterior óssea do crânio.
Linfa • Líquido transparente, de cor amarelo-clara, alcalino, que circula nos vasos linfáticos ou ocupando os espaços entre as células.
Língua • Conjunto de 17 músculos (intrínsecos e extrínsecos) esqueléticos recobertos por uma túnica mucosa, localizado no soalho da cavidade bucal.
Lingual • Que tem uma direção à língua, ou relativo a esta.
Língula • Saliência óssea que se localiza na porção superior e posterior do forame da mandíbula. Onde se insere o ligamento esfenomandibular.

M

Macro • Prefixo de origem grega que significa grande. O oposto de micro.
Mácula • Alterações da coloração normal da mucosa da boca, sem ocorrer depressão, ou elevação do tecido. Quando presentes, podem ser devidas à eritema ou à anomalia da pigmentação da pele.
Mácula lútea • Mancha amarela encontrada no centro da retina.

Mandíbula • Osso inferior em forma de ferradura, único, constituído de um corpo horizontal e dois ramos verticais. Nestes últimos estão presentes o processo coronoide anterior e o processo condilar posterior, separados pela incisura mandibular. A borda superior do corpo da mandíbula contém os alvéolos, as cavidades para os dentes inferiores.

Mandibular • Relativo à mandíbula.

Martelo • Um dos ossículos da orelha média, localizando-se mais externamente à caixa timpânica. Tem três partes: a cabeça, articulada com a bigorna, o colo e o cabo incluído na membrana do tímpano o qual transmite as vibrações à bigorna.

Mastoidite • Processo inflamatório das células da mastoide, frequentemente associadas a uma otite média.

Maxilomandibular • Relativo à mandíbula e à maxila.

Meato • Passagem, abertura, ou canal ósseo. Por exemplo, meato acústico externo.

Meato acústico externo • Tubo de aparência curva no osso temporal, que conduz à orelha média.

Meato acústico interno • Meato ósseo localizado no osso temporal por onde transita o facial, o vestíbulo-coclear (VII e VIII nervos cranianos) e a artéria labiríntica.

Mesial • Face de um dente que está voltada e mais próxima do plano mediano.

Mucosa • Membrana de revestimento, presente em cavidades do organismo, tendo como peculiaridade uma superfície úmida. Por exemplo, cavidade bucal.

Músculo • Órgão composto de fibras contráteis, capaz de se encurtar sob a ação do sistema nervoso. Os representantes são os músculos estriados esqueléticos, os músculos cardíacos e os músculos viscerais lisos não estriados. Têm como função básica a produção de movimento involuntário ou voluntário de partes do corpo.

Músculo abaixador do ângulo da boca • Origina-se na margem da mandíbula abaixo do forame mental. Insere-se lateralmente à comissura dos lábios, junto ao ângulo da boca. Sua ação é tracionar o ângulo para baixo e em direção ao plano mediano.

Músculo abaixador do lábio inferior • Origina-se na base da mandíbula, abaixo do forame mental. Insere-se no lábio inferior. Sua ação é tracionar o lábio inferior para baixo.

Músculo bucinador • Origina-se nos processos alveolares da maxila e da mandíbula, junto aos molares e no ligamento pterigomandibular. Insere-se no ângulo da boca. Sua ação é retrair o ângulo bucal, comprimir a bochecha contra os dentes e também distendê-la. Contribui, portanto, nas ações de assoprar e assoviar.

Músculo constritor inferior da faringe • Origina-se nas cartilagens tireoide e cricoide da laringe. Insere-se na rafe da faringe. Sua ação é diminuir o diâmetro faríngeo, facilitando o trânsito do alimento ao esôfago.

Músculo constritor médio da faringe • Origina-se no osso hioide e no ligamento estilo-hióideo. Insere-se também na rafe da faringe. Sua ação é diminuir o diâmetro faríngeo, facilitando o trânsito do alimento ao esôfago.

Músculo constritor superior da faringe • Origina-se no processo pterigoide, no ligamento pterigomandibular e na linha milo-hióidea. Insere-se também na rafe da faringe. Sua ação é diminuir o diâmetro faríngeo, facilitando o trânsito do alimento ao esôfago.

Músculo corrugador do supercílio • Origina-se na margem supraorbital do osso frontal. Insere-se na porção lateral da pele do supercílio. Sua ação é franzir a fronte, tracionando medialmente o supercílio.

Músculo cutâneo • É todo músculo localizado sob a pele. É envolvido por um desdobramento da fáscia superficial, na qual pelo menos um dos seus extremos se insere na face profunda da derme.

Músculo da úvula • Origina-se na espinha nasal posterior. Insere-se na mucosa do ápice da úvula. Suas ações são encurtar e alargar a úvula e auxiliar no fechamento da parte nasal da faringe na deglutição.

Músculo digástrico • Músculo que ocupa a parte superior e lateral do pescoço, formado por dois ventres. O ventre posterior se origina na incisura mastóidea medialmente ao processo mastoide do osso temporal e toma uma direção inferior e anterior, indo se inserir no tendão intermediário. O anterior origina-se nesse tendão (inserido no corpo e corno maior do osso hioide), tomando uma direção superior e anterior para se inserir na fossa digástrica. Atuando em conjunto, levantam o osso hioide e auxiliam na abertura da boca, quando o osso hioide é estabilizado pelos músculos infra-hióideos. Atuando de forma separada, o ventre anterior traciona o osso hioide para cima e para frente, o posterior para cima e para trás.

Músculos escalenos • São três músculos: o escaleno anterior, o médio e o posterior. Apresentam como origem o processo transverso da vértebra cervical com inserção nas duas primeiras costelas. Suas ações são estabilizar as vértebras cervicais e inclinar a cabeça para o lado, participando também da inspiração.

Músculo esfenomandibular • Origina-se da porção infratemporal da grande asa do esfenoide. Insere-se sobre a crista temporal da mandíbula. Não se sabe realmente se é outro músculo ou um prolongamento do músculo temporal.

Músculo espinal da cabeça • Origina-se nos processos espinhosos das últimas vértebras cervicais (6ª e 7ª) e da 1ª à 3ª vértebra torácica. Insere-se entre as linhas nucais superior e inferior. Suas ações são extensão e estabilização da cabeça e do segmento cervical.

Músculo espinal do pescoço • Origina-se na porção inferior do ligamento nucal, nos processos espinhosos da 6ª e 7ª vértebras cervicais até a 1ª e 2ª vértebras torácicas. Insere-se nos processos espinhosos da 2ª à 4ª vértebra cervical. Sua ação é estender a cabeça.

Músculo esplênio da cabeça • Origina-se na metade inferior do ligamento nucal e nos processos espinhosos da 7ª vértebra cervical à 4ª vértebra torácica. Insere-se no processo mastoide do osso temporal e no terço lateral da linha nucal superior. Suas ações são rotacionar e inclinar a cabeça para o mesmo lado, quando da contração unilateral. Quando se contrai bilateralmente, provoca a extensão do segmento cervical.

Músculo esplênio do pescoço • Origina-se nos processos espinhosos da 3ª à 6ª vértebra torácica. Insere-se processos transversos da 1ª à 3ª vértebra cervical. Suas ações são rotacionar e inclinar a cabeça para o mesmo lado, quando da contração unilateral. Quando se contrai bilateralmente, provoca a extensão do segmento cervical.

Músculo esternocleidomastóideo • Músculo com duas cabeças, uma originando-se no esterno e outra, na clavícula, com inserção no processo mastoide e na linha superior da nuca do osso occipital. Suas ações são inclinar a cabeça e o pescoço para um dos lados e fazer o movimento de rotação da face para o lado oposto (contratura unilateral). Fixa e flexiona a cabeça (contratura bilateral).

Músculo esterno-hióideo • Origina-se na face posterior da área da articulação esternoclavicular. Insere-se na margem inferior do corpo do osso hioide. Suas ações são abaixar e estabilizar o osso hioide.

Músculo esternotireóideo • Origina-se no manúbrio esternal junto à 1ª costela. Insere-se na face externa da cartilagem tireóidea. Suas ações são abaixar a laringe e a cartilagem tireóidea e, indiretamente, o osso hioide.

Músculo estilofaríngeo • Origina-se no processo estiloide do temporal. Insere-se nas paredes laterais e posteriores da faringe. Sua ação é elevar a laringe, dilatando a faringe, durante a deglutição.

Músculo estiloglosso • Origina-se no processo estiloide, dirigindo-se para baixo e anteriormente. Insere-se no corpo da língua e em seu ápice. Suas ações são retrair a língua para posterior e superior e levantar o seu ápice.

Músculo estilo-hióideo • Origina-se no processo estiloide, superficial e anterior ao ventre posterior do digástrico, dirigindo-se para baixo e inferiormente. Insere-se no corpo do osso hioide. Suas ações são tracionar o osso hioide para cima e para trás e também auxiliar na sua fixação.

Músculo gênio-hióideo • Origina-se na espinha geniana inferior da mandíbula, dirigindo-se posteriormente. Insere-se no corpo do osso hioide. Traciona o osso hioide para anterior e contribui para a depressão da mandíbula, quando o osso hioide é estabilizado pelos músculos infra-hióideos.

Músculo genioglosso • Origina-se na espinha geniana superior da mandíbula. Insere-se no corpo do osso hioide, na raiz e no ápice da língua. Suas ações são a protrusão e a depressão do ápice da língua.

Músculo hioglosso • Origina-se no corpo e no grande corno do osso hioide. Insere-se no corpo da língua. Sua ação é abaixar a língua.

Músculo levantador do ângulo da boca • Origina-se na fossa canina da maxila. Insere-se no ângulo da boca. Sua ação é levantar o ângulo da boca.

Músculo levantador do lábio superior • Origina-se na margem infraorbital e se insere no lábio superior. Sua ação é levantar o lábio superior.

Músculo levantador do lábio superior e da asa do nariz • Origina-se no processo frontal da maxila. Insere-se no lábio superior e na asa do nariz. Sua ação é levantar o lábio superior e a asa do nariz, produzindo dilatação da narina.

Músculo levantador do véu palatino • Origina-se no ápice da parte petrosa do temporal. Insere-se na aponeurose palatina. Sua ação é levantar e tracionar o palato mole posteriormente.

Músculo longitudinal inferior da língua • Origina-se no ápice da língua. Insere-se na raiz da língua. Sua ação é de encurtamento e alargamento da língua. Pode abaixar o ápice da língua.

Músculo longitudinal superior da língua • Origina-se no ápice da língua. Insere-se na raiz da língua. Sua ação é de encurtamento e alargamento da língua. Pode levantar o ápice da língua.

Músculo masseter • A origem do masseter superficial é nos dois terços inferiores do arco zigomático, com inserção no ramo e no ângulo da mandíbula. A origem do masseter profundo é no terço inferior do arco zigomático, com inserção na face lateral do ramo da mandíbula. Suas ações são levantar a mandíbula e contribuir também para o movimento protrusivo.

Músculo mentual • Origina-se na fossa mentual acima da protuberância mentual. Insere-se na pele do mento. Sua ação é everter o lábio inferior e enrugar a pele do mento.

Músculo milo-hióideo • Origina-se na linha milo-hióidea. Insere-se na rafe milo-hióidea a partir da união dos músculos do lado direito e esquerdo. Suas fibras posteriores se inserem no corpo do osso hioide. Suas ações são levantar o hioide e a língua e abaixar a mandíbula.

Músculo nasal • Origina-se na maxila, eminência alveolar dos dentes canino e incisivo lateral. Insere-se na asa nasal, na margem da narina, no processo nasal da cartilagem do septo nasal e na placa tendínea do dorso nasal. Sua ação é alargar a narina (parte alar). A parte transversa traciona levemente o ápice nasal em direção inferior e comprime a narina.

Músculo oblíquo inferior • Origina-se no soalho da órbita. Insere-se na superfície temporal do bulbo do olho, posterior a seu equador. Suas ações são girar o bulbo do olho superolateralmente e rotacioná-lo lateralmente.

Músculo oblíquo superior • Origina-se na cavidade orbital, medialmente ao canal óptico. Insere-se no bulbo do olho entre os músculos reto superior e reto lateral. Suas ações são mover o bulbo do olho inferior e lateralmente e rotacioná-lo medialmente.

Músculo occipitofrontal • Músculo formado por dois ventres: o frontal e o occipital, dividido por uma aponeurose. O ventre frontal se origina na gálea aponeurótica, na pele do supercílio e na raiz nasal. O ventre posterior origina-se nos ossos temporal e occipital e se insere na gálea aponeurótica. Sua ação é tracionar a pele da fronte e do supercílio para cima.

Músculo omo-hióideo • Músculo biventre. O ventre inferior origina-se na margem superior da escápula. Insere-se no ventre superior por meio de um tendão curto. O ventre superior, por sua vez, origina-se nesse tendão e se insere na margem lateral do corpo do hioide. Suas ações são estabilizar e abaixar o osso hioide.

Músculo orbicular da boca • Origina-se ao redor dos lábios, nas fóveas incisivas da mandíbula e maxila. Insere-se na pele e na mucosa dos lábios e no septo nasal. Sua ação é comprimir os lábios contra os dentes, protruir os lábios e fechar a boca.

Músculo orbicular do olho • Origina-se nos ligamentos palpebrais, no lacrimal e maxilar, sendo praticamente cutâneo. Insere-se na pele periorbital e nas pálpebras. Sua ação é fechar as pálpebras e comprimi-las contra o olho.

Músculo palatofaríngeo • Origina-se no palato mole. Insere-se na borda posterior da cartilagem tireóidea e na parede posterior e lateral da faringe. Sua ação é elevar tanto a laringe como a faringe, auxiliando a fechar a nasofaringe durante a deglutição.

Músculo palatoglosso • Origina-se na superfície inferior da aponeurose palatina. Insere-se na língua posterolateralmente. Suas ações são elevar a raiz da língua e abaixar o palato mole.

Músculo platisma • Origina-se na base da mandíbula, abaixo do forame mental e da fáscia parotídea. Insere-se na pele da região cervical até a margem superior da clavícula. Sua ação é enrugar a pele do pescoço.

Músculo prócero • Origina-se no osso nasal. Insere-se na pele da glabela. Sua ação é tracionar a pele da glabela em direção inferior, caudal.

Músculo pterigóideo lateral • Músculo que apresenta duas cabeças. A superior tem origem na porção horizontal da grande asa do esfenoide, inserindo-se em 5% dos casos na porção anteromedial do disco articular. A cabeça inferior origina-se na face lateral da lâmina lateral do processo pterigoide do osso esfenoide, dirigindo a porção anteromedial do colo mandibular (fóvea pterigóidea). Sua ação é contribuir para o fechamento final dos dentes (cabeça superior). A cabeça inferior desempenha três funções: protrusão, lateralidade e contribui com os músculos supra-hióideos no início da abertura bucal.

Músculo pterigóideo medial • Origina-se na fossa pterigoide e na superfície medial da lâmina lateral do processo pterigóideo do osso esfenoide. Insere-se na superfície medial do ramo e do ângulo da mandíbula. Suas ações são levantar e protruir a mandíbula.

Músculo reto inferior • Origina-se no anel tendíneo comum ao redor do forame óptico. Insere-se na superfície inferior do bulbo do olho, anterior a seu equador. Suas ações são abaixar e mover medialmente o bulbo do olho e rotacioná-lo lateralmente.

Músculo reto lateral • Origina-se no anel tendíneo comum ao redor do forame óptico. Insere-se na superfície lateral do bulbo do olho, anterior a seu equador. Sua ação é desviar o bulbo do olho em direção oposta ao plano mediano (lateral).

Músculo reto medial • Origina-se no anel tendíneo comum ao redor do forame óptico. Insere-se na superfície medial do bulbo do olho, anterior a seu equador. Sua ação é desviar o bulbo do olho em direção ao plano mediano (adução).

Músculo reto superior • Origina-se no anel tendíneo comum ao redor do forame óptico. Insere-se na superfície superior do bulbo do olho, anterior a seu equador. Suas ações são levantar e girar o bulbo do olho em direção oposta ao plano mediano (lateral).

Músculo risório • Origina-se na pele da bochecha e na fáscia massetérica. Insere-se no ângulo da boca. Sua ação é retrair o ângulo da boca, contribuindo para o riso e o sorriso.

Músculo semiespinal da cabeça • Origina-se nos processos transversos da 7ª vértebra cervical até a 6ª torácica e no processo articular da 4ª vértebra cervical até a 6ª. Insere-se na escama do osso occipital. Suas ações são inclinar a cabeça para o mesmo lado, quando da contração unilateral. Quando se contrai bilateralmente, provoca a extensão do segmento cervical.

Músculo semiespinal do pescoço • Origina-se nos processos transversos da 7ª vértebra cervical até a 6ª vértebra torácica. Insere-se nos processos espinhosos da 2ª à 5ª vértebra cervical. Suas ações são inclinar a cabeça para o mesmo lado, quando da contração unilateral. Quando se contrai bilateralmente, provoca a extensão do segmento cervical.

Músculo temporal • Origina-se na linha temporal inferior. Insere-se no processo coronoide e na margem anterior do ramo da mandíbula. Suas ações são levantar e retrair a mandíbula.

Músculo tensor do véu palatino • Origina-se na tuba auditiva, na fossa escafoide e na espinha do esfenoide. Insere-se na aponeurose palatina. Suas ações são abrir a tuba auditiva e tensionar o palato mole.

Músculo tireo-hióideo • Origina-se na face externa da cartilagem tireoide. Insere-se no corno maior e na porção lateral do corpo do osso hioide. Suas ações são levantar a cartilagem tireoide e a laringe e estabilizar o osso hioide e abaixá-lo.

Músculo transverso da língua • Origina-se na margem lateral da língua. Insere-se na margem lateral da língua. Suas ações são alongá-la em comprimento, estreitá-la em largura e levantar suas margens.

Músculo trapézio • Músculo com origem na linha superior da nuca do osso occipital, processo espinhoso da 7ª vértebra cervical e todas as vértebras torácicas. Insere-se no terço lateral da clavícula, no acrômio e na espinha da escápula. Suas ações são elevar, rotacionar e aduzir a escápula, bem como fixar o ombro e rotacionar a cabeça posterior e lateralmente.

Músculo vertical da língua • Origina-se na aponeurose da língua. Insere-se na face inferior da língua. Sua ação é diminuir ou alargar seu comprimento. Pode também achatar a língua.

Músculo zigomático maior • Origina-se no osso zigomático. Insere-se no ângulo da boca. Sua ação é levantar e retrair o ângulo da boca.

Músculo zigomático menor • Origina-se no osso zigomático. Insere-se no lábio superior. Sua ação é levantar o lábio superior.

Músculos da mastigação, levantadores • Músculos responsáveis pela elevação da mandíbula. São eles os masseteres, o pterigóideo medial e o temporal (principalmente o feixe anterior).

Músculos supra-hióideos • São músculos que se localizam acima do osso hioide. São quatro, considerando-se um hemilado: digástrico (ventre anterior e posterior), geni-hióideo, milo-hióideo e estilo-hióideo. Apresentam relação com o osso hioide, com exceção do digástrico, que não se insere diretamente neste. Atuam estabilizando e elevando o osso hioide, além de abaixar a mandíbula.

N

Narina • Orifício que comunica as fossas nasais com o meio externo.

Nariz • Estrutura localizada entre as cavidades orbitais e acima da boca. Apresenta duas porções; uma anterior, as fossas nasais, que se comunica com o meio externo através das narinas, e outra posterior, denominada côanos, que estabelece a comunicação da cavidade nasal com a faringe.

Nasal • Que diz respeito ao nariz. Por exemplo, fossas nasais, conchas nasais, nervo etmoidal anterior.

Nasogeniano • Ver Sulco nasolabial.

O

Occipício • Parte posterior e inferior da cabeça.

Occipital • Relativo à parte posterior da cabeça.

Occipitatloidiano • Relativo aos ossos occipital e atlas. Por exemplo, articulação atlanto--occipital.

Oral • Relativo à boca.

Órbita • Cavidade óssea, de forma piramidal, localizada ao lado das fossas nasais, na qual está alojado o bulbo do olho. Apresenta alguns acidentes anatômicos importantes: o canal óptico, a fissura orbital superior e inferior, o canal lacrimonasal, o sulco infraorbital.

Orelha • Órgão da audição e do equilíbrio, compreendendo três porções: a orelha externa, a orelha média e a orelha interna.

Orelha externa • Composta pelo pavilhão da orelha, localizado na porção lateral da cabeça. Apresenta uma estrutura interna cartilagínea e uma extensão inferior denominada lóbulo (desprovida de cartilagem). Além disso, tem um canal (meato acústico externo) que direciona as ondas sonoras à membrana timpânica que separa a orelha externa da média.

Orelha interna • É a porção interna da orelha, localizada no rochedo do temporal, interiormente à caixa do tímpano. É constituída por um labirinto ósseo no qual está contido o labirinto membranoso. Distinguem-se três partes nestas cavidades: o vestíbulo (ósseo e membranoso), os canais semicirculares (órgão do equilíbrio) e a cóclea (órgão da audição).

Orelha média • Pequena cavidade revestida de epitélio localizada no osso temporal. Encontra-se limitada da orelha externa pela membrana timpânica e da orelha interna pelas janelas do labirinto vestibular (oval) e da cóclea (redonda). Nela encontram-se três ossículos: estribo, bigorna e martelo, articulando-se entre si através de uma articulação sinovial.

Origem • Ponto de fixação de um músculo a um osso estacionário, ou o oposto de inserção.

Osso subcondral • Osso abaixo de cartilagem.

P

Papila filiforme • Papilas muito finas que têm um aspecto de fio localizadas no dorso da língua, próximo a seu ápice, lateralmente ao sulco mediano da língua.

Papila fungiforme • Elevações avermelhadas em forma de cogumelo, localizadas no ápice da língua, onde estão presentes botões gustatórios.

Papila valada • Projeções circulares que se dispõem em fileira em forma de V anteriormente ao sulco terminal.

Papilas linguais • Pequenas saliências, bem delimitadas, de formas variadas, que recobrem a mucosa do dorso da língua. Estão divididas em três grupos: as fungiformes, as filiformes e as papilas valadas.

Papilite • Inflamação das papilas linguais, ou da óptica.

Parte laríngea da faringe (laringofaringe) • Parte inferior da faringe que se estende para baixo a partir do osso hioide e continua-se posteriormente no esôfago e anteriormente na laringe.

Parte nasal da faringe (nasofaringe) • Parte superior da faringe, localizada acima do palato mole e posteriormente ao nariz.

Parte oral da faringe (orofaringe) • É a parte intermediária da faringe, localizada posteriormente à boca e estendendo-se desde o palato mole até o osso hioide.

Q

Quiasma • Estrutura anatômica que se forma a partir do cruzamento de elementos axonais ou fibrosos que se dirigem ao lado oposto.

Quiasma óptico • União dos nervos ópticos de ambos os lados dentro da fossa média da base do crânio.

S

Sáculo • A menor das duas câmaras do labirinto membranáceo que está contida no interior do vestíbulo da orelha interna. Contém um receptor que é responsável pelo equilíbrio estático.

Sagital • Orientado no sentido anteroposterior, verticalmente sobre o plano mediano do corpo. Por exemplo, sutura sagital.

Sangue arterial • Sangue rico em oxigênio que, em geral, está presente nas artérias e também nas veias pulmonares.

Sangue venoso • Sangue pobre em oxigênio presente nas veias e nas artérias pulmonares.

Seio carótico • Região dilatada da artéria carótida comum antes de esta se dividir em artéria carótida externa e interna. Tal estrutura é composta de barorreceptores que monitoram a pressão sanguínea.

Seios da face • Cavidades pneumáticas (que contêm ar) presentes nos ossos do arcabouço facial. São eles: maxilar, etmoidal, frontal e esfenoidal.

Septo • Estrutura anatômica que divide duas regiões. Por exemplo, septo nasal.

Sinartrodial • Relativo à sinartrose.

Sinartrose • Articulação sem movimento, imóvel, na qual as peças ósseas estão unidas entre si.

Sincondrose • Um tipo de sinartrose na qual a união das peças ósseas é obtida as espessas de um tecido cartilagíneo.

Sínfise mandibular • Articulação cartilagínea que, na linha mediana, une as hemimetades direita e esquerda da mandíbula até o primeiro ano de vida pós-natal. Em seguida ocorre a união e a sínfise desaparece.

Sinostose • União de dois ossos, onde o tecido conectivo denso fibroso que os unia foi substituído por osso. Por exemplo, a sinostose esfeno-occipital (normal) ou a anquilose da ATM (patológico).

Sinostose vertebral • União congênita, ou adquirida, de duas ou mais vértebras, ocasionando alterações no padrão de curvatura da coluna vertebral.

Sinóvia (líquido sinovial) • Líquido transparente, claro, secretado pelas membranas sinoviais, que contém em sua composição lubricina. Portanto, lubrifica as superfícies das articulações móveis (diartroses), como a articulação temporomandibular (ATM), e nutre a cartilagem epifisial.

Sinovial • Relativo à sinóvia. Por exemplo, efusão de líquido sinovial junto ao compartimento superior decorrente de um trauma local agudo, ou de um microtrauma contínuo e constante, como bruxismo.

Sinovite • Inflamação da membrana sinovial.

Sinus **(ou seio)** • Palavra de origem latina que significa oco. Cavidade localizada em um órgão (normal ou patológica). Por exemplo, seio etmoidal, esfenoidal, maxilar, frontal, seios da dura-máter.

Subcondral • Localizado abaixo da cartilagem.

Sublingual • Estrutura, ou patologia, que se localiza abaixo da língua. Por exemplo, glândula sublingual.

Submandibular • Localizado abaixo da mandíbula.

Suboccipital • Localizado, ou se encontra, abaixo do occipital. Por exemplo, punção suboccipital.

Sulco • Fenda ou depressão linear que se encontra na face oclusal dos molares de humanos entre os giros do encéfalo e na face (viscerocrânio).

Sulco labiomental • Sulco que se estende desde a comissura dos lábios até a aba do nariz.

Sulco nasolabial • Sulco que separa o lábio inferior da região mental.

Supercílios • Cristas pilosas que se localizam superiormente aos olhos, constituindo, portanto, parte acessória dos globos oculares.

Superficial • Localizado na superfície do corpo ou de um órgão.

Sutura bregmática • Sutura que se estabelece entre o osso frontal e os ossos parietais.

Sutura lambdoide • Sutura que se apresenta na forma de lambda (letra grega λ). Constituída pela borda posterior do parietal e a espinha do occipital (também chamada sutura occipitoparietal ou parietoccipital).

T

Temporal • Relativo à têmpora.

Tendão • Feixe de tecido carnoso, que une um músculo ao osso.

Trago • Saliência achatada e triangular, localizada na face externa do pavilhão auricular à frente da concha e abaixo do hélix. O trago desempenha o papel de opérculo, pois exerce sobre ele uma pressão com o dedo, "obstrui" a orelha.

Traqueíte • Inflamação da traqueia.

Tróclea • Em anatomia é uma estrutura que se apresenta sob a forma de polia.

Troclear • Em forma de roldana, ou polia. Por exemplo, fossa troclear da órbita.

Tubérculo • Elevação levemente envolvida por esmalte na superfície de um dente natural.

U

Unciforme • Nome dado a certos processos que têm aparência de gancho, de curva. Por exemplo, processo unciforme das vértebras cervicais.

Unilateral • Que acomete só um lado de um órgão, ou do corpo. Por exemplo, disfunção temporomandibular (DTM).

Utrículo • Estrutura localizada dentro do vestíbulo da orelha interna (labirinto membranáceo) que contém um receptor do equilíbrio estático.

Utriculossacular • Relativo ao utrículo e ao sáculo da orelha interna.

Úvula palatina • Massa mole, carnosa, muscular, mediana, em forma de V, que se projeta a partir da borda livre do palato mole.

Uvulite • Inflamação da úvula.

V

V lingual • Corresponde à parte posterior da língua, junto a seu ápice. Nele encontramos as papilas caliciformes da língua.

Válvula • Prega membranosa situada no interior de um vaso que objetiva impedir o retorno do sangue na direção de seu ponto de origem.

Vascular • Relativo a um vaso sanguíneo.

Vaso • Canal biológico onde circula a linfa, o sangue.

Vaso linfático • Sistema canalicular que coleta a linfa dos capilares linfáticos e converge com outros vasos linfáticos para formar, por exemplo, o ducto torácico e o ducto linfático direito.

Vasos dos vasos • Vasos sanguíneos que distribuem nutrientes às artérias e às veias maiores. Denominam-se também *vasa vasorum*.

Veia • Vaso sanguíneo que envia sangue dos tecidos periféricos ao coração. A parede das veias é composta de três túnicas: a íntima, a média e a adventícia.

Veia cava superior • Grande tronco venoso onde deságua todo o sangue venoso da parte supradiafragmática do corpo. Esta é formada a partir da confluência dos dois troncos venosos braquiocefálicos. Normalmente, a veia cava superior recebe apenas uma colateral, a grande veia ázigo.

Ventral • Relativo à face anterior do corpo humano, contrário à dorsal.

Ventrículos laterais da laringe • Em número de dois, compreendidos entre as cordas vocais superiores e as cordas vocais inferiores.

Vestíbulo da boca • Espaço compreendido entre os lábios e as bochechas e os processos (ou cristas) alveolares.

Víscera • Todo órgão contido numa cavidade do corpo. Por exemplo, caixa craniana.

Vômer • Osso ímpar e mediano que se localiza na parte posteroinferior das fossas nasais, que separa os dois côanos (são as aberturas posteriores das fossas nasais).

W

Wharton (canal de) • Atualmente denominado canal submandibular. Localiza-se ao lado do freio da língua.

LEITURAS SUGERIDAS

Alves N, Cândido PL. Anatomia para o curso de odontologia geral e específica. 2. ed. São Paulo: Santos; 2009.

Bear MF, Connors BW, Paradiso MA. Neurociências: desvendando o sistema nervoso. 2. ed. Porto Alegre: Artmed; 2002.

Berkovitz BK, Moxham BJ. Head and neck anatomy: a clinical reference. Florence: Fulfilment Center; 2002.

Brodal A. Anatomia neurológica com correlações clínicas. 3. ed. São Paulo: Roca; 1984.

Campbell WW, De Jong RN. The neurologic examination. 6th ed. Philadelphia: Lippincott Williams & Wilkins; 2005.

Carpenter MB. Fundamentos de neuroanatomia. 4. ed. Maryland: Panamericana; 1999.

Casas AP, González ME. Morfología, estructura y función de los centros nerviosos. 3. ed. Madrid: Paz Montalvo; 1977.

Cosenza RM. Fundamentos de neuroanatomia. 3. ed. Rio de Janeiro: Guanabara Koogan; 2005.

Leituras sugeridas

Crossman AR, Neary D. Neuroanatomia ilustrado e colorido. Rio de Janeiro: Guanabara Koogan; 1997.

Dângelo JG, Fattini CA. Anatomia humana sistêmica e segmentar. 2. ed. São Paulo: Atheneu; 1998.

Dantas AM. Os nervos cranianos: estudo anátomo--clínico. Rio de Janeiro: Guanabara Koogan; 2005.

De Jong RN. The neurologic examination. 4th ed. Maryland: Harper & Row; 1979.

De Oliveira SH. Esqueleto cefálico: manual ilustrado de anatomia. São Paulo: Santos; 2009.

Dean D, Hernener TE. Anatomia humana em cortes transversais. Rio de Janeiro: Guanabara Koogan; 2003.

de Groot J. Neuroanatomia. 21. ed. Rio de Janeiro: Guanabara Koogan; 1994.

Doretto D. Fisiopatologia clínica do sistema nervoso – fundamentos da semiologia. 2. ed. São Paulo: Atheneu; 1996.

Drake RL. Gray's anatomia clínica para estudantes. Rio de Janeiro: Elsevier; 2005.

Dubrul EL. Anatomia oral de Sicher e Dubrul. 8. ed. Porto Alegre: Artmed; 1991.

Fehrenbach MJ, Herring SW. Anatomia ilustrada da cabeça e do pescoço. São Paulo: Manole;1998.

Figún MR, Garino RR. Anatomia Odontológica funcional e aplicada. 3. ed. Porto Alegre: Artmed; 2003.

Gaudy JF. Atlas d'anatomie implantaire. Issy-les--Moulineaux: Elsevier Masson; 2006.

Gosling JA, Harris PF, Humpherson JR, Whitmore I, Willan PL. Anatomia humana. 2. ed. São Paulo: Manole;1992.

Grossmann E. Glossário de cabeça e pescoço. São Paulo: Quintessence; 2008.

Grossmann E, Munerato MC. Aspectos anátomo--fisiológicos da articulação temporomandibular. Rev Fac Odontol Univ Passo Fundo. 1996;1(2):11-20.

Gutierrez LM, Grossmann E. Anatomofisiologia do músculo pterigóideo lateral. Rev Dor. 2010;11(3):249-53.

Hamilton WJ.Tratamento de anatomia humana. Rio de Janeiro: Interamericana; 1982.

Heidergger WG. Atlas de anatomia humana. 4. ed. Rio de Janeiro: Guanabara Koogan; 1981.

Hiatt JL, Gartner LP. Textbook of head and neck anatomy. 3. ed. Philadelphia: Lippincott Wiliams & Wilkiins; 2001.

Johnson DR, Moore WJ. Anatomia para estudantes de odontologia. 3. ed. Rio de Janeiro: Guanabara Koogan; 1997.

Latarjet M, Liard A, Ruiz A. Anatomia humana. 2. ed. São Paulo: Panamericana;1989.

Machado A. Neuro anatomia funcional. Rio de Janeiro: Atheneu; 1980.

Madeira MC. Anatomia da face: bases anátomo-funcionais para a prática odontológica. 3. ed. São Paulo: Sarvier; 2001.

Maier PK. Wolf-Heidegger atlas de anatomia humana. 5. ed. Rio de Janeiro: Guanabara Koogan; 2000.

Martin JH. Neuroanatomia: texto e atlas. 2. ed. Porto Alegre: Artmed; 1998.

Martini FH, Cober W, Carrison C. Atlas do corpo humano. Porto Alegre: Artmed; 2009.

Martini FH, Timmons MJ, Tallitsch RB. Anatomia humana. 6. ed. Porto Alegre: Artmed; 2009.

McMinn RM, Rutchings RT, Logan BM. Atlas colorido de anatomia humana. Porto Alegre: Artmed; 1995.

Meneses MS. Neuroanatomia aplicada. Rio de Janeiro: Guanabara Koogan; 1999.

Moore KL. Anatomia: orientada para a clínica. 5. ed. Rio de Janeiro: Guanabara Koogan; 2007.

Moore KL, Agur AM. Fundamentos de anatomia clínica. Rio de Janeiro: Guanabara Koogan; 1998.

Netter FH. Atlas de anatomia humana. 4. ed. Rio de Janeiro: Saunders Elsevier; 2008.

Netter FH. The ciba collection of medical illustrations: a compilation of pathological and anatomical paintings. New Jersey: Ernest Oppnheeimmer; 1954.

Norton NS. Netter atlas de cabeça e pescoço. Rio de Janeiro: Elsevier; 2007.

Okeson JP. Dores bucofaciais de Bell. 6. ed. Rio de Janeiro: Quintessence; 2006.

Orthlieb J, Brocard D, Grossmann E. A. Oclusão: princípios práticos. Porto Alegre: Artmed; 2002.

Pansky B. Review of gross anatomy. 6th ed. New York: McGraw-Hill; 1996.

Leituras sugeridas

Rizzolo RJ, Madeira MC. Anatomia facial com fundamentos de anatomia sistêmica geral. São Paulo: Sarvier; 2004.

Rohen JW, Yokochi CH. Color atlas of anatomy: a photographic study of the human body. 3rd ed. New York: Igaku-Shoin; 1993.

Ropper AH, Brown RH. Adams and Victor's principles of neurology. 8th ed. New York: McGraw-Hill; 2005.

Rosenbauer KA, Engerlhardt JP, Koch H. Anatomia clínica de cabeça e pescoço aplicada à odontologia. Porto Alegre: Artmed; 2001.

Rossi MA. Anatomia aplicada à odontologia – abordagem fundamental e clínica. São Paulo: Santos; 2010.

Schunke M. Prometheus: atlas de anatomia, cabeça e neuroanatomia. Rio de Janeiro: Guanabara; 2007.

Snell RS. Anatomia. 2. ed. Rio de Janeiro: Guanabara Koogan; 1995.

Tank PW, Gest TR. Atlas de anatomia humana. Porto Alegre: Artmed; 2009.

Teixeira LM, Reher P, Reher VG. Anatomia aplicada à odontologia. Rio de Janeiro: Guanabara Koogan; 2000.

Testut L, Jacob O. Tratado de anatomia topográfica com aplicaciones medico-cirurgicas. 8. ed. Barcelona: Salvat; 1977.

Tortora GJ. Corpo humano: fundamentos de anatomia e fisiologia. 4. ed. Porto Alegre: Artmed; 2000.

Velayos JL, Santana HD. Anatomia de cabeça e pescoço 3. ed. Porto Alegre: Artmed; 2003.

Woelfel JB, Scheid RC. Anatomia dental sua relevância para a odontologia. 5. ed. Rio de Janeiro: Guanabara Koogan; 2000.

Capítulo 4

NEUROANATOMIA E NEUROLOGIA

Eduardo Grossmann
Thiago Kreutz Grossmann
Jaime Olavo Marquez

A

Aberturas laterais do IV ventrículo (denominada antigamente de forame de Luschka) • Orifícios que comunicam os recessos laterais do IV ventrículo com o espaço subaracnóideo por onde irá transitar o líquido cerebrospinal.

Acidente vascular cerebral (AVC) • Atualmente adota-se acidente vascular encefálico (AVE). Ruptura de vasos sanguíneos, ou da obstrução destes, ocasionando morte do tecido cerebral. Popularmente chamado derrame cerebral.

Acinesia • Dificuldade ou impossibilidade de fazer certos movimentos voluntários (ausência dos movimentos automáticos e voluntários).

Acromia • Ausência da coloração normal. Pode se manifestar como ausência ou diminuição da pigmentação cutânea. Por exemplo, indivíduo acometido por herpes-zóster na divisão oftálmica do trigêmeo (V1), onde uma das alterações possíveis é a diminuição da pigmentação no local onde se instalou o vírus da varicela zóster.

Acropatia • Toda patologia que acomete as extremidades.

Actinite • Dermatite provocada pela exposição a diversos raios, como os solares.

Actinoterapia • Terapia que emprega raios luminosos de diferentes comprimentos de onda e cores com objetivo terapêutico.

Adeno-hipófise • Lobo anterior da hipófise. Antigamente era denominada pituitária anterior. SNC.

Afasia • Incapacidade de expressão, falada ou escrita da linguagem, ou da compreensão de linguagem verbal.

Afasia visual • O mesmo que alexia.

Aferente • Que tem um trajeto da periferia para o centro. Por exemplo, nervo aferente.

Agonista • Todo músculo responsável por prover o movimento esperado. O músculo que apresenta uma função contrária é denominado antagonista.

Agnosia • Impossibilidade de reconhecer objetos pela forma, peso, temperatura e cor.

Todavia as funções sensoriais primordiais estão mantidas.

Adquirido • O que não está presente no nascimento e aparece ao longo da vida. Por exemplo, herpes-zóster.

Adrenérgico • Pode ser um nervo, terminação ou receptor que atua na dependência da liberação de adrenalina.

Adrenolítico • Que interage com os receptores adrenérgicos abolindo seus efeitos. Contrário à ação da adrenalina.

Agenesia • Ausência ou interrupção do desenvolvimento de uma porção do corpo. Por exemplo, agenesia da cabeça da mandíbula ou dental.

Agnatia • Ausência congênita da mandíbula.

Agudo • De rápida instalação, em curto espaço de tempo. Diz-se que uma dor é aguda quando sua duração é inferior a três meses.

Algoparalisia • Paralisia acompanhada de quadro álgico.

Alocinesia • Alteração motora em que o movimento executado ocorre a partir do membro oposto e não do requerido.

Alodinia • Sensação dolorosa causada por um estímulo não nociceptivo (estímulo que normalmente não é doloroso).

Aloestesia • Distúrbios da localização das sensações táteis. O indivíduo percebe a sensação em um ponto mais ou menos simétrico, do lado oposto àquele onde o estímulo foi executado.

Alopatia • Terapêutica que objetiva promover no organismo efeitos contrários àqueles causados pela doença.

Anafilático • Relativo à anafilaxia.

Anafilatizante • Que pode causar anafilaxia.

Anafilaxia • Reação de hipersensibilidade (alergia). Os anticorpos, as imunoglobulinas E (IgE) se fixam aos mastócitos e aos basófilos, gerando grande liberação de mediadores no organismo. Estes, por sua vez (prostaglandinas, histamina, leucotrienos), ocasionam um aumento da permeabilidade do sangue, contração dos músculos lisos, levando ao choque anafilático.

Analéptico • Cuja propriedade é estimular o sistema nervoso central (SNC) junto aos centros respiratórios e cardiovasculares.

Analgesia • Procedimento médico/odontológico que visa ao alívio do quadro álgico, ou à ausência da sensação de dor.

Analgésico • Toda e qualquer substância ou método terapêutico que elimina ou alivia a dor, sem perda de consciência.

Anamnese • História médica. O conjunto de informações obtidas com o paciente, ou seus familiares, ou pessoas próximas, sobre seus antecedentes, sua história e os detalhes de uma doença.

Anestesia • Perda total ou parcial da sensibilidade, em especial da dor, podendo ser de caráter local ou geral.

Anestesia subaracnoidiana • O mesmo que raquianestesia.

Anestésico • Substância que produz insensibilidade à dor, local ou geral.

Aneurisma • Formação sacular originada pela dilatação da parede de um vaso (uma artéria ou veia), contendo em seu interior sangue na forma líquida ou coagulado, tendo como origem uma lesão, uma malformação ou um trauma do SNC.

Aneurísmico • Relativo a um aneurisma, que tem suas características.

Aneurismorrafia • Correção cirúrgica de um aneurisma.

Angeíte • Processo inflamatório de um vaso linfático ou sanguíneo.

Angiectasia • Dilatação definitiva em um vaso.

Angiodisplasia • Alteração no desenvolvimento dos vasos.

Angiopatia • Toda alteração que acomete os vasos sanguíneos.

Angioplastia • Procedimento cirúrgico que visa à reparação de um vaso, com o intuito de normalizar seu diâmetro (calibre) original. Faz-se principalmente nas artérias.

Angiostenose • Estreitamento do diâmetro dos vasos.

Anisocoria • Diferença do diâmetro das pupilas. Antônimo de isocoria.

Anisocromia • Alteração da coloração dos eritrócitos devido a modificações nas quantidades de hemoglobina.

Anopsia • Perda de visão, transitória ou definitiva, sem envolvimento direto da retina e do nervo óptico.

Anorexia • Marcada diminuição ou perda do apetite.

Anoxemia • Redução da quantidade de oxigênio transportada pelo sangue arterial. Pode ter etiologia extrínseca (diminuição do oxigênio devido à altitude), intrínseca (alteração na hematose pulmonar, alterações cardíacas).

Anoxia • Deficiência de oxigênio ao nível tecidual.

Antagonista • Músculo ou substância ou medicamento que tem uma ação oposta à do agonista.

Antálgico • Aquele que diminui, acalma a dor. Por exemplo, posição antálgica, medicamento antálgico.

Anticoagulante • Toda substância com potencial de impedir ou retardar a coagulação sanguínea.

Anticonvulsivante • Substância ou método que visa ao controle e à prevenção de convulsões.

Anticorpo • Proteínas presentes ou produzidas no organismo a partir dos plasmócitos, reagindo especificamente, *in vivo* ou *in vitro*, em resposta a um antígeno específico. Os anticorpos plasmáticos estão intimamente ligados às globulinas. Sua combinação com um antígeno tem a finalidade de neutralizá-lo, destruí-lo ou inibir sua atividade tecidual.

Anticorpos antinucleares • Anticorpos dirigidos contra macromoléculas representando os elementos constituintes normais do núcleo da célula. Os ácidos nucleicos (RNA) e (DNA); nucleoproteínas, desoxirribonucleoproteínas (DNP), ou ribonucleoproteína (RNP). O estudo destes é empregado nos casos de colagenoses, como artrite reumatoide, esclerodema, lúpus eritematoso.

Antidepressivo • Método ou droga usada no tratamento da depressão. Em baixas doses, dependendo de sua classe, podem atuar como analgésico em especial em pacientes com dor crônica mediada centralmente. São recomendados para alguns casos de disfunções da articulação temporomandibular (DTM), em que o componente miogênico está presente.

Antiemético • Que impede, interrompe ou previne os vômitos.

Antiespasmódico • Toda substância ou terapêutica clínica capaz de prevenir e/ou combater os espasmos.

Antifúngico • Toda substância capaz de destruir um fungo (fungicida) ou inibir seu desenvolvimento e crescimento (fungistático).

Antígeno • Todo agente que, ao penetrar no organismo, gera a formação de um anticorpo específico na tentativa de neutralizá-lo.

Antígeno de histocompatibilidade (HLA) • Proteínas que se localizam em células nucleadas, na superfície dos leucócitos, sendo próprias de cada indivíduo, como se fosse uma carteira de identidade biológica. São empregados na identificação (tipagem) de tecidos.

Anti-histamínico • Toda e qualquer substância ou medida terapêutica que diminua ou aborte os efeitos da histamina.

Anti-inflamatório não esteroidal (Aine) • Medicação anti-inflamatória e analgésica que, em geral, recomenda-se para administração a curto prazo em pacientes com dor, principalmente aguda ou oncológica. Não deve ser receitado por longo período por causar efeitos adversos.

Antimitótico • Substância capaz de impedir a mitose (multiplicação celular). Por exemplo, quimioterápicos aplicados nos casos de neoplasias malignas.

Antipirético • Toda substância que combate ou previne a febre.

Antipsicótico • O mesmo que neuroléptico.

Antissepsia • Método para a prevenção do desenvolvimento de uma infecção, empregando meios físicos ou químicos.

Antisséptico • Relativo à antissepsia. Substância ou método capaz de impedir o desenvolvimento e o crescimento de determinados tipos de microrganismos sem necessariamente exterminá-los.

Antitireoidiano(a) • Impede a secreção dos hormônios produzidos pela tireoide. Podem ser empregados no tratamento do hipertireoidismo.

Antitussígeno • Que diminui a tosse.

Antiviral • Cuja finalidade é combater ou destruir os vírus.

Apirético • O mesmo que afebril.

Aplasia • Desenvolvimento incompleto ou interrompido de uma estrutura por falha no desenvolvimento normal da fase embrionária.

Apneia • Parada temporária da respiração.

Apneia do sono • Anormalidade respiratória, incluindo parada respiratória temporária do fluxo aéreo, que ocorre durante o sono. Pode estar relacionada à obstrução da via aérea superior. O tratamento pode ser clínico, por meio de aparelho oclusal específico, ou por meios cirúrgicos específicos, como avanço mandibular, avanço maxilomandibular, ou glossoplexia mandibular.

Apoplexia • Interrupção das funções cerebrais devido a um acidente vascular cerebral, um êmbolo. Clinicamente, o paciente tem perda de consciência, com preservação do pulso e da respiração.

Apraxia • Incapacidade de fazer movimentos voluntários coordenados com finalidade determinada, embora as funções sensoriais e motoras estejam preservadas.

Aptialismo • Completa ausência ou diminuição da secreção salivar.

Aqueduto do mesencéfalo • Canal que comunica o III com o IV ventrículo, contendo em sua constituição líquido cerebrospinal. Antigamente chamado aqueduto de Sylvius. SNC.

Aracnoide • Leptomeninge, isto é, membrana conjuntiva fina de revestimento do encéfalo e medula espinal, que se localiza entre a dura-máter e a pia-máter. Está justaposta à dura-máter. O espaço compreendido entre a aracnoide e a pia-máter, espaço subaracnóideo, é preenchido pelo líquido cerebrospinal.

Aracnoidite • Inflamação da aracnoide.

Área motora primária • Região localizada no giro pré-central (lobo frontal do hemisfério cerebral), que participa da execução do movimento de determinados grupos de músculos.

Área somatossensitiva primária • Região localizada posteriormente ao sulco central, no giro pós-central (lobo parietal do hemisfério cerebral). Tem como função localizar com precisão as sensações somáticas produzidas.

Arque-, arqueo- • Prefixo de origem grega que significa antigo ou original.

Arreflexia • Ausência de reflexos.

Artrodese • Procedimento cirúrgico que objetiva estabilizar definitivamente uma ou mais articulações.

Artrografia • Exame complementar em uma articulação; com o auxílio de uma radiografia, é introduzido um gás (artrografia gasosa ou pneumoartrografia) ou uma substância de contraste radiopaca nessa articulação, a fim de determinar qual alteração patológica está presente.

Assinergia • Falta de coordenação dos movimentos musculares.

Assintomático • Em que não estão presentes os sintomas clínicos, dificultando consequentemente o diagnóstico.

Astigmatismo • Alteração da lente ou da córnea do bulbo ocular que produz uma imagem fora de foco, gerando perturbações visuais.

Astrócito • Célula da neuróglia, de origem ectodérmica, de forma estrelada. Há dois tipos: os protoplasmáticos, localizados na substância cinzenta, e os fibrosos, encontrados na substância branca. Suas funções são de sustentação neuronal e manutenção do equilíbrio de íons K^+, colaborando para a homeostase do meio externo. Ajudam a formar a barreira hematoencefálica. No SNC são os principais pontos de armazenamento de glicogênio.

Astrocitoma • Neoplasia do SNC (cerebelo, hemisfério cerebral) onde ocorre a proliferação de células da glia, astrócitos.

Ataxia • Falta de coordenação motora voluntária, podendo se manifestar como na posição em pé (ataxia estática), na marcha (ataxia locomotora) ou, então, na execução de um movimento (ataxia cinética).

Atetose • Distúrbio marcado por movimentos involuntários, lentos reptiformes ou coleantes, que predominam nas extremidades, diminuindo em repouso e desaparecendo durante o sono.

Atonia • Fraqueza ou redução da tonicidade normal de um órgão ou tecido. Pode ocorrer com um músculo, diminuindo seu tônus.

Aura • Sensações subjetivas sensitivossensoriais, vegetativas, motoras ou psíquicas que antecedem o ataque de uma enfermidade ou paroxismo.

Axônio • Palavra de origem grega *axon*, que significa eixo ou eixos, ou cilindro axial. Estrutura central que compõe a parte de condução de uma fibra nervosa, propagando um impulso nervoso em direção a outras células nervosas ou a órgãos efetores.

B

Bainha de mielina • Revestimento isolante de natureza lipoproteica com grande quantidade de fosfolipídeos. É formada perifericamente em torno dos axônios a partir das células de Schwann e centralmente origina-se dos oligodendrócitos fasciculares. Sua função é aumentar a condução do impulso nervoso.

Barorreceptor • Neurônio que responde a alterações de pressão externa ou interna. Também denominados pressorreceptores. Estão presentes na pele e nos vasos sanguíneos.

Barotraumatismo • Lesão causada por alterações bruscas da pressão atmosférica. Manifesta-se mais frequentemente em pilotos de aviões e mergulhadores.

Barreira hematoencefálica (BHE) • Barreira biológica que apresenta em sua constituição astrócitos e vasos capilares encefálicos especializados (filtros) que evitam a passagem de substâncias do sangue para o encéfalo e ao líquido cerebrospinal.

Batiestesia • Modalidade de sensibilidade profunda (proprioceptiva) que resulta da estimulação de receptores musculotendinosos indicando a posição de um segmento corporal no espaço.

Blefaroespasmo • Contração anormal, espasmo tônico que acomete o músculo orbicular do olho, podendo causar fechamento total ou parcial da pálpebra.

Blefaroplastia • Procedimento cirúrgico palpebral, cujo objetivo é a estética, a reparação de anormalidades estruturais, ou ambos.

Bomba de sódio-potássio • Estrutura localizada na membrana plasmática, que transporta tanto íons sódio para fora da célula quanto íons potássio para seu interior, empreendendo um gasto energético de ATP celular.

Bradicardia • Diminuição da frequência cardíaca com um ritmo inferior a 60 batimentos por minuto (bpm).

Bradicinesia • Lentificação da motilidade (ativa voluntária e/ou passiva).

Bradifasia • Distúrbio da fala caracterizado por lentificação da linguagem falada. O mesmo que bradilalia.

Bradifemia • Ritmo lento ao se pronunciar as palavras. Pode-se observar em determinadas doenças neurológicas ou em pacientes em tratamento psiquiátrico.

Braquicefalia • Caracteriza-se por uma cabeça larga e curta com o crânio achatado posteriormente.

Bulbo • Estrutura em forma de tronco de cone, limitada anteriormente pela ponte e posteriormente pela medula espinal. Sua superfície apresenta sulcos dispostos longitudinalmente que continuam com os presentes na medula espinal. Tais sulcos determinam o aparecimento de áreas ventral, lateral, posterior. Nessas áreas encontraremos importantes acidentes anatômicos, como a pirâmide com seu respectivo tracto piramidal, a oliva (núcleo olivar inferior), o nervo glossofaríngeo (IX nervo craniano), o vago (X nervo craniano), o acessório com sua porção craniana (XI nervo craniano) e o hipoglosso (XII nervo craniano).

Bulbo terminal sináptico • Porção distal expandida de um terminal axônico, que contém as vesículas sinápticas. Também chamado botão terminal sináptico.

Bulbopôntico • Relativo ao bulbo e à ponte.

Bulimia nervosa • Variante da anorexia nervosa, caracterizada por um desejo exagerado por comida e períodos de superalimentação seguidos de vômitos autoinduzidos. Em geral, leva à erosão química dos dentes, especialmente na superfície palatina, por causa de regurgitação dos ácidos estomacais.

C

Cacostomia • Odor ruim da boca. Pode ter origem nos seios maxilares (sinusite) ou ser proveniente da má higiene bucal.

Canal vertebral (raquidiano) • Canal ósseo formado dentro da coluna vertebral, em toda sua extensão, desde o atlas até o sacro. Tem por função abrigar e proteger a medula espinal, as raízes nervosas e as meninges.

Cápsula interna • Trata-se de fibras que separam o tálamo do núcleo lentiforme. Apresenta três porções: a perna anterior, o joelho e a perna posterior. Lesões nessa estrutura determinam hemiplegia e hipoestesia da metade oposta do corpo.

Catabólito • Produto final do catabolismo.

Catamnese • Dados obtidos após o fim do tratamento e que permitem acompanhar a evolução da doença, estabelecendo um prognóstico.

Cataplexia • Perda repentina do tônus muscular, induzindo queda sem que ocorra a perda da consciência.

Catatonia • Distúrbios psicomotores nos quais o indivíduo apresenta-se sem reação a estímulos externos; imobilização integral, recusa de fala de ingesta alimentar. Pode ser uma manifestação da esquizofrenia.

Catatônico • Relativo à catatonia.

Cateterismo • Procedimento pelo qual se introduz um cateter num orifício ou canal do organismo para se estabelecer um diagnóstico ou se proceder uma terapêutica. Por exemplo, cateterismo cardíaco.

Cefaleia • Dor na, ou da cabeça, de caráter difuso, ou localizado, com manifestações especiais, de exacerbação por causas extrínsecas (luz, ruído, alimentos, trauma, atividades laborais), ou intrínsecas (alterações dos neurotransmissores, estresse, neoplasias).

Cefálico • Relativo à cabeça.
Cefalograma • Modo de registro referente ao crânio (radiografia, eletroencefalograma). Radiografia da cabeça.
Cenestesia • Sensação conjunta e vaga, independentemente dos sentidos, referente aos órgãos internos do organismo.
Cerebelar • Relativo ao cerebelo.
Cerebelite • Processo que acomete o cerebelo, de origem infecciosa, inflamatória ou de causa desconhecida, traduzindo-se por síndrome cerebelar.
Cerebelo • Estrutura derivada do rombencéfalo (metencéfalo) localizado posteriormente ao bulbo e à ponte, contribuindo em parte para a formação do teto do IV ventrículo. Localiza-se na fossa posterior da base do crânio, estando separado do lobo occipital do cérebro pela tenda do cerebelo. Tem importantes conexões tanto com a ponte e o mesencéfalo, através dos pedúnculos cerebelares médios e superiores, quanto com o bulbo e a medula espinal por meio do pedúnculo cerebelar inferior. Seu funcionamento tem características involuntárias, inconscientes, participa na noção de equilíbrio, no tônus postural e na realização dos movimentos automáticos.
Cérebro • Porção do encéfalo, sem o tronco cerebral e o cerebelo.
Cerebromalacia • Trata-se do amolecimento da substância cerebral.
Cianose • Distúrbio circulatório devido à queda na oxigenação do sangue, gerando como manifestação clínica uma mudança na coloração da pele, a qual se apresenta azulada.
Cifose • Curvatura anterior da coluna vertebral torácica.
Cinese • Todo movimento ativo ou passivo.
Cinesiografia • Instrumento usado para registrar e mostrar o movimento graficamente.
Cinestesia • Impulsos nervosos determinados a partir dos proprioceptores que possibilitam perceber a extensão e a direção de movimentos do corpo.
Cintilografia de emissão • Exame clínico que emprega um produto radioativo, injetado endovenosamente, que se fixa a um determinado tecido, ou órgão, obtendo-se uma imagem através de um *cintiscanner*. Tal procedimento é adotado para avaliar a atividade óssea, determinar a presença de metástases, ou o próprio funcionamento de um determinado órgão, como o cérebro, o coração, a tireoide.
Círculo arteriocerebral • Anel de forma poligonal que se localiza na base do crânio onde há uma anastomose arterial entre as artérias carótida interna, artéria basilar, ramo das vertebrais e os demais vasos que nutrem o córtex cerebral. Conhecido antigamente como circuito de Willis.
Claustro • Um dos núcleos da base, de cor acinzentada, localizado entre o córtex da ínsula e o núcleo lentiforme. Separado deste último pela cápsula extrema.
Cofose • Perda total da audição.
Cordotomia • Procedimento cirúrgico que visa a seccionar os cordões (tratos) anterolaterais da medula espinal com o intuito de debelar um quadro álgico presente. Pode ser feito por radiofrequência percutânea ou a céu aberto (por incisão na pele).
Coreia • Doença nervosa com movimentos espasmódicos involuntários e irregulares. Quando movimentos mandibulares estiverem envolvidos, lesões graves podem ocorrer nos lábios, na língua e nas bochechas.
Corectopia • Posicionamento anormal da pupila, fora do centro da íris. Pode ter como etiologia um trauma, um processo inflamatório, ou ser congênita.
Corioide • Porção da túnica vascular do bulbo do olho.
Corno • Excrescência, ou pequena projeção óssea ou cartilagínea, em formato de chifre.

Por exemplo, o osso hioide. Pode-se tratar, também, de uma área de substância cinzenta (cornos anterior, posterior e lateral) da medula espinal.

Corno anterior da medula • Cada uma das duas formações cinzentas da medula espinal, que se estendem à frente do canal ependimário, localizando-se ao lado sulco mediano anterior. São compostos principalmente por fibras motoras.

Corno posterior da medula • Cada uma das duas formações cinzentas da medula espinal, localizadas de cada lado e atrás do canal ependimário. São compostos de fibras sensitivas.

Corpo amigdaloide • Diminuta estrutura nuclear localizada profundamente junto à porção interna dos lobos temporais anteriores do encéfalo. Atua com o hipotálamo no controle comportamental do indivíduo diante de diferentes situações sociais, bem como é um importante centro de regulação da agressividade e do comportamento sexual.

Corpo caloso • Lâmina de substância branca, constituída por fibras transversais que ligam os dois hemisférios cerebrais.

Corpo carótico (glomo) • Conjunto de quimiorreceptores presentes no seio carótico que respondem imediatamente a quaisquer alterações dos níveis de oxigênio do sangue, íons hidrogênio, dióxido de carbono.

Corpo ciliar • Uma das três porções da túnica vascular do bulbo do olho. As outras são a corioide e a íris; inclui o músculo ciliar e os processos ciliares. O corpo ciliar forma o humor aquoso que preenche o espaço entre a córnea e a íris (câmara interior) e entre a íris e o cristalino (câmara posterior). Tem como funções secretar o humor aquoso do olho e modificar a curvatura do cristalino, o que contribui para uma adequada visão-foco.

Corpo vertebral • Porção óssea anterior, cilíndrica e dilatada de uma vértebra.

Corpos geniculados • Estruturas pertencentes ao tálamo. O corpo geniculado lateral está relacionado com as vias ópticas e o corpo geniculado medial, com as auditivas.

Corpos mamilares • Estruturas localizadas abaixo do hipotálamo que agem associadas com o tronco encefálico, o tálamo, o hipotálamo. Suas funções estão ligadas ao grau de vigília e a estados emocionais, à sensação de bem-estar.

Cortectomia • Remoção de uma porção do córtex cerebral.

Córtex • Palavra latina que significa casca; designa a parte externa de um órgão.

Córtex cerebelar • Zona de substância cinzenta que se localiza na superfície do cerebelo.

Córtex cerebral • Camada de substância cinzenta com espessura de 2 a 4 mm que recobre os hemisférios cerebrais.

Craniometria • Medidas feitas no crânio humano, assim como de seus demais componentes.

Cranioplastia • Todo procedimento cirúrgico que visa a corrigir os padrões de normalidade do crânio. Por exemplo, cranioestenose.

Criestesia • Grande sensibilidade ao frio.

Criotalamotomia • Secção estereotáxica de certas fibras talâmicas empregando oxigênio líquido.

Crioterapia • Uso de substâncias com baixa temperatura, como fluormetano, cloreto de etila e gelo, com finalidade terapêutica.

D

Degeneração walleriana • Degeneração da porção distal do axônio e de sua bainha mielínica perante um trauma local.

Dendrito • Derivado da palavra grega *dendron* que significa *árvore*. Processo ramificado arborizante que conduz impulsos na direção do corpo celular.

Depleção • Ausência ou diminuição de determinada função ou substância presente no organismo em uma cavidade (fenda sináptica) ou em um órgão.

Desaferentação • Estado em que há perda total ou parcial da atividade aferente em uma região específica do corpo.

Desmielinização • Perda de mielina da bainha do nervo. Pode ser de origem traumática, idiopática ou proveniente de uma doença em evolução.

Diencéfalo • Estrutura oriunda do prosencéfalo, localizado profundamente entre os hemisférios cerebrais. Composto do tálamo, do hipotálamo, do subtálamo, do epitálamo em volta de sua cavidade mediana denominada III ventrículo.

Diplegia • Toda paralisia que se apresenta de forma simétrica e bilateral. Por exemplo, diplegia da face (síndrome de Moebius).

Diplopia • Distúrbio da visão, em que o indivíduo observa duas imagens de um mesmo objeto. Pode ter origem compressiva do III nervo craniano, ou traumática. Por exemplo, fratura de terço médio da face comprometendo o soalho da cavidade orbital.

Disartria • Impossibilidade de pronunciar as palavras por causa de uma lesão no SNC.

Discinesia • Toda alteração do movimento de um órgão caracterizada por movimentos espontâneos, imprecisos, involuntários e irregulares com padrões estereotipados. A causa pode ser neurológica ou relativa a uma incoordenação, paresia, espasmos, ou ao uso de medicamentos. Por exemplo, contração da cabeça inferior do músculo pterigóideo lateral; por lesão junto à porção lateral e posterior do sulco bulbo-pontino (origem aparente do nervo facial) e extração de um 3º molar incluso e em posição horizontal em relação ao 2º molar.

Discinesia tardia • Toda discinesia causada por medicamentos, ou após a interrupção de fármacos neurolépticos. Pode ser transitória ou permanente.

Disestesia • Sensação anormal, dolorosa, desagradável, espontânea ou provocada.

Disfagia • Dificuldade na deglutição. Pode ser observada em diferentes situações, como nos casos da síndrome de *eagle* e nos casos de neuralgia do glossofaríngeo.

Disfasia • Dificuldade na expressão da linguagem falada, devido à causa central.

Disfonia • Toda dificuldade de fonação; alteração no timbre e na qualidade, de causa periférica dos órgãos da fonação.

Disintaxia • Alteração da linguagem em que o indivíduo não consegue coordenar as palavras, cometendo erros de concordância. Está envolvida também uma causa central.

Dislalia • Dificuldade de pronunciar e de articular certas palavras sem causas neurológicas. Pode também ser uma alteração funcional dos órgãos da fonação, como da língua, dos dentes, dos músculos, dos lábios e da laringe.

Dislexia • Alteração da capacidade normal da leitura pelos métodos de ensino usuais, com nível mental normal e sem sinais neurológicos focais. Podem ocorrer inversões de letras e/ou sílabas e perdas de palavras em determinada oração. Observada, inicialmente, em crianças no período de alfabetização e de início de leitura.

Dismasesia • Dificuldade, geralmente dolorosa, de mastigação.

Dispneia • Dificuldade na respiração, com sensação de falta de ar.

Distúrbio doloroso • Queixa de alterações da sensação dolorosa, aguda ou crônica, de causas variadas.

Distúrbios somatoformes • Grupo de condições mentais nas quais os pacientes relatam queixas somáticas, sem evidência física de doença orgânica.

Dor • Experiência sensitiva e emocional desagradável associada com dano tecidual real ou potencial, ou descrita em termos de tal dano.

Dor aguda • Sensação desagradável que dura o tempo normal da cicatrização da lesão, causada pelo fator iniciador. Ver Dor crônica.
Dor central • Dor que provém do SNC e é percebida perifericamente.
Dor crônica • Dor persistente após a cura da lesão inicial, ou que permaneça por um período superior a três meses, obedecendo a um modelo dito biopsicossocial.
Dor heterotópica • Dor que ocorre em um lugar diferente de sua origem.
Dor idiopática • Desordem dolorosa de etiologia desconhecida.
Dor mantida pelo simpático • Dor que inclui um transtorno como a síndrome complexa regional do tipo I e II e, possivelmente, odontalgia idiopática.
Dor mastigatória • Dor ou desconforto na boca e na face, induzidos pela mastigação ou por outra atividade mandibular, mas não relacionada à doença dos tecidos dentais e orais.
Dor miofascial • Dor local ou referida que provém dos pontos-gatilho miofasciais.
Dor miógena profunda • Dor musculoesquelética somática profunda originária nos músculos esqueléticos, nas fáscias ou no tendão.
Dor muscular de instalação tardia • Dor muscular causada por inflamação intersticial após uso intermitente.
Dor musculoesquelética • Dor somática profunda que se origina nos músculos esqueléticos, nas fáscias e nos tendões (dor miogênica), nos ossos e no periósteo (dor óssea), na articulação, na cápsula articular e nos ligamentos (dor artrálgica), e nos tecidos conectivos moles.
Dor neurogênica periférica • Dor que inicia ou é causada por uma lesão primária ou doença no sistema nervoso periférico.
Dor neuropática • Dores produzidas por lesão ou doença dentro do próprio circuito nervoso, podendo ser episódicas ou contínuas. Normalmente, a resposta é desproporcional ao estímulo, sem a presença clara de uma fonte de nocicepção. Sintomas neurológicos, como anestesia, disestesia e hiperalgesia, entre outros, podem estar associados.
Dor neuropática contínua • Igual à dor neuropática, porém constante e persistente.
Dor neuropática episódica • Igual à dor neuropática, que dura segundos e até horas, podendo apresentar períodos de remissão. O local da dor é muito bem localizado, mas sua fonte real, não.
Dor odontogênica • Dor somática profunda que se origina nos dentes ou no ligamento periodontal.
Dor primária • Dor localizada sobre a verdadeira fonte do impulso doloroso.
Dor projetada • Dor relatada na distribuição anatômica radicular, quando sua origem está ao longo da trajetória do nervo.
Dor referida • Dor percebida num local distante de sua origem (visceral ou somática profunda). O local da lesão e o da dor têm um ponto de convergência para a mesma região medular e/ou encefálica.
Dor somática • Origina-se na pele, no tecido conectivo, nos músculos, no periósteo, nas articulações. Nesse mecanismo estão envolvidos tanto o sistema nervoso periférico, central, quanto o autonômico.
Dor somática profunda • Inervação sensitiva profunda que fornece ao córtex somatossensitivo uma gama de informações, facilitando o monitoramento do organismo. Tal dor apresenta uma característica difusa, pobre quanto à sua localização, na maioria das vezes, e desproporcional ao estímulo. Frequentemente, produz efeitos excitatórios centrais, autonômicos. A aplicação de anestésico tópico não aborta o quadro doloroso, a menos que a fonte primária da dor se encontre na mucosa. Por outro lado, a infiltração anestésica do nervo que media o impulso doloroso inter-

rompe a algia profunda. Esse é um meio de identificação da origem da dor.

Dor somática superficial • Dor viva, estimulante, de alarme, que informa o indivíduo a respeito de uma lesão e sua exata localização. A origem da dor está no seu próprio local. Já que a dor superficial provém de tecidos periféricos, o emprego de anestésico tópico ou infiltração anestésica bloqueia temporariamente a dor.

Dor visceral • Dor profunda que se origina nas estruturas viscerais, como estruturas internas das mucosas, das paredes de vísceras, do parênquima dos órgãos, das glândulas, da polpa dentária e das estruturas vasculares.

Dura-máter • Membrana mais externa das três meninges, única que é inervada e vascularizada, também denominada paquimeninge. Formada por tecido conectivo, com grande quantidade de fibras colágenas, vasos e nervos, sendo muito espessa e resistente, recobrindo o encéfalo e a medula espinal. Apresenta dois folhetos: um externo aderente à face interna dos ossos cranianos e um interno que se destaca do outro folheto para formar pregas que dividem a cavidade craniana em compartimentos largos que se comunicam.

E

Eletroencefalograma (EEG) • Exame gráfico obtido pela colocação de eletrodos sobre o couro cabeludo, com a finalidade de registrar os diferentes ritmos elétricos cerebrais. Indicado para a investigação neuropsiquiátrica em epilepsias, alterações do ritmo do sono e da atividade elétrica cerebral para confirmação de morte encefálica.

Eletromiografia (EMG) • Registro elétrico da atividade muscular em repouso e em contração, nas afecções neurológicas e musculares. Usada, por exemplo, na investigação da função dos músculos mandibulares, frontal e trapézio, entre outros, em situações anormais de tensão. Seu uso no diagnóstico clínico de DTM é controverso. Pode ser útil para monitorar técnicas de treinamento, com finalidade terapêutica de relaxamento muscular. Por exemplo, no registro da atividade do músculo masseter durante o sono.

Eletro-oculografia (EOG) • Registro dos movimentos oculares voluntários ou reflexos.

Eletropupilografia (EPG) • Registro gráfico das variações dos diâmetros das pupilas, por meio de estímulos excitatórios, como a luz.

Emetropia • Poder de refração do olho (dentro do padrão de normalidade).

Embolização • Formação de um êmbolo.

Embolização arterial • Procedimento em que se emprega um cateter, cujo trajeto segue uma artéria, injetando-lhe partículas sólidas para reduzir o fluxo sanguíneo. Empregada para conter hemorragias ou corrigir vascularização anômala em malformações vasculares ou neoplasia.

Encefalite • Processo que acomete o encéfalo, de origem inflamatória, tóxica ou infecciosa.

Encéfalo • Porção do SNC acomodado no interior da caixa craniana, ou seja, os hemisférios cerebrais, o diencéfalo, o tronco cerebral e o cerebelo.

Encefalocele • Herniação de uma porção do encéfalo ou do cerebelo em direção a um orifício congênito, ou ocasionada por um trauma local.

Encefalografia • Exame radiológico que emprega a injeção de material de contraste gasoso ou opaco através de um acesso suboccipital ou lombar para se avaliar os espaços subaracnóideos e os ventrículos cerebrais.

Encefalomalacia • O mesmo que amolecimento do encéfalo.

Encefalomielopatia • Patologia que envolve simultaneamente tanto o encéfalo quanto a medula espinal.

Encefalopatia • Toda doença que acomete o encéfalo.

Endocrânio • Superfície interna do crânio.

Endócrino • Relativo às glândulas endócrinas e seus produtos de secreção.

Endoneuro • Tecido conectivo que envolve cada uma das fibras nervosas no interior de um feixe nervoso.

Endoscopia • Método de diagnóstico e tratamento que emprega como instrumento um endoscópio para visualizar o interior de determinada estrutura do corpo.

Endoscópio • Instrumento para exame de uma cavidade corpórea. Por exemplo, o interior de uma articulação ou víscera, como na artroscopia ou na endoscopia digestiva.

Enervação (desinervação e denervação) • Secção de um nervo ou de um grupo de nervos inervando uma região do corpo.

Enoftalmia • Projeção posterior do globo ocular na órbita.

Entrecruzamento • Ver Quiasma óptico no Capítulo 3.

Enxaqueca • Doença em que uma das manifestações é a dor de cabeça. Classificada entre as dores de cabeça primárias, tem características de periodicidade, recorrência, descrita como pulsátil, cuja etiologia é discutível. Normalmente é unilateral, acompanhada de manifestações positivas e negativas, vasculares e sensoriais (fonofobia, fotofobia, náusea, vômito, escotoma). Pode ser agravada pela atividade física, como subir uma escada, correr etc.

Epêndima • Canal central da medula espinal que deságua no IV ventrículo.

Epidural • Que se localiza ou está presente na superfície da dura-máter.

Epilepsia • Conjunto de alterações neurológicas crônicas, paroxísticas, caracterizada por convulsões recorrentes parciais ou generalizadas (crises epilépticas). Tem manifestações clínicas complexas, na dependência da localização das descargas anormais do SNC. Normalmente observam-se alterações no eletroencefalograma (EEG).

Epineuro • Tecido conectivo frouxo e superficial que envolve um nervo.

Epitálamo • Porção do diencéfalo que limita posteriormente o III ventrículo, sendo a glândula pineal, ou epífise, sua principal estrutura.

Escala visual-analógica (EVA) • Método unidimensional, quantitativo, usado para avaliar a intensidade da dor. O paciente faz uma analogia de sua dor, quantificando-a, pela marcação de sua intensidade, em uma linha com 10 cm de comprimento. Em uma das extremidades está a representação da ausência de dor e, na outra, a da pior dor sentida. Entre as duas extremidades podem ser assinalados valores de intensidade intermediária.

Escleroceratoirite • Inflamação que acomete a esclerótica, a córnea e a íris.

Escleroiridotomia • Remoção de uma parte da esclerótica e/ou da totalidade da íris, feita em casos de glaucoma.

Escotoma • Perda no campo visual de tamanho e forma variável. Pode ser central (escotoma central), paracentral ou periférica (escotoma periférico). Está associada a uma lesão da via óptica.

Espaço subaracnóideo • Espaço localizado abaixo da aracnoide-máter e acima da pia-máter, envolvendo o SNC. É preenchido pelo líquido cerebrospinal.

Espaço subdural • Espaço virtual compreendido entre a dura-máter e a aracnoide-máter. Pode ser preenchido por líquido cerebrospinal ou sangue (hematoma subdural), diante de um trauma craniano.

Estesia • Capacidade de perceber uma sensação.

Estrábico • Relativo ao estrabismo.

Estrabismo • Deformidade de convergência dos eixos visuais, o que acarreta uma dificuldade de se fixar um ponto com os dois bulbos oculares. Pode ser do tipo divergente, convergente ou paralítico.

Estriado • Caracterizado por estrias. Por exemplo, corpo estriado.

Extradural • Localizado por fora da dura-máter. Por exemplo, hematoma extradural.

F

Feixe • Conjunto de estruturas que apresentam uma forma alongada, com disposição paralela (feixe nervoso, feixe muscular).

Fenda sináptica • Espaço muito estreito (*gap*), em uma sinapse química, que separa o terminal axônico de um neurônio do outro, ou de uma fibra muscular. Nesse local há a difusão de neurotransmissor(es).

Foice do cerebelo • Uma das pregas da dura-máter encefálica de forma vertical, mediana, localizada abaixo da tenda do cerebelo entre os dois hemisférios cerebelares.

Foice do cérebro • Uma das pregas da dura-máter encefálica de forma vertical, mediana, que separa os dois hemisférios cerebrais. Sua base posterior continua pela tenda do cerebelo.

Fontanela • Espaço preenchido por membrana fibrosa, onde não houve ainda completa ossificação. Localiza-se no crânio do recém-nascido, no ponto de encontro das suturas da calota craniana.

Fontanela anterior (bregmática) • Espaço preenchido por membrana fibrosa, de localização anterior e mediana, que apresenta forma losangular. Localiza-se entre o osso frontal e os parietais, ao nível do bregma. Fecha-se por volta dos 2 anos de idade.

Fontanela posterior (lambdática) • Espaço preenchido por membrana fibrosa, de localização posterior e mediana, que apresenta forma triangular. Localiza-se entre o occipital e os temporais, ao nível do lambda. Fecha-se por volta do 4º ao 6º mês de vida.

Forame de Magendie • Abertura mediana do IV ventrículo. Era assim denominada em homenagem a François Magendie, fisiologista francês. Está localizada junto à metade caudal do teto do ventrículo. Tal orifício médio se comunica com a grande cisterna por onde irá transitar o líquido cerebrospinal em direção ao espaço subaracnóideo.

Forames de Luschka • Atualmente, denomina-se abertura lateral do IV ventrículo. Aberturas presentes uma de cada lado do ventrículo, que se comunicam com o espaço subaracnóideo na cisterna magna, onde circula o líquido cerebrospinal.

Formação reticular • Pequenos grupos de corpos celulares de neurônios, dispersos entre feixes de axônios (substâncias branca e cinzenta misturadas). Origina-se no bulbo e dirige-se para cima através da parte central do tronco encefálico.

Fossa pituitária • Sinônimo de sela turca.

Fotopsia • Distúrbio da visão que se deve à presença de neoplasias centrais, patologias da retina ou da coroide. Clinicamente, o paciente relata alterações visuais, como faíscas e círculos coloridos.

Fóvea central • Área de maior nitidez da visão, localizada no centro da mácula lútea da retina. É desprovida de vasos sanguíneos, contendo só os cones.

G

Gânglio • Reunião de corpos celulares de neurônios localizados fora do SNC.

Gânglio autonômico • Reunião de corpos celulares de neurônios simpáticos ou parassimpáticos que se situam fora do SNC.

Gânglio sensitivo-espinal • Grupo de corpos celulares de neurônios sensitivos e suas células de sustentação que se localiza ao longo da raiz dorsal de um nervo espinal. Denomina-se gânglio da raiz dorsal.

Giro do cíngulo, cíngulo, ínsula e giro para-hipocampal • Estruturas corticais, contínuas, dispostas em anel, no sistema límbico, presentes na face medial de cada hemisfério do cérebro, em volta das estruturas mais profundas do encéfalo. O sistema límbico, junto ao hipotálamo e ao tálamo (circuito de Papez), participa do processo central das emoções, bem como de sua expressão no organismo, e da regulação do sistema nervoso autonômico.

Glaucoma • Distúrbio em que ocorre aumento da pressão intraocular, devido a um excesso de humor aquoso. Pode causar atrofia do nervo óptico, amaurose (cegueira) ou redução da acuidade visual.

Grande mal • Antiga denominação para a manifestação epiléptica, com crises convulsivas generalizadas, tônicas e clônicas. Atualmente denomina-se epilepsia generalizada tônico-clônica.

H

Hematoma subdural • Ver Espaço subdural.
Hemeralopia • Grande diminuição da acuidade visual após a redução da luz natural.
Hemianopsia • Perda total da visão, ou diminuição significativa em uma metade do campo visual, que pode ocorrer em ambos os olhos ou em apenas um.
Hemilaminectomia • Procedimento cirúrgico que remove a metade de uma lâmina vertebral.
Hemisfério cerebelar • Duas massas laterais do cerebelo, localizadas uma de cada lado, ligadas na linha média por uma estrutura de distribuição longitudinal, chamada, pelo seu aspecto, vérmis cerebelar.
Hemisfério cerebral • Cada uma das porções do cérebro, oriundas do telencéfalo. Os hemisférios cerebrais são divididos pelo septo vertical denominado foice do cérebro. A superfície do hemisfério cerebral apresenta depressões (sulcos) e elevações (giros). Sulcos mais definidos (cisuras) demarcam lobos. Cada hemisfério apresenta seis lobos: frontal, temporal, parietal, occipital, lobo da ínsula e do corpo caloso.

Hidrocefalia • Aumento patológico da quantidade de líquido cerebrospinal presente no crânio. Pode ser devida a uma alteração do sistema de absorção (granulações aracnoides) ou a uma obstrução nos forames interventriculares, ou mesmo a um aumento de produção desse líquido pelos plexos coroides.

Hiperacusia • Grande sensibilidade de caráter agudo, dolorosa, ao som.

Hiperalgesia • Sensibilidade aumentada ao estímulo normalmente doloroso.

Hiperalgesia primária • Resultado do limiar de dor diminuído (sensibilização) nos receptores periféricos primários da dor (nociceptores). No local da lesão tecidual há aumento da sensibilidade dolorosa devido à presença de substâcias algogênicas, como 5 hidroxitriptamina, bradicina e substância P, entre outras. É determinante do início da excitabilidade dos neurônios centrais das vias dolorosas (sensibilização central).

Hiperalgesia secundária • Aumento da sensibilidade dolorosa em regiões adjacentes da hiperalgesia primária. Ocorre por mecanismos periféricos e neurogênicos centrais.

Hiperatividade • Reatividade funcional excessiva.

Hiperbárico • Que tem peso ou pressão superior ao normal. Refere-se a uma substância cujo peso específico é superior ao do meio empregado. Diz-se de anestésico que tem gravidade específica maior do que a do líquido cerebrospinal.

Hipercinesia • Aumento na intensidade ou frequência da movimentação ativa.

Hiperestesia • Aumento da sensibilidade a estímulos, excluindo a sensibilidade especial. Indica tanto limiar diminuído a qualquer estímulo como resposta aumentada a estímulos normalmente reconhecidos. Inclui alodinia e hiperalgesia.

Hiper-reflexia • Resposta aumentada de um reflexo.

Hipertelorismo • Separação excessiva entre duas partes ou órgãos. O hipertelorismo ocular é uma malformação craniofacial congênita caracterizada por um distanciamento entre os olhos.

Hipertensão intracraniana • Elevação da pressão dentro do crânio gerada por um aumento volumétrico de suas estruturas ou meios líquidos (pela excessiva produção de líquido cerebrospinal, ou por diminuição da reabsorção deste, ou ambos. Pode ser adquirida ou por malformação congênita.

Hipertricose • Desenvolvimento anormal de pelos numa região em que normalmente não estão presentes. Pode ser congênita ou adquirida. Por exemplo, hipertricose da orelha.

Hipoacusia • Diminuição da capacidade auditiva. O mesmo que surdez parcial.

Hipocampo • Parte primitiva do córtex cerebral tendo como localização a borda medial do lobo temporal em toda a sua extensão É responsável pelo armazenamento (memória) de experiências sensoriais.

Hipocinético • Caracterizado por movimentos lentos.

Hipófise • Pequena glândula endócrina (peso médio 0,6 g), localizada junto à sela turca do esfenoide. Tem dois lobos: o posterior, unido pelo infundíbulo ao hipotálamo, tem como funções armazenar a vasopressina e produzir ocitocina. O lobo anterior, ou adeno-hipofisal, apresenta como função regular a ação das glândulas de secreção endócrina.

Hipogeusia • Diminuição da sensibilidade ao gosto.

Hipotálamo • Porção do diencéfalo localizada sob o tálamo, ajudando na formação do soalho e de parte da parede lateral do III ventrículo. Compreende as seguintes estruturas: corpos mamilares, quiasma óptico, túber cinéreo, infundíbulo. Suas funções são controlar o sistema nervoso autonômico, a termorregulação corporal, o sono, a vigília e a ingesta de alimentos, a regulação da diurese, da quantidade de água, dos processos emocionais.

Hipoxia • Falta de oxigênio nos tecidos em níveis adequados.

I

Inibição • Supressão ou interrupção de um processo.

Interoceptores • Receptores sensoriais localizados que transmitem impulsos das vísceras presentes no corpo humano. Funcionam de forma involuntária, abaixo dos níveis de consciência. Por exemplo, corpúsculos de Pacini: relacionados com a percepção da pressão; terminações nervosas livres: percepção de dor e outras sensações viscerais.

L

Lemnisco • Feixe nervoso em fita do tronco cerebral compreendendo o lemnisco medial e o lemnisco lateral.

Letargia • Estado patológico de sono profundo, podendo durar dias, meses ou anos.

Ligamento amarelo • Porção fibroelástica de cor amarelada que liga a margem inferior de uma lâmina vertebral à sua margem superior subjacente.

Líquido cerebrospinal • Líquido claro, transparente, com poucos elementos figurados, pouca glicose ou cloretos. Está presente em todo o espaço subaracnóideo (entre a pia-máter e a aracnoide do crânio e do canal medular). Sua quantidade varia de 100 a 150 mL, sendo produzido pelos plexos coroides e continuamente renovado (reabsorvido) a partir das granulações aracnoides (localizadas principalmente junto ao seio sagital superior).

M

Macrocefalia • Aumento do volume da cabeça. Pode ser constitucional ou patológica. Por exemplo, hidrocefalia.
Melanina • Pigmento de cor marrom-escura ou preta, encontrada na pele, nos cabelos, em algumas regiões do cérebro. Sintetizada pelas células da camada basal da epiderme (melanoblastos).
Melanócito • Célula que contém um pigmento marrom-escuro ou preto (melanina).
Meninges • Membranas de tecido, em número de três, em que a mais externa é a dura-máter; a intermediária é a aracnoide-máter; e a mais interna é a pia-máter. Todas recobrem o encéfalo e a medula espinal.
Meningoencefalite • Processo inflamatório do encéfalo e das meninges.
Mesencéfalo • Localiza-se entre a ponte e o cérebro apresentando um teto. Neste último encontram-se os colículos superiores e inferiores (corpos quadrigêmeos), o nervo troclear (IV nervo craniano), localizado inferiormente aos colículos inferiores, e os corpos geniculados lateral e medial pertencentes ao diencéfalo.
Miopia • Alteração na acuidade visual, devido a um erro de refração do globo ocular. O indivíduo só consegue enxergar bem quando aproxima diferentes estruturas ou objetos dos olhos.
Miose • Contração da pupila a um dado estímulo, químico ou da luz, de caráter transitório ou definitivo, fisiológico ou patológico (lesão local a partir do músculo dilatador da íris ou contração do esfíncter da íris).

Mononeuropatia • Acometimento de um único nervo.
Movimento rápido dos olhos (REM) • Estágio profundo do sono em que ocorrem os sonhos. Durante esta fase há uma alteração da frequência cardíaca, da respiração e da pressão sanguínea, incluindo períodos de movimentos oculares rápidos e abalos musculares.

N

Náusea • Sensação desagradável, ocasionada por contração involuntária dos músculos da faringe, do esôfago e do estômago. Pode-se controlá-la pelo uso de fármacos (antieméticos) ou técnicas como a acupuntura, pontos pulmão 5 e 6 (P5, P6).
Neoplasia • Toda proliferação celular anormal, aberrante, da lei de divisão celular, podendo ser de caráter benigno ou maligno.
Nervo • Estrutura com forma de cordão, normalmente cilíndrico e de cor esbranquiçada, formado por numerosas fibras nervosas que conduzem impulsos sensitivos da periferia do corpo para o cérebro ou para a medula espinal. Podem ser classificados em cranianos, espinais e autonômicos (parassimpáticos e simpáticos). Conforme sua ação fisiológica, os nervos são classificados em sensoriais, motores ou secretomotores. Os nervos periféricos são frequentemente mistos (sensitivos e motores).
Nervo acessório • É o XI nervo craniano. Tem fibras motoras somáticas, uma de origem craniana e outra, cervical. As de origem craniana inervam os músculos da laringe e da faringe, as vísceras torácicas e os ramos do nervo vago. As de origem cervical, originárias dos 5 ou 6 primeiros segmentos cervicais superiores, inervam os músculos esternocleidomastóideo e trapézio.
Nervo auriculotemporal • Ramo sensitivo da 3ª divisão do nervo trigêmeo (mandibular).

Inerva as seguintes estruturas: o meato acústico externo, a face lateral da cápsula da ATM, a membrana timpânica, a bainha da parótida, a pele da orelha, a porção anterior da têmpora e as porções posteromedial e posterolateral da ATM.

Nervo espinal • Um dos 31 pares de nervos que se originam a partir das raízes anterior ou posterior na medula espinal.

Nervo facial • Divide-se em duas porções: o nervo facial propriamente dito, que tem fibras motoras somáticas destinadas aos músculos da expressão facial, que são em número de 17, assim como para os músculos estapédio, estilo-hioide e ventre posterior do digástrico. O nervo intermédio, por sua vez, contém fibras sensitivas proprioceptivas, responsáveis pela sensibilidade profunda da face, com exceção dos músculos inervados pelos V e XII nervos cranianos, assim como fibras gustatórias para os dois terços anteriores da língua (a partir do nervo corda do tímpano). Tal nervo tem também fibras sensitivas que recolhem a sensibilidade superficial da membrana do tímpano e de parte do meato acústico externo.

Nervo glossofaríngeo • É o IX nervo craniano. Tem fibras motoras somáticas que inervam o músculo estilofaríngeo, os músculos constritores superiores da faringe e o músculo palatofaríngeo. Suas fibras sensitivas inervam a base da língua, a úvula, as tonsilas, a tuba auditiva, a faringe, o corpo e seios carótidos, a maior parte da orelha e a membrana do tímpano. Apresenta ainda uma porção parassimpática eferente que se destina à glândula parótida. Esse nervo tem também fibras gustatórias para o terço posterior da língua, assim como fibras sensitivas proprioceptivas responsáveis pela sensibilidade profunda na região faríngea.

Nervo hipoglosso • É o XII nervo craniano, essencialmente motor. Tem fibras motoras somáticas que inervam os músculos intrínsecos e extrínsecos da língua (num total de 17 músculos). Este nervo também apresenta fibras motoras de origem cervical que inervam alguns dos músculos hióideos, incluindo o músculo gênio-hióideo (supra-hióideo) e tireo-hióideo (infra-hióideo).

Nervo olfatório • Nervo essencialmente sensitivo. Seus corpos celulares localizam-se na região olfatória de cada fossa nasal. Seus axônios atravessam a lâmina cribriforme do etmoide e fazem sinapse no bulbo olfatório.

Nervo óptico • Nervo essencialmente sensitivo. Composto de fibras calibrosas que têm origem na retina e atravessam o canal óptico (comunica a cavidade orbital com a fossa média do crânio). De um lado, os nervos ópticos se unem com seu homônimo do lado oposto dentro do crânio, originando o quiasma óptico, havendo um intercruzamento parcial de suas fibras. A partir do quiasma, há a formação de dois tratos ópticos, o direito e o esquerdo. Fibras oriundas destes fazem sinapse no núcleo geniculado lateral que se destina ao córtex visual primário, onde se processa a imagem.

Nervo trigêmeo • O V nervo craniano; recebe tal denominação porque tem três ramos relacionados a três estruturas ósseas importantes: a órbita, as maxilas e a mandíbula. As duas primeiras divisões são classificadas como sensitivas e a última, mista. A primeira chama-se oftálmica e inerva as regiões parietal e frontal, a órbita, a porção superior da cavidade nasal, a pálpebra superior, a base nasal até a ponta do nariz, o seio esfenoidal e as células etmoidais posteriores. A segunda chama-se maxilar e inerva a parte anterior da têmpora, o osso zigomático, a parte posterior da cavidade nasal, o palato, o seio maxilar, o processo alveolar maxilar com os seus dentes, o periodonto, a gengiva marginal e uma pequena porção da mucosa vestibular na porção posterior do vestíbulo bucal. Somem-se, ainda, a pálpebra inferior, a asa do nariz e o lábio superior (ramos do nervo infraorbital). A terceira e última divisão chama-se mandibular e inerva a parte posterior da região temporal, a região pré-auricular, o trago, parte do meato acústico externo e o pavilhão auricular, parte da ATM, a região massetérica e mandibular abaixo de sua margem inferior, incluindo o lábio inferior, os dois terços anteriores da língua e sua borda lateral, todos os dentes inferiores, o periodonto, a gengiva marginal, a mucosa do soalho da boca e a maior parte do vestíbulo bucal. A região do ângulo mandibular não é inervada pelo trigêmeo e sim por um ramo do plexo cervical superficial, C2. O ramo mandibular tem também fibras proprioceptivas que recolhem a sensibilidade profunda dos músculos da mastigação; masseteres, temporais, pterigóideo lateral, com suas duas cabeças, o pterigóideo medial, os tensores do véu palatino e do tímpano, o milo-hióideo e o ventre anterior do digástrico. O ventre posterior é inervado pelo facial.

Nervo vago • É o X nervo craniano. Tem fibras motoras somáticas que inervam a musculatura da faringe e da laringe, assim como fibras sensitivas que inervam a porção inferior da faringe, da laringe, da traqueia, do esôfago, das vísceras torácicas e abdominais, da parte posterior do meato acústico externo e da pele atrás do pavilhão da orelha. Tem ainda fibras gustatórias para a região da epiglote.

Nervo vestíbulo-coclear • É o VIII nervo craniano, sendo essencialmente sensitivo. A parte vestibular está relacionada com o equilíbrio a partir de receptores localizados na orelha interna. A parte coclear está relacionada com a audição a partir de receptores localizados na cóclea.

Nervos cranianos • Nervos que se originam no encéfalo e se distribuem às diferentes partes da cabeça após terem atravessado os forames da base do crânio. São agrupados por pares (um nervo direito e um nervo esquerdo) e numerados de I a XII: 1º nervo olfatório (I); 2º nervo óptico (II); 3º nervo oculomotor (III), 4º nervo troclear (IV); 5º nervo trigêmeo (V), 6º nervo abducente (VI), 7º nervo facial e nervo intermédio (VII); 8º nervo vestibulococlear (VIII); 9º nervo glossofaríngeo (IX); 10º nervo vago ou pneumogástrico (X); 11º nervo espinal ou acessório (XI); e 12º nervo hipoglosso (XII).

Nervos espinais cervicais • Os três nervos espinais cervicais superiores são responsáveis pelo recolhimento da sensibilidade superficial de estruturas da face e da cabeça posterior à região do trigêmeo e abaixo da margem inferior da mandíbula, incluindo seu ângulo. Neles se incluem a maior parte do pavilhão da orelha, a região pós-auricular, excetuada a pele localizada na região posteromedial da orelha, que é inervada pelo nervo vago.

Nervos oculomotor, troclear e abducente. São, respectivamente, III, IV e VI nervos cranianos, penetrando na cavidade orbital por uma estrutura denominada fissura orbital superior. O III nervo craniano irá inervar a totalidade dos músculos intrínsecos, os músculos ciliares e esfíncter da pupila e o maior contingente de músculos extrínsecos do bulbo do olho (p. ex., os músculos reto inferior, o oblíquo inferior, o reto medial, o reto superior). O IV nervo inerva o músculo oblíquo superior e o VI nervo craniano, o músculo reto lateral.

Neural • Relativo a um ou mais nervos.
Neuroeixo • O mesmo que eixo cerebrospinal.
Neurofibrila • As finas fibrilas presentes em grande quantidade junto aos axônios, dendritos.
Neuroglia (glia) • Células presentes tanto no sistema nervoso periférico (SNP) como no SNC. Neste último, seus representantes são: a) os astrócitos do tipo protoplasmáticos, que se localizam na substância cinzenta, e os do tipo

fibroso, achados na substância branca. Apresentam como funções a sustentação e o isolamento dos neurônios e são a principal fonte de armazenamento glicogênio do SNC; b) os oligodendrócitos, subdivididos em dois tipos: o fascicular, acoplado às fibras nervosas (formam a bainha de mielina), e o perineuronal, junto aos dendritos e pericário; c) os microgliócitos, cuja função básica é a fagocitose; d) o epêndima localiza-se sobre as paredes dos ventrículos cerebrais, no aqueduto cerebral e no canal central da medula espinal. Sua função é formar os plexos corioides produtores de líquido cerebrospinal. No SNP encontram-se dois tipos de células: as satélites (envolvendo o pericário dos neurônios dos gânglios sensitivos e do SNA); e as de Schwann (envolvendo o axônio e formando a bainha de mielina e o neurilema), cuja função é regenerar as fibras nervosas periféricas.

Neurólise • Destruição seletiva iatrogênica, ou devido a um procedimento cirúrgico, no qual o nervo é liberado de um tecido inflamado aderido. Pode ser por intervenção ablativa, pelo meio químico (injeção de álcool ou glicerol junto ao nervo ou ramo nervoso) ou por meio físico (calor, como na lesão por radiofrequência, ou frio, pelo dióxido de carbono).

Neurolítico • Todo procedimento que emprega neurólise.

Neuromiopatia • Processo patológico que acomete concomitantemente tanto os músculos quanto o sistema nervoso.

Neurônio • Célula nervosa, composta de um corpo celular e dois prolongamentos: os dendritos e o axônio.

Neurônio adrenérgico • Neurônio que libera como neurotransmissor a adrenalina (epinefrina) ou a noradrenalina (norepinefrina).

Neurônio colinérgico • Neurônio que libera como neurotransmissor a acetilcolina.

Neurônio motor • Todo neurônio envolvido na contração de um ou mais músculos estriados, ou sobre a musculatura lisa, vascular ou glandular. Também denominado neurônio eferente.

Neurônio pós-ganglionar • Segundo neurônio sensitivo ou motor autonômico cujo corpo celular e dendritos estão localizados em um gânglio de mesma categoria. Por outro lado, seu axônio amielínico termina em um terceiro neurônio sensitivo, uma glândula, no músculo liso ou cardíaco.

Neurônio pós-sináptico • Neurônio acionado após a liberação de um neurotransmissor por outro neurônio e conduz os impulsos nervosos para longe da sinapse.

Neurônio pré-ganglionar • Primeiro neurônio sensitivo ou motor autonômico cujo corpo celular e dendritos localizam-se no gânglio paravertebral, na medula ou no encéfalo. Seu axônio mielínico termina em um gânglio paravertebral, ou autonômico, onde realiza a sinapse com um neurônio pós-ganglionar.

Neurônio pré-sináptico • Neurônio pelo qual se difundem os impulsos nervosos em direção à sinapse.

Neurônios sensitivos • Neurônios aferentes que mediam as informações sensitivas dos nervos cranianos e espinais para a medula espinal e o encéfalo.

Neuropatia • Todo distúrbio na função ou alteração patológica que acomete o sistema nervoso, central ou periférico.

Neuropático • Relativo à neuropatia.

Neuroplasticidade • Alterações funcionais e estruturais ocasionadas pelos impulsos nociceptivos que contribuem para a dor crônica. Resposta dinâmica e adaptativa do SNC (processamento central) de alteração na excitabilidade de sua matriz, de acordo com uma variedade de processos internos e externos, modificando os impulsos periféricos contínuos que chegam a ele.

Neurotomia • Procedimento cirúrgico com secção ou remoção de uma parte do nervo.

Emprega-se em casos muito bem selecionados, uma vez que tais procedimentos podem gerar dor por desaferentação.

Neurotransmissor • Substâncias liberadas na fenda sináptica ante um impulso nervoso, possibilitando a passagem desse impulso de uma célula nervosa para outra (p. ex., neurotensina, endorfinas, encefalinas, substância P, colecistocinina, bradicinina, somatostatina, serotonina, noradrenalina, adrenalina, dopamina, acetilcolina, ácido gama-aminobutírico, glutamato, glicina). Certos neurotransmissores são destruídos, outros são formados na fenda sináptica e os de outra categoria são transportados pela própria fibra nervosa.

Neurovascular • Referente aos sistemas nervoso e vascular.

Neurulação • Processo que dá origem à formação da placa neural, das pregas neurais e do tubo neural.

Nistagmo • Conjunto de oscilações rítmicas e involuntárias do globo ocular, apresentando-se de forma rápida. Pode ser vertical, horizontal, rotatório e multidirecional.

Nociceptores • Receptores preferencialmente sensitivos aos traumas teciduais ou a estímulos continuados que podem lesar os tecidos. Podem responder a múltiplas modalidades de estímulos, como mecânico, térmico e químico, portanto são considerados polimodais.

Nódulo • Pequena dilatação ou saliência em forma de nó presente nos músculos, junto ao sistema linfático ou no nível de um axônio mielinizado.

Nódulo de Ranvier • Constrições que ocorrem, em intervalos regulares, ao longo de um axônio mielínico, entre as células de Schwann, que permitem aumentar a velocidade do impulso nervoso. Nesses locais onde estão presentes tais nódulos o axônio só está recoberto por tais células.

Norepinefrina • Secretada por muitos neurônios cujos corpos celulares estão no tronco encefálico e no hipotálamo. A mais alta concentração de neurônios secretores de norepinefrina é encontrada no *locus ceruleus* da ponte. A partir desta região, esses neurônios produtores de norepinefrina estendem-se para a base e muitas outras regiões do cérebro para influenciar a atividade geral e o temperamento do indivíduo. A norepinefrina é quase sempre um neurotransmissor excitatório.

Núcleo • Reunião de corpos celulares de neurônios amielínicos no interior do neuroeixo. Trata-se, também, da porção central do átomo composta de nêutrons e prótons.

Núcleo caudado • Um dos núcleos da base que se apresenta como uma massa alongada de grande volume, de cor acinzentada, com íntima relação com os ventrículos laterais. Esse núcleo mais o putâmen e o globo pálido formarão o corpo estriado.

Núcleo denteado • O maior dos núcleos do cerebelo, tendo uma localização lateral. Responde pelos movimentos delicados, assim como pelo tônus muscular.

Núcleo gelatinoso • O mesmo que núcleo pulposo.

Núcleo magno da rafe • Reunião de corpos de células localizada superiormente ao bulbo e inferiormente na ponte. Modula também os impulsos nociceptivos.

Núcleo pulposo • Corresponde à parte central, de forma arredondada, com consistência gelatinosa, do disco intervertebral. Desempenha papel de amortecedor às pressões, possibilitando os movimentos das vértebras em diferentes direções.

O

Oftalmoplegia • Paralisia dos músculos do globo ocular.

Oftalmoscopia • Exame realizado no fundo de olho, empregando um oftalmoscópio.

Olivar • Em forma de uma oliva. Por exemplo, bulbo olivar.

Oncogenes • Genes que causam o câncer. Têm origem a partir de genes normais, denominados proto-oncogenes, que codificam proteínas envolvidas no crescimento ou na regulação da célula, podendo transformar uma célula normal em uma célula neoplásica.

Ondas encefálicas • São os sinais elétricos ocasionados pela atividade de neurônios encefálicos registrados, a partir da pele que recobre o crânio.

Otorragia • Saída de sangue pelo meato acústico externo, cuja causa é um processo traumático ou neoplásico.

Otoscopia • Exame que usa o otoscópio para avaliar o meato acústico externo.

Otoscópio • Aparelho de forma cônica acoplado a uma iluminação, destinado à otoscopia.

P

Palicinesia • Ato de repetir, de forma continuada e involuntária, um mesmo movimento.

Paligrafia • Ato de repetir, de forma continuada e incontrolável, as mesmas palavras ou partes de uma frase escrita. Por exemplo, doença de Parkinson.

Paquimeningite • Inflamação da dura-máter.

Paracusia • Percepção inadequada de sons, devido à sua intensidade ou localização.

Pediculado • Mantido por um pedículo.

Pedúnculo • Estruturas alongadas presentes no encéfalo.

Pedúnculos cerebelares • Feixes de fibras nervosas, compostos de três pares, que unem o cerebelo a cada uma das três porções do tronco cerebral: os pedúnculos cerebelares superiores, ascendentes, unem-se ao mesencéfalo; os pedúnculos cerebelares médios unem-se à ponte; e os pedúnculos cerebelares inferiores ligam-se ao bulbo.

Pedúnculos cerebrais • Cada um dos dois volumosos feixes de fibras que se originam na margem superior da ponte, dirigindo-se cranialmente para adentrar profundamente o cérebro, delimitando uma depressão denominada fossa interpeduncular.

Peptídeo • Substância composta por vários aminoácidos. Alguns neurotransmissores são, na realidade, peptídeos. Por exemplo, substância P.

Percepção • Quando um impulso se torna consciente (p. ex., o impulso nociceptivo quando atinge o córtex).

Pericrânio • Membrana fibrosa que envolve e circunda o crânio.

Pia-máter • Leptomeninge; a mais interna das três meninges que recobrem o encéfalo e a medula espinal. Está separada da aracnoide pelo espaço subaracnóideo. Distinguem-se a pia-máter raquidiana e a pia-máter craniana.

Plexo basilar • Um dos seios venosos da base do crânio, ímpar, que se localiza no clivo do occipital. Esse plexo deságua nos seios intercavernoso posterior e petrosos inferiores bilateralmente.

Plexo coroide • Alças vasculares presentes no III e no IV ventrículos cerebrais, formando a tela coroide. Sua função é produzir o líquido cerebrospinal.

Polidipsia • Impulso de ingestão exagerada de líquidos. Trata-se de um quadro de sede excessiva. Por exemplo, em indivíduos portadores de diabete.

Polimiosite • Processo inflamatório que acomete vários músculos.

Polineuropatia • Doença que acomete vários nervos em diferentes localizações, podendo ser bilateral, causando perda de movimento (motor), hipoestesia, parestesia ou disestesia (sensitivos). A causa pode ser nutricional, metabólica, vascular, tóxica, hormonal, neoplásica ou idiopática.

Ponte • Porção intermediária do tronco encefálico que se situa entre o mesencéfalo e o bulbo, ventralmente ao cerebelo, alojando-se sobre a parte basilar do occipital e do dorso da sela turca. Na base encontram-se estrias dispostas transversalmente que determinarão o aparecimento do pedúnculo cerebelar médio. No limite entre a ponte e o bulbo encontram-se inúmeros acidentes anatômicos, como o nervo trigêmeo (V nervo craniano), o abducente (VI nervo craniano), o facial (VII nervo craniano), o vestíbulo-coclear (VIII nervo craniano), a artéria basilar e parte do soalho do IV ventrículo.

Ponto-gatilho miofascial ativo • Ponto localizado em uma banda muscular tensa capaz de produzir um padrão de dor referida. Normalmente está associado a efeitos excitatórios centrais (disautonomia).

Ponto-gatilho miofascial latente • Ponto localizado em uma banda muscular tensa capaz de produzir um padrão de dor local. Em geral indolor, sendo descoberto por palpação. Quando se introduz uma agulha em seu interior e se faz a rotação desta, pode-se produzir um padrão de dor referida, assim como sinal de pulo positivo.

Ponto sensível • Ponto evidenciado nos casos de fibromialgia, o qual pode ser dolorido à palpação. Pode-se suspeitar de tal patologia de origem central se, além dos sinais e sintomas clássicos como bruxismo, alteração no padrão do sono, cansaço, dor generalizada, depressão, doença de Reunald, síndrome do cólon irritável, estiverem presentes 11 desses pontos dispostos de forma simétrica.

Posição de Trendelemburg • Posição em que o indivíduo se encontra em decúbito dorsal (deitado sobre as costas), e a cabeça e o tronco estão mais baixos que o restante do corpo. Tal manobra é indicada no caso de lipotimia.

Presbiacusia • Diminuição da audição devido ao envelhecimento.

Presbiopia • Dificuldade que indivíduos de idade avançada têm em distinguir com exatidão objetos mais próximos. A causa é uma diminuição da elasticidade do cristalino, gerando dificuldade de acomodação do olho.

Pressão intraocular (PIO) • Pressão exercida especialmente pelo humor aquoso no bulbo do olho. Em geral, está em torno de 20 a 25 mmHg, sendo medida com o auxílio do tonômetro.

Proprioceptores • Receptores sensitivos que fornecem informações sobre as estruturas musculoesqueléticas relativamente à presença, à posição e à movimentação do corpo. Na maioria dos casos, as sensações conduzidas pelos proprioceptores estão abaixo dos níveis de consciência, embora tais sensações possam voluntariamente ser percebidas conscientemente. Por exemplo, os encontrados em feixes musculares mecanorreceptores entre as fibras musculares esqueléticas que respondem ao estiramento passivo de músculos são responsáveis pelo reflexo miotático; órgãos tendinosos de Golgi, mecanorreceptores nos tendões musculares que indicam a tensão muscular tanto na contração quanto no estiramento: provavelmente, estes são responsáveis pelos reflexos nociceptivos e pelo estiramento inverso; corpúsculos de Pacini: receptores relacionados com a percepção da pressão; mecanorreceptores periodontais: respondem aos estímulos biomecânicos e terminações nervosas livres: percepção de dor somática profunda e de outras sensações.

Ptose palpebral • Queda da pálpebra superior. Pode ser congênita, de causas vasculares, metabólicas, miopáticas, neoplásicas. Por exemplo, um acidente vascular encefálico comprometendo o III nervo craniano, neoplasia junto à fossa interpenducular, bloqueio do gânglio estrelado resultante de aplicação inadvertida de proteína botulínica no músculo levantador da pálpebra superior, *miastenia gravis*.

Pulposo • Que tem o aspecto de uma polpa, que a contém. Por exemplo, núcleo pulposo de um disco intervertebral.

Q

Quarto ventrículo • Cavidade que apresenta formato losangular, localizada ventralmente entre a ponte e o bulbo e dorsalmente ao cerebelo. Comunica-se inferiormente com a porção central do bulbo e superiormente com o aqueduto cerebral. Este último, por sua vez, estabelece uma comunicação com o III ventrículo. O IV ventrículo apresenta aberturas laterais, assim como uma abertura mediana, todas preenchidas por líquido cerebrospinal, que se destinam ao espaço subaracnóideo. Tal cavidade oriunda da 3ª vesícula primitiva (rombencefálica) é dividida em duas porções: o teto, que compreende os seguintes acidentes anatômicos: o véu medular superior, parte do nódulo do cerebelo, o véu medular inferior, a tela corioide e os plexos corioides (produtores de líquido cerebrospinal). Seu soalho é limitado inferolateralmente pelos pedúnculos cerebelares inferiores e pelos túbérculos do núcleo grácil e cuneiforme. Em sua porção superior e lateral é limitado pelos pedúnculos cerebelares superiores. Encontram-se junto a seu soalho as seguintes estruturas anatômicas: o colículo do facial (fibras do nervo facial), núcleo do nervo abducente, trígono do nervo hipoglosso com o seu respectivo núcleo de mesmo nome, trígono e núcleo do nervo vago, núcleo do vestíbulo-coclear e o *locus ceruleus* (relacionado com o sono).

R

Radicotomia • O mesmo que rizotomia.
Raiz anterior do nervo espinal • Estrutura composta de axônios de neurônios motores (eferentes), que se originam da porção anterior da medula espinal, dirigindo-se lateralmente para unir-se à raiz posterior, formando um nervo espinal. Denomina-se raiz ventral. Um pequeno contingente de fibras sensitivas (portanto aferentes) também está presente.
Raiz posterior do nervo espinal • Estrutura composta de axônios sensitivos, que se localiza entre um nervo espinal e a face dorsolateral da medula espinal. Denomina-se raiz dorsal (sensitiva).
Receptor • Célula especializada ou a terminação de um neurônio que responde a alguma modalidade sensitiva específica, como pressão, tato, temperatura (frio e/ou calor), luz ou som. Tal sensação (estímulo) é em seguida transformada em um sinal elétrico (gerador ou receptor potencial). Conforme sua localização, distinguem-se os exteroceptores e os interoceptores.
Reflexo do seio carótico • Reflexo que auxilia na manutenção da pressão sanguínea normal no encéfalo. Processa-se por meio de impulsos nervosos originados nos barorreceptores contidos no seio carótico, que alcançam os axônios sensitivos do nervo glossofaríngeo (IX nervo craniano), dirigindo-se ao bulbo (centro cardiovascular).
Reflexo oculocardíaco • Diminuição do ritmo cardíaco após a estimulação, compressão ou massagem dos globos oculares.
Reflexo palpebral • Movimento rápido da pálpebra. Um indício de desconforto e/ou de dor – que pode ser usado para distinguir entre dor moderada e dor intensa.
Reflexo velopalatino • Contração do véu palatino como resposta à estimulação local.
Retrogasseriano • Que se localiza, ou se origina, atrás do gânglio trigeminal.
Retro-ocular • Que se localiza atrás do globo ocular.
Rinolalia • Alteração do padrão de ressonância da voz (normal) a partir de uma obstrução

ou de uma grande abertura do nariz ou do nasofaríngeo. Por exemplo, pacientes portadores de fissura palatal e casos de adenoides hipertrofiadas.

Rinorreia • Corrimento de uma substância pelo nariz. Por exemplo, epistaxe e secreção purulenta a partir do seio maxilar.

Ritmo delta • Em eletroencefalografia, significa ondas lentas (frequência inferior a 3,5 ciclos por segundo), observadas frequentemente no sono N-REM (sono profundo, estágios III e IV).

Rombencéfalo • Uma das três dilatações do arquencéfalo. Este, por sua vez, origina o metencéfalo (cerebelo e ponte) e o mielencéfalo (bulbo). Tal estrutura contribuirá também para a formação do IV ventrículo.

Romboide • Que apresenta forma losangular (romboide).

S

Seio cavernoso • Cada um dos dois seios venosos da dura-máter, dispostos de anterior para posterior, ao lado da sela turca.

Seio esfenoparietal • Um dos seios venosos da base, percorrendo a borda posterior da asa menor do osso esfenoide.

Seio intercavernoso anterior • Um dos seios venosos da base do crânio, une transversalmente os dois seios cavernosos. Localiza-se na parte superior da sela turca, passando à frente e por cima da hipófise.

Seio intercavernoso posterior • Um dos seios venosos da base do crânio, une transversalmente os dois seios cavernosos, paralelo ao anterior, passando por trás e por cima da hipófise.

Seio occipital • Pequeno seio da abóbada craniana, localizado posteriormente à foice do cerebelo, desaguando superiormente na confluência dos seios.

Seio petroso superior • Um dos seios venosos da base do crânio, sendo uma extensão do seio cavernoso dirigindo-se ao seio transverso. Localiza-se na borda superior da parte petrosa do temporal.

Seio petroso inferior • Um dos seios venosos da base do crânio, originando-se na extremidade posterior do seio cavernoso, percorrendo o sulco do seio petroso inferior e recebendo parte do plexo basilar, indo terminar na veia jugular interna.

Seio sagital inferior • Um dos seios da abóbada craniana, localizando-se na margem livre da foice do cérebro, terminado no seio reto.

Seio sagital reto • Um dos seios da abóbada craniana, localizado entre a intersecção da tenda do cedrebelo e a foice do cérebro, terminando na confluência dos seios.

Seio sagital superior • Um dos seios da abóbada craniana, mediano, que viaja sobre a margem superior da foice do cérebro, terminando junto à pruberância occipital interna, na confluência dos seios.

Seio sigmoide • Um dos seios da abóbada craniana, em forma da letra grega sigma (Σ) e, por isso, sua denominação. É um prolongamento do seio transverso, atingindo o forame jugular no qual se continua com a veia jugular interna.

Seio transverso • Um dos seios da abóbada craniana, originada na confluência dos seios, seguindo o sulco transverso do osso occipital até a base petrosa do temporal, no qual recebe o seio petroso superior e continua com o seio sigmoide.

Sela turca • Acidente anatômico localizado na porção superior do esfenoide. Neste está alojada a glândula hipófise. Em razão de sua morfologia recebe tal denominação, uma vez que lembra uma sela de um cavaleiro turco.

Semiológico • Relacionado com os sintomas e os sinais de uma doença.

Sensorial • Relativo aos sentidos e às sensações. Por exemplo, órgãos sensoriais.

Sensoriomotor • Relativo às funções motoras e sensitivas. Por exemplo, nervo trigêmeo e facial.

Septo pelúcido • Estrutura localizada à frente do tálamo e superiormente ao hipotálamo, entre os núcleos basais. Quando estimulada, tal região responde por alterações comportamentais como ódio e raiva.

Seroso(a) • Que lembra o soro, que contém líquido seroso.

Serotonérgico • Que leva à produção de serotonina, ou que se refere às células que têm ou são ativadas pela serotonina.

Serotonina (5-hidroxitriptamina,-5-HT) • Monoamina sintetizada no SNC a partir do L-triptofano, um aminoácido essencial da dieta. Sua secreção se dá a partir dos núcleos localizados no núcleo magnocelular e na rafe mediana do tronco encefálico e projetam-se a muitas regiões do cérebro, inclusive para o corno dorsal medular. No SNC, a serotonina é um composto químico importante no mecanismo antinociceptivo endógeno. Acredita-se que, de forma central, esta potencialize a analgesia por endorfina. Reduz a excitação proveniente de estímulo dos interneurônios nociceptivos do corno dorsal. A ativação de vias serotoninérgicas no tronco encefálico por antidepressivos tricíclicos produz efeitos analgésicos paralelos, assim como apresenta uma ação sobre os estados depressivos. Perifericamente, a serotonina é um agente algogênico e acredita-se que esteja relacionada principalmente com as síndromes dolorosas vasculares.

Simpático • Relativo ao sistema nervoso simpático.

Simpaticolítico • Cuja ação é inibitória do sistema nervoso simpático.

Simpaticomiméticos • Substâncias ou efeitos que se assemelham aos da divisão simpática do sistema nervoso autonômico.

Sinais vitais • Sinais necessários para a manutenção da vida. Incluem temperatura, pulso, ritmo respiratório e pressão arterial. Há uma proposta para incluir a mensuração da dor como o quinto sinal vital.

Sinapse • União entre dois neurônios adjacentes, onde o impulso nervoso é transmitido de um neurônio para outro. A sinapse pode ser química ou elétrica.

Síndrome vasovagal • Síndrome caracterizada por um grande estímulo do nervo vago, onde clinicamente se observa hipotensão, bradicardia, palidez da pele.

Sinestesia • Alteração da percepção das sensações, em que a experiência sensorial está presente tanto em um hemilado, ou hemicorpo, quanto do lado oposto no mesmo momento.

Sistema extrapiramidal • Estruturas nervosas que compreendem os seguintes tratos: rubroespinal, tectoespinal, retículo-espinal e vestíbulo-espinal. Controlam a motricidade involuntária e voluntária.

Sistema límbico • A palavra límbico significa circundante. Atua controlando as atividades emocionais e de comportamento. Pode ser desmembrado em corpo amigdaloide, corpos mamilares, hipocampo, septo pelúcido, cíngulo e seu giro, ínsula e giro para-hipocampal.

Sistema nervoso (SN) • Conjunto das estruturas formadas basicamente a partir de nervos periféricos, gânglios, do sistema nervoso autonômico (SNA) e do sistema nervoso central (SNC).

Sistema nervoso autonômico • Sistema eferente, que funciona independentemente da vontade, de forma automática, abaixo do nível de consciência. O sistema nervoso autonômico é dividido, de acordo com a localização, em eferente visceral toracolombar, que compõe o sistema autonômico simpático, e eferente visceral craniossacral, que compõe o sistema autonômico parassimpático.

Sistema nervoso central (SNC) • Parte do sistema nervoso composta do encéfalo e da medula espinal.

Sistema nervoso parassimpático • Outra porção do sistema nervoso autonômico com fibras que abandonam o SNC através de nervos cranianos como o III, o VII, o IX e o X, mas também pelos nervos espinais do I até IV nervos sacrais. Apresenta ainda neurônios pré e pós-ganglionares; as fibras pré-ganglionares dirigem-se diretamente até o órgão, em cuja parede irão se localizar as fibras pós-ganglionares. Suas funções são dilatar os vasos, diminuir o ritmo cardíaco, aumentar o peristaltismo do tubo digestório, diminuir o tônus esfinctérico.

Sistema nervoso periférico (SNP) • Uma das partes do sistema nervoso (SN) que se situa fora do SNC, constituindo-se de neurônios do corno anterior da medula, nervos e gânglios.

Sistema nervoso simpático • Divisão do sistema nervoso autonômico, que se origina na medula espinhal torácica e nos três ou quatro segmentos lombares superiores (T1 e L2). É encontrada em ambos os lados da coluna vertebral, composta de dois neurônios: um pré e outro pós-ganglionar. O corpo celular do neurônio pré-ganglionar localiza-se no corno intermédio lateral da medula espinal. A função do neurônio pós-ganglionar é fazer sinapse com o anterior, assim como transmitir o impulso até a estrutura desejada (órgão). Suas funções são regular o tônus vasomotor (vaso sanguíneo) e a temperatura, as glândulas sudoríparas, os músculos pilo-eretores, os níveis de glicose sanguínea e a reação ao estresse "luta ou fuga".

Sistema nervoso somático (SNS) • Parte do sistema nervoso periférico (SNP) constituída de neurônios sensitivos somáticos, ditos aferentes, e neurônios motores somáticos, eferentes.

Sistema piramidal • Estruturas nervosas que compreendem os tratos corticonuclear e corticoespinal. Controlam a motricidade voluntária.

Soluço • Contração involuntária de tipo espasmódica que acomete o diafragma, determinando um brusco abalo do abdome e do tórax, e acompanhada de um ruído rouco característico devido à constrição da glote com a vibração das cordas vocais.

Somatização • Processo pelo qual uma condição mental é experimentada como um sintoma corpóreo.

Sono delta • Quarto estágio do sono profundo não REM, sem que ocorram os movimentos rápidos dos olhos (REM).

Subdural • Que se encontra, ou é produzido, abaixo da dura-máter e acima da aracnoide.

Substância branca • Parte do SNC que corresponde às vias nervosas. A cor é devida à presença de mielina. Está presente na periferia do tronco cerebral, da medula e no centro do cerebelo e do cérebro.

Substância cinzenta • Parte do SNC que corresponde aos centros nervosos. A cor cinzenta corresponde às células nervosas que o constituem. Está presente na parte central da medula e do tronco cerebral, assim como na parte central (núcleos cinzentos do cerebelo e do cérebro) e em uma parte periférica (córtex cerebelar e cerebral) do encéfalo.

Substância cinzenta periaquedutal • Substância que circunda o aqueduto cerebral, presente tanto no mesencéfalo quanto na porção superior da ponte. Região que produz neurotransmissores que modulam os impulsos nociceptivos.

Substância P • Polipeptídeo composto de 11 aminoácidos. É liberada nos terminais centrais de neurônios nociceptivos primários e age como substância de transporte, sendo igualmente encontrada nos terminais distais. Centralmente, age como neurotransmissor excitatório para impulsos nociceptivos. É liberada a partir de células da medula espinal pelo estímulo de fibras aferentes C e A-delta e excita os neurônios no corno dorsal ativados por estímulos nocivos. A substância P liberada por aferentes amielínicos está envolvida em fenômenos inflamatórios neurogênicos, como formações bolhosas cutâneas e hiperemia fulgurosa por reflexo axônico. Sabe-se que o conteúdo de substância P é muito alto na maioria das inflamações severas de articulações. Quando injetada na articulação, a substância P aumenta tanto a inflamação como a ocorrência de alterações destrutivas.

Sulco central (antigamente denominado Rolando) • Sulco profundo que se dispõe de forma oblíqua à face superolateral do hemisfério cerebral, separando o lobo parietal do frontal. É ladeado por dois giros que se apresentam paralelos: um anterior, denominado pré-central, e outro posterior, denominado pós-central.

Sulco lateral • Sulco que se origina na base do cérebro com disposição lateral à substância perfurada anterior. Separa o lobo frontal do temporal e toma uma direção para a face superolateral do cérebro, onde acaba se dividindo em três porções: anterior, posterior e ascendente.

Supratentorial • Que se localiza acima da tenda do cerebelo.

T

Tálamo • Duas massas de substância cinzenta, de forma oval, localizadas posterolateralmente ao diencéfalo. Na porção anterior de cada tálamo encontramos uma eminência denominada tubérculo anterior do tálamo. Na outra porção, posterior, apresenta também uma eminência que recebe o nome de pulvinar. Suas porções lateral e superior integram o soalho do ventrículo lateral. Sua porção medial com o teto do III ventrículo forma o soalho da fissura transversa do cérebro. Seu limite lateral separa-se do telencéfalo pela cápsula interna e sua face inferior é contígua ao hipotálamo e ao subtálamo. O tálamo apresenta cinco grupos de núcleos: anterior, posterior, medial, lateral e mediano. Suas funções estão relacionadas com a motricidade, a sensibilidade geral, o comportamento emocional e a ativação do córtex.

Tenda do cerebelo • Uma das pregas da dura-máter craniana, estendendo-se transversalmente entre a face superior do cerebelo que ela recobre e a face inferior dos lobos occipitais que repousam sobre ela. Divide, portanto, a cavidade craniana em dois compartimentos: um superior denominado supratentorial e um inferior denominado infratentorial.

Tenopexia • Fixação, frequentemente por meio de sutura, do tendão de um músculo. Em oftalmologia, emprega-se tal técnica para fixar os tendões dos músculos do bulbo ocular para a correção de um estrabismo.

Terceiro ventrículo • Cavidade formada a partir do diencéfalo e da porção mediana do telencéfalo.

Terminal axônico • Ramo terminal de um axônio em que as vesículas sinápticas sofrem exocitose, liberando neurotransmissores.

Termocoagulação • Todo processo que envolve a coagulação dos tecidos, onde se emprega uma corrente de alta frequência.

Termografia • Técnica que usa uma câmera infravermelha para registrar e ilustrar, graficamente, a temperatura superficial da pele. Pode ser útil no diagnóstico de dores com disfunções autonômicas e de temperatura, como também na DTM, em especial nos quadros de dor e disfunção miofascial.

Termorreceptor • Tipo de receptor sensorial capaz de identificar alterações na temperatura.

Tosse • Reflexo fisiológico complexo. Também pode ser voluntário quando consiste numa inspiração profunda com fechamento da glote, seguida de forte expiração que visa a expulsar das vias aéreas respiratórias todo e qualquer fragmento, ou substância que irrita ou que dificulta a respiração.

Transdução • Processo pelo qual os estímulos nocivos levam a potenciais elétricos nas terminações nervosas dos nociceptores.

Transmissão • Eventos neurais que carregam os impulsos nociceptivos pelo sistema nervoso periférico, para o SNC por meio de vias nervosas.

Triptofano • Aminoácido presente na maioria das proteínas, do qual procedem inúmeros compostos orgânicos, como: 5-hidroxitriptamina e nucleotídeos. Quando os níveis de piridoxina (vitamina B6) diminuem, seu metabolismo é alterado.

Tronco cerebral • Conjunto formado por bulbo, ponte e mesencéfalo.

U

Úvula do cerebelo • Lóbulo do verme inferior do cerebelo.

V

Ventrículo • Uma das quatro cavidades presentes no encéfalo, preenchida com líquido cerebrospinal. Uma das câmaras inferiores do coração.

Vérmis • Parte média do cerebelo, localizada entre os dois hemisférios cerebelares, posteroanteriormente e superoinferiormente; a estrutura do cerebelo é dividida em nove lobos: declive, úvula, pirâmide, língula, lóbulo central, cúlmen, ofólio, túber e nódulo.

Vertigem • Alucinação do movimento; ou o mundo está girando em volta do paciente ou ele está girando no espaço. Pode ser causada por doença na orelha interna.

Vesícula sináptica • Saco fechado de membrana em um bulbo terminal sináptico, que contém e armazena neurotransmissores.

Via neural aferente • Impulsos nervosos transmitidos da periferia em direção ao SNC.

Via neural eferente • Impulso neural transmitido para fora do sistema nervoso central.

Via nociceptiva • Via neural aferente que transmite impulsos dolorosos para o SNC.

W

Wilson (doença de) • Doença familiar e hereditária correlacionada a uma alteração do metabolismo do cobre. Caracteriza-se por alterações neurológicas, em que ocorrem degeneração do corpo estriado, cirrose hepática e pigmentação de cor cinzenta dos tegumentos.

X

Xantelasma • Pequena mancha oval, amarela, localizada frequentemente nas pálpebras, cuja composição é de depósito de colesterol. Sinônimo: xantoma plano.

Xeroftalmia • Secura e retração das conjuntivas do bulbo ocular e das pálpebras, que se tornam brancas com perda de brilho. Costuma gerar a opacificação da córnea, ocasionando perda total ou parcial da visão. Uma das principais causas é a carência de vitamina A. Pode originar-se de uma enfermidade ocular, por exemplo, tracoma.

Xerostomia • Secura da cavidade bucal com diminuição ou ausência de secreção salivar que pode ser causada por aplasia, neoplasia ou atrofia das glândulas salivares. Por exemplo, ingestão de drogas como benzodiazepínicos, antidepressivos; radioterapia, síndrome de Sjögren, de Mikulics, carência de vitamina A.

LEITURAS SUGERIDAS

Alves N, Cândido PL. Anatomia para o curso de odontologia geral e específica. 2. ed. São Paulo: Santos; 2009.

Bear MF, Connors BW, Paradiso MA. Neurociências: desvendando o sistema nervoso. 2. ed. Porto Alegre: Artmed; 2002.

Berkovitz BK, Moxham BJ. Head and neck anatomy: a clinical reference. Florence: Fulfilment Center; 2002.

Brodal A. Anatomia neurológica com correlações clínicas. 3. ed. São Paulo: Roca; 1984.

Brust JC. A prática da neurociência. Rio de Janeiro: Reichmann & Affonso; 2000.

Campbell WW, De Jong RN. The neurologic examination. 6th ed. Philadelphia: Lippincott Williams & Wilkins, 2005.

Carpenter MB. Fundamentos de neuroanatomia. 4. ed. Maryland: Panamericana; 1999.

Casas AP, González ME. Morfología, estrutura y función de los centros nerviosos. 3. ed. Madrid: Paz Montalvo; 1977.

Cosenza RM. Fundamentos de neuroanatomia. 3. ed. Rio de Janeiro: Guanabara Koogan; 2005.

Crossman AR, Neary D. Neuroanatomia ilustrado e colorido. Rio de Janeiro: Guanabara Koogan; 1997.

Dângelo JG, Fattini CA. Anatomia humana sistêmica e segmentar. 2. ed. São Paulo: Atheneu; 1998.

Dantas AM. Os nervos cranianos: estudo anátomo-clínico. Rio de Janeiro: Guanabara Koogan; 2005.

de Groot J. Neuroanatomia. 21. ed. Rio de Janeiro: Guanabara Koogan; 1994.

De Jong RN. The neurologic examination. 4th ed. Maryland: Harper & Row; 1979.

Doretto D. Fisiopatologia clínica do sistema nervoso – fundamentos da semiologia. 2. ed. São Paulo: Atheneu; 1996.

Drake RL. Gray's anatomia clínica para estudantes. Rio de Janeiro: Elsevier; 2005.

Dubrul EL. Anatomia oral de Sicher e Dubrul. 8. ed. São Paulo: Artmed; 1991.

Figún MR, Garino RR. Anatomia odontológica funcional e aplicada. 3. ed. São Paulo: Artmed; 2003.

Fishman SM, Ballantyne JC, Rathemell JP, editors. Bonica's management of pain. 4th ed. Baltimore: Lippincott Williams & Wilkins.Philadelphia; 2010.

Gosling JA, Harris PF, Humpherson JR, Whitmore I, Willan PL. Anatomia humana: atlas colorido e livro-texto. 2. ed. São Paulo: Manole; 1992.

Grossmann E. Glossário de cabeça e pescoço. São Paulo: Quintessence; 2008.

Hamilton WJ. Tratamento de anatomia humana. Rio de Janeiro: Interamericana; 1982.

Hiatt JL, Gartner LP. Textbook of head and neck anatomy. 3. ed. Philadelphia: Lippincott Wiliams & Wilkiins; 2001.

Johnson DR, Moore WJ. Anatomia para estudantes de odontologia. 3. ed. Rio de Janeiro: Guanabara Koogan; 1997.

Latarjet M, Liard A, Ruiz A. Anatomia humana. 2. ed. São Paulo: Panamericana; 1989.

Machado A. Neuroanatomia funcional. Rio de Janeiro: Atheneu; 1980.

Madeira MC. Anatomia da face: bases anátomo-funcionais para a prática odontológica. 3. ed.São Paulo: Sarvier; 2001.

Martin JH. Neuroanatomia: texto e atlas. 2. ed. Porto Alegre: Artmed; 1998.

Martini FH, Timmons MJ, Tallitsch RB. Anatomia humana. 6. ed. Porto Alegre: Artmed; 2009.

Meneses MS. Neuroanatomia aplicada. Rio de Janeiro: Guanabara Koogan; 1999.

Merskey H, Bogduk N, editors. Classification of chronic pain: descriptions of chronic pain syndromes and definitions of pain terms. Seattle: IASP Press; 1994.

Monkhouse S. Cranial nerves: functional anatomy. Cambridge: Cambridge University Press; 2006.

Moore KL, Agur AM. Fundamentos de anatomia clínica. Rio de Janeiro: Guanabara Koogan; 1998.

Moore KL. Anatomia: orientada para a clínica. 5. ed. Rio de Janeiro: Guanabara Koogan; 2007.

Mosenthal WT. A textbook of neuroanatomy. New York: The Parthenon Publishing Group; 1995.

Netter FH. Atlas de anatomia humana. 4. ed. Rio de Janeiro: Saunders Elsevier; 2008.

Leituras sugeridas

Norton NS. Netter atlas de cabeça e pescoço. Rio de Janeiro: Elsevier; 2007.

Okeson JP. Dores bucofaciais de Bell. 6. ed. Rio de Janeiro: Quintessence; 2006.

Pansky B. Review of gross anatomy. 6th ed. New York: McGraw-Hill; 1996.

Rizzolo RJ, Madeira MC. Anatomia facial com fundamentos de anatomia sistêmica geral. São Paulo: Sarvier; 2004.

Ropper AH, Brown RH. Adams and Victor's principles of neurology. 8th ed. New York: McGraw Hill; 2005.

Rosenbauer KA, Engerlhardt JP, Koch H. Anatomia clinica de cabeça e pescoço aplicada à odontologia. Porto Alegre: Artmed; 2001.

Ross RT. How to examine the nervous system. New Jersey: Humana Press; 2006.

Rossi MA. Anatomia aplicada à odontologia: abordagem fundamental e clínica. São Paulo: Santos; 2010.

Schunke M. Prometheus: atlas de anatomia-cabeça e neuroanatomia. Rio de Janeiro: Guanabara Koogan; 2007.

Teixeira LM, Reher P, Reher VG. Anatomia aplicada à odontologia. Rio de Janeiro: Guanabara Koogan; 2000.

Tortora GJ. Corpo humano: fundamentos de anatomia e fisiologia. 4. ed. Porto Alegre: Artmed; 2000.

Velayos JL, Santana HD. Anatomia de cabeça e pescoço 3. ed. Porto Alegre: Artmed; 2003.

Woelfel JB, Scheid RC. Anatomia dental sua relevância para a odontologia. 5. ed. Rio de Janeiro: Guanabara Koogan; 2000.

Capítulo 5

DORES BUCOFACIAIS

Eduardo Grossmann

A

Aderência • Fenômeno transitório de fixação do disco à fossa mandibular ou à cabeça mandibular, devido a uma sobrecarga contínua e constante ao sistema articular. Pode ocorrer quando está presente um fenômeno que limita a abertura da boca. Por exemplo, fratura do processo condilar, no qual se estabelece um bloqueio maxilomandibular por um curto período (12 dias). Caso o indivíduo permaneça por um período mais prolongado pode ocorrer adesividade.

Adesividade • Clinicamente, pode-se observar limitação no movimento translatório. A abertura bucal oscila entre 25 e 30 mm, similar ao deslocamento do disco sem redução (DDSR). A diferença entre ambos é que, ao se fazer a manipulação mandibular (força da mandíbula para baixo), não se observa, no caso da adesividade, dor. Pode ocorrer, dependendo do caso, alteração oclusal durante o fechamento bucal. Tal distúrbio interno pode ser visto mediante exame de ressonância magnética nuclear (RMN) em corte sagital oblíquo, boca fechada e aberta. No caso de a fixação ocorrer entre o disco e a cabeça da mandíbula, o movimento de rotação entre ambos é perdido, mas a translação entre o disco e a fossa se processa de forma normal. No exame de RMN, dependendo do grau de adesividade, parcial ou total, pode-se observar ausência do espaço infradiscal. O tratamento de escolha é o cirúrgico. Opta-se pelo procedimento mais simples e conservador para o mais invasivo e sofisticado, nessa ordem: uso de artroscopia até artrotomia.

Alveolite seca • Processo inflamatório do osso cortical (osteíte) e do ligamento periodontal, ainda presentes no alvéolo, diante de extração dentária. Tal ligamento constitui uma articulação fibrosa, sendo ricamente inervado por nociceptores e mecanorreceptores. Dessa forma, tem potencial para desencadear dor referida para outros dentes pertencentes ou não a um mesmo arco dental, gengiva e pele. Pode também produzir uma resposta muscular protetora e, dependendo do(s) músculo(s) envolvido(s), limitar a abertura bucal e o movimento de lateralidade homo ou ipsilateral. Pode ainda gerar a formação de um ponto-gatilho miofascial, o qual produzirá seu padrão de dor no local ou próximo a este. O tratamento consiste em evitar a evolução dessa osteíte para uma osteomielite; promover a formação de tecido de granulação recobrindo o tecido ósseo exposto, o que possibilitará o desaparecimento da dor e a evolução do processo de cicatrização sem complicações.

Anestesia dolorosa • Uma das piores complicações que pode ocorrer no campo na Medicina e/ou da Odontologia. Resulta de uma área com ausência de sensibilidade sobreposta a dor de caráter contínuo e constante do tipo em queimação, podendo ainda advir uma dor pulsátil ou em choque elétrico de curta duração. Está relacionada a uma injúria nervosa a um nervo ou gânglio, afetando as vias trigemino-talâmicas. Entre as técnicas neurocirúrgicas, as que podem produzir anestesia dolorosa (AD), embora muito baixa, 2%, são a termocoagulação por radiofrequência e injeções de glicerol, ao contrário da descompressão microvascular e da cirurgia *Gamma knife*, nas quais não se observaram AD. Nos casos odontológicos pode ser causada por trauma excessivo durante a extração dentária, com superaquecimento da broca, ou dano nervoso, propriamente dito, a um dos ramos do trigêmeo. Com o advento da implantodontia tem-se observado AD com maior frequência, principalmente nos casos de implantes junto à região de pré-molares (forame mentual) e molares inferiores (nervo alveolar inferior). O diagnóstico se baseia na história prévia, na duração e na qualidade da dor. Caso haja necessidade de diagnóstico diferencial, se a dor for predominantemente periférica, ou central, pode-se lançar mão de um bloqueio anestésico sem vasoconstritor do tipo regional. Se for periférica, a dor tende a diminuir ou desaparecer. Caso não se altere, pode tratar-se de dor fundamentalmente central, ou de dor heterotópica que provém de outra estrutura que não o dente e seu terminal nervoso. O tratamento clínico consiste no emprego de antidepressivos tricíclicos e neuromoduladores, acupuntura, bloqueios anestésicos repetidos e capsaicina local a 0,025 ou 0,075%. Caso não se obtenha um resultado favorável, pode-se lançar mão de neuroestimulação sensorial talâmica e cirurgia de entrada da raiz dorsal (DREZ).

Anquilose fibrosa • Caracteriza-se por imobilidade articular devida à formação de um tecido fibroso junto à cabeça da mandíbula, do disco e/ou ao tecido retrodiscal, fossa, cápsula e tubérculo articular. A causa mais comum é um hematoma, resultante de trauma articular, devido a um procedimento cirúrgico, ou como resultado de um quadro de sinovite. Clinicamente, se o disco está fixado à fossa ou ao tubérculo articular, o movimento translatório estará limitado. Há também deflecção para o lado afetado, limitação do movimento mandibular para o lado contralateral. Radiograficamente, pode-se observar o espaço interarticular preservado, mas há ausência da translação da cabeça da mandíbula durante o movimento de abertura bucal. O tratamento está na dependência do grau de limitação funcional e, ocasionalmente, da dor. Se grande limitação nos movimentos estiver presente, indica-se primeiro um exame de ressonância magnética nuclear para visualização, ou não, dos compartimentos superiores e inferiores da ATM. Caso não se consiga vê-los, pode-se lançar mão de artroscopia, ou até mesmo de cirurgia aberta (artrotomia), seguida de fisioterapia em ambos os casos.

Anquilose óssea • União óssea de partes adjacentes do corpo, que frequentemente são móveis. Caracteriza-se pela proliferação de tecido ósseo que se inicia no interior da ATM e, dependendo de sua extensão e direção, envolve o processo coronoide, o arco zigomático e até a fossa média do crânio. Desenvolve-se a partir de traumas (fraturas), processos inflamatórios crônicos e infecção. Clinicamente não se observa dor. Quando a condição é bilateral há grande limitação da abertura bucal. Caso seja unilateral, observa-se deflecção mandibular para o lado afetado e limitação mandibular para o lado contralateral (sem alteração). Radiograficamente, há evidência de proliferação de tecido ósseo ocupando toda a fossa articular (massa óssea), impedindo a translação da cabeça da mandíbula. O tratamento envolve a remoção do tecido ósseo formado, criando-se um novo espaço entre o remanescente mandibular e a fossa. Deve-se preencher, preferencialmente, a cavidade com fáscia ou músculo temporal, com subsequente reconstrução com costela, fíbula com microcirurgia, ou prótese metálica. Pode-se ainda remover o excesso de osso empregando distração osteogênica e fisioterapia.

Aplasia • Desenvolvimento incompleto dos ossos do crânio, podendo envolver a mandíbula. Nesse caso afeta primordialmente a cabeça mandibular, de forma unilateral, propiciando uma fossa mandibular rasa e um tubérculo articular rudimentar ou inexistente, assim como pode alterar anatomofisiologicamente a orelha externa. O quadro clínico se caracteriza por maloclusão (mordida aberta), assimetria facial, hipoplasia dérmica da orelha, dificuldades na fala e limitação da abertura da boca. A terapêutica empregada inclui ortodontia, osteotomia sagital do ramo, distração osteogênica e enxerto costocondral.

Arterite temporal (de células gigantes) • Síndrome vascular que acomete preferencialmente a artéria temporal superficial, não podendo ser excluídos os demais ramos da artéria carótida externa. Sua incidência é por volta dos 50 anos ou mais, prevalecendo em indivíduos brancos, sendo rara em afrodescendentes ou asiáticos. A arterite apresenta-se com dor unilateral, latejante, podendo ser sentida superficialmente como queimação. Em alguns casos é constante; em outros, intermitente. Quando a dor ocorre pode irradiar para o ângulo mandibular, para a orelha, ATM e região temporal. Clinicamente, a palpação da região mostra um vaso tortuoso, extremamente sensível e dilatado. Dor e sensibilidade nos músculos masseter e temporal podem ser encontradas devido à claudicação presente. A compressão da carótida em geral diminui a dor local. Como tal doença inflamatória pode produzir perda transitória ou cegueira, a terapêutica medicamentosa, à base de corticosteroides, deve ser instituída o mais precoce possível. Os exames hematológicos podem revelar uma hemossedimentação de eritrócitos elevada, em geral superior a 100 mm/h. Uma vez que tal resultado não é específico, deve-se proceder à biópsia desse vaso, cujo exame anatomopatológico irá revelar a presença de arterite de células gigantes.

Artrite reumatoide juvenil (ARJ) (doença de Still) • Artrite idiopática que se inicia antes dos 16 anos de idade. O fator reumático está presente em 70% dos casos. Acomete mais meninas entre 12 e 15 anos. É de interesse odontológico, pois pode alterar o crescimento mandibular e, em casos extremos, resultar em severa micrognatia.

Artrite traumática • Artrite que se desenvolve a partir de um trauma direto (macrotrauma), acometendo tanto articulações normais quanto aquelas com alterações preexistentes. Por exemplo, no caso de um paciente com deslocamento do disco com redução, a injúria pode desencadear um deslocamento do disco sem redução.

C

Capsulite e sinovite • Processo inflamatório que envolve a cápsula articular e/ou a membrana sinovial. A distinção entre ambas é muito difícil, sendo considerada entidade única. A dor capsular ocorre quando há movimentos translatórios, como protrusão, grande abertura bucal e excursão contralateral, uma vez que tais movimentos estiram a cápsula. Está presente também sensibilidade à palpação sobre o polo lateral da cabeça da mandíbula, com a presença de edema localizado sobre a região em alguns casos. Observam-se também efeitos excitatórios centrais, uma vez que a dor é quase contínua. A sinovite, pelo aumento do líquido (efusão), pode, em fase aguda, desenvolver um edema na região, produzindo desconforto durante a movimentação mandibular, inclusive limitação da abertura bucal e maloclusão aguda. Nas sinovites de repetição (crônicas), em que aumenta a viscosidade do fluido sinovial, pode haver dificuldade de movimentos articulares, sendo possível, inclusive, a presença de ruídos articulares característicos. As causas provêm de uma abertura bucal prolongada, estiramento dos ligamentos capsulares ou após trauma dirigido à ATM e bruxismo. Podem estar associadas a outras patologias, como deslocamento do disco, hipermobilidade, subluxação, deslocamento e doenças degenerativas articulares. Tais distúrbios inflamatórios não são influenciados pela oclusão dos dentes, nem há modificação do quadro doloroso quando da apreensão de um objeto (espátula) entre os órgãos dentais. Radiograficamente, não se observam mudanças estruturais ósseas, mas, quando há edema intra-articular, pode-se visualizá-lo mediante exame de ressonância magnética nuclear com ponderação T2. O tratamento depende do(s) fator(es) etiológico(s). Caso haja processo infeccioso, medicação antibiótica deve ser prescrita. Em caso de macrotrauma, podem-se empregar anti-inflamatórios não esteroidais, calor úmido, dieta líquida e pastosa, ultrassom e estimulação elétrica transcutânea (Tens). Na presença de um microtrauma crônico, como bruxismo, indica-se dispositivo interoclusal de estabilização para diminuir a pressão intra-articular.

Carotidinia • Dor originária na ou da artéria carótida comum. Quando está presente, produz dor cervical, frequentemente unilateral, que se irradia para a face, para a orelha, para a região zigomática e, em alguns casos, para a cabeça. Essa distribuição da dor depende de quais ramos colaterais ou terminais estão envolvidos. Tal quadro álgico é acompanhado de edema, sensibilidade e pulsação acentuada no trajeto desse vaso. A causa da carotidinia tem sido relacionada à sua inflamação e distensão. Clinicamente, parece haver duas formas: uma aguda e outra crônica. A primeira se caracteriza por durar cerca de 15 dias, de caráter intermitente, unilateral ou bilateral, sem alteração visual, que não recidiva. Quanto ao tratamento, pode-se iniciar com analgésicos e, caso o quadro evolua desfavoravelmente, pode-se indicar corticosteroide. A outra forma, crônica, provavelmente é uma variante neurovascular. Em seu tratamento empregam-se os mesmos medicamentos adotados nas cefaleias vasculares. Ambas ocorrem mais em mulheres, com idade superior aos 40 anos. A palpação do pescoço, pressionando tal artéria para trás contra os processos cervicais transversos, aumenta muito a dor.

Cefaleia em salvas • Cefaleia vascular, unilateral, severa, em pontadas, que acomete, frequentemente, indivíduos do sexo masculino. Observa-se que ocorre à noite, em geral no mesmo horário, não raramente acordando o indivíduo. Tem duração de 30 a 90 minutos, começando na região orbital, periorbital, frontal, temporal, podendo se estender à região geniana, inclusive aos molares superiores e também à região occipital. É precipitada pelo fumo e pelo álcool. Está presente um quadro de disautonomia em que se observa hiperemia conjuntival, lacrimejamento, rinorreia, congestão nasal, ptose palpebral, miose, sudorese da face e da fronte. O diagnóstico pode ser confirmado empregando-se substâncias vasodilatadoras, como a nitroglicerina e a histamina. O tratamento de prevenção inclui a inalação de oxigênio a 100% de 7 a 10 litros por minuto durante 10 minutos; na hora da crise, o uso de tartarato de ergotamina sublingual, ou di-hidroergotamina ou sumatriptan via parenteral. Para prevenir pode-se empregar bloqueadores de canal de cálcio, corticosteroides, capsaícina nasal, lítio.

Cefaleia episódica do tipo tensão • Cefaleia do tipo compressivo, tenso, não pulsátil, em geral bilateral, de intensidade branda a moderada, sem impedir as atividades do dia a dia. Pode durar minutos, horas ou dias. Normalmente não estão presentes efeitos excitatórios centrais, como fotofobia, fonofobia ou náusea. O tratamento se baseia no mecanismo fisiopatológico envolvido. Pode-se empregar gelo ou calor local, técnicas de relaxamento, Aines, antidepressivos em doses baixas, inicialmente ajustando a dose caso a caso, e injeções de proteína botulínica-A, localmente.

Celulite flegmonosa • Inflamação difusa dos tecidos moles, não estando circunscrita ou confinada a uma área, que tende a se disseminar pelos espaços teciduais ao longo dos planos faciais. Decorre da infecção por microrganismos produtores de hialuronidase e fibrinolisinas que atuam sobre o ácido hialurônico, sobre fibrina e sobre a substância cimentante intercelular. Geralmente, a celulite cervicofacial resulta de infecções dentárias de dentes parcialmente erupcionados ou após extração. Pode comprometer qualquer dente tanto da maxila quanto da mandíbula. Clinicamente, quando a causa é dentária, o paciente desenvolverá um quadro de hipertermia, hiperemia facial, trismo, com os tecidos apresentando-se consistentes à palpação e com dor do tipo pulsátil e/ou em queimação. Quanto aos exames laboratoriais, observa-se neutrociose e leucocitose (desvio para a esquerda). A infecção pode se disseminar em direção a vários espaços teciduais. No caso do espaço submandibular, normalmente estão envolvidos os molares inferiores, podendo progredir em direção aos espaços faríngeos laterais, carótido e mediastinal. O tratamento consiste em corrigir as defesas comprometidas do hospedeiro, empregar antibioticoterapia em doses adequadas, remover a causa da infecção, quando se pode localizá-la, o mais breve possível, drenar cirurgicamente a infecção e reavaliar constantemente o caso.

Cocontração protetora • Resposta reflexa protetora envolvendo o sistema nervoso central (SNC). Frequentemente ocorre quando uma parte do corpo foi traumatizada e requer repouso, ou devido a uma doença sistêmica. Origina-se a partir de tensão emocional excessiva, apertamento, bruxismo, abertura bucal prolongada, de uma restauração ou prótese alta, ou de um trauma, como anestesia local. Clinicamente não se observa dor muscular quando em repouso. Atos funcionais exacerbam o quadro álgico. Em geral, o paciente apresenta limitação da abertura bucal, mas, quando solicitado a abrir a boca lentamente, pode fazê-lo até sua amplitude máxima. Inicia-se logo após o evento, durando poucos dias, sendo a anamnese a chave para o diagnóstico. O tratamento se baseia na identificação da causa e sua completa eliminação. Podem ser associados cuidados paliativos, como calor úmido, repouso e, no caso de se identificar hiperatividade muscular (apertamento, bruxismo), empregar um dispositivo interoclusal.

D

Deslocamento (luxação, travamento aberto) • Deslocamento da cabeça da mandíbula anteriormente ao tubérculo articular. O sinal clínico característico é o paciente não conseguir fechar a boca (travamento aberto). A redução deve ocorrer o mais breve possível, pela pressão da mandíbula para baixo e para trás, a fim de permitir que a cabeça da mandíbula volte para a fossa mandibular. Ocorre em 3 a 7% da população em geral, sobretudo em mulheres. À palpação, a cabeça mandibular encontra-se fora da fossa mandibular, o que pode ser confirmado com exames de imagens (radiografias convencionais e tomografias computadorizadas), nos quais se pode visualizar a "fossa vazia", estando a cabeça mandibular à frente do tubérculo articular. O deslocamento pode ser uni ou bilateral. No primeiro caso, o mento está desviado para o lado oposto ao deslocamento, apresentando também mordida aberta anterior em protrusão do mesmo lado. No segundo, observa-se mordida aberta anterior bilateral, estando a mandíbula deslocada em posição anterior, podendo a linha média se apresentar sem desvio. O tratamento consiste na redução manual ou na manipulação mandibular com abordagem intraoral, que é feita com o paciente sentado com a cabeça apoiada. Independentemente de ser uni ou bilateral, o profissional postado à frente do paciente posiciona o dedo polegar protegido com gaze sobre a face oclusal dos molares ou sobre o rebordo alveolar, correspondente ao lado do deslocamento (direito e/ou esquerdo), e pressiona firmemente para baixo e para trás, com o intuito de destravar a mandíbula. Há variantes dessa técnica, como o emprego de ambos os dedos polegares ipsilateralmente, reduzindo-se apenas o lado afetado ou reduzindo um lado e depois o outro (deslocamento bilateral). A abordagem extraoral é menos comum, mas viável. Pressiona-se a cabeça da mandíbula deslocada abaixo do arco zigomático com o dedo polegar da mão correspondente ao lado afetado e, com a outra mão, o operador procura estabilizar a cabeça do paciente. A combinação e a tentativa do acesso intra e extraoral são livres, dependendo essencialmente da habilidade e do domínio por parte do profissional. O grau de contratura muscular e o tempo decorrido entre o deslocamento e o atendimento podem, no entanto, dificultar a redução manual, tornando-se necessário lançar mão de outras medidas. Podem-se empregar relaxantes musculares e sedativos para espasmos musculares intensos, infiltração intramuscular de anestésicos locais ao redor da fossa mandibular e dos músculos mastigatórios para facilitar a redução. Nos casos refratários, o emprego da toxina botulínica-A no músculo pterigóideo proporciona bons resultados. Injeção de substâncias esclerosantes (álcool, tintura de iodo, tetradecilsulfato de sódio a 3%, sangue do próprio paciente) ao redor dos ligamentos pericapsulares e no interior da cápsula a fim de produzir reação inflamatória local e estimular uma fibrose tecidual podem ser adotadas também, mas com o objetivo de limitar os movimentos da cabeça da mandíbula. A presença de dor articular, deformidade facial, alterações funcionais e a própria periodicidade com que o deslocamento ocorre podem indicar necessidade de intervenção cirúrgica. As técnicas cirúrgicas adotadas envolvem eminectomia, eminoplastia, escarificação do tendão do músculo temporal, miotomia do músculo pterigóideo lateral, plicadura da cápsula articular, osteotomia oblíqua da raiz do osso zigomático, fio de aço junto ou miniplacas junto ao tubérculo articular, enxerto corticomedular, aloplástico a eminoplastia artroscópica. Esta última tem algumas vantagens sobre a eminectomia tradicional, uma vez que se obtêm resultados semelhantes com um procedimento menos invasivo e de rápida recuperação. Terapia física (fisioterapia), ajuste oclusal e avaliação psicológica devem ser considerados na avaliação do paciente tanto para o tratamento conservador quanto para o cirúrgico.

Deslocamento anterior do disco com redução • Artropatia da ATM, em que o disco se apresenta deslocado para uma posição anterior, anteromedial ou anterolateral em boca fechada. Retorna a uma posição normal, fisiológica (a zona intermediária do disco se localiza entre o topo da cabeça mandibular e o tubérculo articular), quando se faz a abertura bucal máxima de no mínimo 40 mm. Pode-se observar também um ruído recíproco ouvido pelo paciente, ou auscultado pelo profissional, durante o movimento de abertura e novamente antes de a oclusão dental final ocorrer. Associado a tal sinal clínico pode estar presente desvio mandibular para o lado acometido que coincide com o clique. Com frequência, tais pacientes não apresentam limitação da abertura bucal e, quando esta ocorre, é devida à atividade muscular secundária. O deslocamento do disco com redução (DDCR) tem como fatores etiológicos bruxismo, apertamento dental, hiperlassidão ligamentar, perda de suporte posterior dentário e trauma externo. Há casos em que, clinicamente, observa-se o clique recíproco, desvio, mas não estão presentes dor, sensibilidade muscular e limitação da abertura bucal. Diz-se que esse paciente está adaptado. Tal fenômeno adaptativo pode perdurar por anos sem evoluir. A conduta baseia-se em monitoração periódica semestral ou anual. Pode ser interessante solicitar uma ressonância magnética nuclear (T1 e T2) para confirmar o diagnóstico clínico e acompanhar a adaptação fisiológica do complexo articular (alongamento do ligamento posterior, seguido de fibroso e perda da vascularidade da zona trilaminar). O paciente, no entanto, deve ser esclarecido de que tal condição pode evoluir para um quadro de deslocamento do disco sem redução. Se ocorrer dor seguida dos sinais citados anteriormente, alguma medida terapêutica deve ser instituída. Detectando-se a hiperatividade muscular seguida de bruxismo, indica-se um dispositivo interocusal (DIO) que poderá ser empregado durante o dia, à noite ou durante todo o tempo, exceto nas refeições. Caso o quadro clínico diminua e não desapareça durante um período de duas semanas a um mês, pode ser importante ministrar algum tipo de analgésico/anti-inflamatório à base de ácido acetilsalicílico, paracetamol, ibuprofeno, piroxicam e inibidor seletivo de CO_2. A escolha do fármaco a ser indicado depende da idade, da intensidade da dor, das condições gerais, da hipersensibilidade prévia a certos medicamentos, das experiências anteriores bem-sucedidas e dos efeitos colaterais presentes. Caso a combinação da órtese/fármaco não produza resultados, pode-se instituir um aparelho oclusal reposicionador, para ser usado à noite, mas não durante todo o dia, para evitar mudanças irreversíveis tanto na oclusão (mordida aberta, aparecimento de novos contatos prematuros) quanto no sistema musculoarticular propriamente dito. Pode-se associar um programa de fisioterapia dirigido ao controle da dor e da função. O primeiro se baseia em aplicação de calor úmido, frio com *spray* refrigerante à base de fluormetano, iontoforese, fonoforese e *laser*. O segundo, técnicas de manipulação mandibular e TENS. O objetivo de tais terapias clínicas conservadoras é possibilitar a cicatrização tecidual do disco, da zona trilaminar, dos ligamentos e da cabeça da mandíbula sem a pretensão de restabelecer a anatomia perdida, devolvendo a readaptabilidade funcional a esse complexo articular.

Deslocamento do disco sem redução • Na fase inicial do deslocamento do disco sem redução está presente um ruído articular que desaparece quando se estabelece uma marcada limitação da abertura bucal (menor ou igual a 35 mm). A dor manifesta-se durante os movimentos de abertura bucal, lateralidade homo ou contralateral, dependendo do tipo de componente do deslocamento: anterior, anterolateral, anteromedial ou lateral propriamente dito. Observa-se também deflecção mandibular durante a abertura bucal para o lado afetado. Na ressonância magnética nuclear (RMN) vê-se que, tanto em boca fechada quanto em boca aberta, o disco se encontra deslocado à frente da cabeça mandibular. Em exames radiológicos pode-se observar achatamento do tubérculo articular. Quanto ao tratamento do disco deslocado, tem-se à disposição o cirúrgico e o clínico. As terapias cirúrgicas mais invasivas têm como objetivos remover o disco parcial ou totalmente ou reposicioná-lo junto à cabeça mandibular através de âncoras ou de encurtamento da zona retrodiscal. Pode-se ainda atuar na cabeça mandibular, osteotomizando-a e posicionando-a abaixo desse tecido fibrocartilagíneo. Técnicas cirúrgicas menos invasivas compreendem a artrocentese e a artroscopia. As conservadoras usam dispositivos interoclusais estabilizadores e/ou reposicionadores, fisioterapia associada a agentes farmacológicos, injeção de hialuronato de sódio ou de opioides e manipulação mandibular assistida com aumento de pressão intra-articular. A escolha da técnica a ser empregada, cirúrgica ou conservadora, depende do diagnóstico, do(s) tratamento(s) clínico(s) anterior(es) sem resultado(s), da condição geral do paciente, do treinamento prévio e da própria experiência do profissional.

Displasia • Anomalias relacionadas ao desenvolvimento de um tecido ou órgão. No caso de a displasia fibrosa ser monostótica, ocorre em jovens, sem predileção por sexo, sendo na maioria das vezes assintomática. Clinicamente observa-se aumento de volume, firme à palpação, indolor, podendo haver mobilidade dentária e mudança de posição de um ou mais dentes maxilares e/ou mandibulares. Quando comprime feixes nervosos produz hipoestesia, parestesia ou paresia facial. Radiologicamente, a área afetada pode se apresentar desde uma área radiolúcida de pequenas dimensões até um aspecto radiopaco sem limites nítidos, em forma de vidro despolido ou casca de laranja. A forma poliostótica tem as mesmas características da anterior, mas acomete vários ossos e tem predileção pelo sexo feminino. Há dois tipos: a de Albright, na qual se observam manchas café com leite nos primeiros meses de vida, na puberdade precoce e alterações endócrinas. Na de Jaffè, há menor acometimento dos ossos do esqueleto axial e apendicular, podendo ou não ocorrer pigmentações da pele, mas sem alterações endócrinas. O tratamento mais comum é o cirúrgico-estético de caráter multidisciplinar com acompanhamento do paciente.

Dor da mucosa nasal • Dor somática profunda de caráter visceral e em queimação. Entre estas destaca-se a dor da concha nasal inferior, que produz uma dor referida para todos os dentes superiores do mesmo lado da face, em especial a região da ATM. Por outro lado, a algia proveniente do óstio maxilar também pode referir para os dentes molares, a face e as orelhas. O diagnóstico pode ser feito com a estimulação de tais áreas, reproduzindo o padrão de dor, ou com bloqueio anestésico local que eliminará a dor transitoriamente. Pode ser necessária, em alguns casos, a turbinectomia inferior ou a meatotomia média. Cabe ao profissional identificar a origem da dor, diferenciando-a de efeitos secundários, como dor referida, hiperalgesia secundária e respostas autonômicas.

Dor do ligamento do disco • A ligamentite é um processo inflamatório que decorre de tensão seguida de inflamação dos ligamentos discais a partir de macro ou microtraumas (maloclusão), bruxismo e/ou de atos funcionais de grande magnitude que tentam deslocar o disco da cabeça da mandíbula. A dor proveniente dos ligamentos do disco é gerada pela estimulação de estruturas neurais que os inervam. Clinicamente, a dor é de caráter intermitente, aumentando pela máxima intercuspidação e reduzindo-se pela interposição dentária de uma espátula. O quadro álgico pode estar relacionado ao aumento excessivo da pressão interarticular passiva e à incompatibilidade estrutural entre as porções deslizantes. Pode-se observar também cocontração muscular protetora e, em determinados casos, limitação dos movimentos mandibulares. Frequentemente, não se observa a presença de efeitos excitatórios centrais. O tratamento é dirigido à remoção da causa para eliminar o quadro clínico presente. Pode-se indicar dieta líquida e pastosa, Aine, calor local, ultrassom, iontoforese e placas estabilizadoras nos casos de bruxismo e apertamento. Na ausência de sintomatologia, recomenda-se reabilitação bucal à base de ortodontia, prótese, implante, dentística ou da combinação dessas terapêuticas com o intuito de normalizar a oclusão.

E

Enxaqueca oftalmoplégica • Entidade rara cuja cefaleia está associada à oftalmoplegia com envolvimento (paralisia) do III, IV ou VI nervo craniano. Ocorre com mais frequência em crianças e adolescentes. O emprego de ressonância magnética nuclear com gadolínio endovenoso possibilita observar realce transitório do nervo envolvido. A Sociedade Internacional de Cefaleia[1,2] afirma que seu diagnóstico deve obedecer aos seguintes critérios: duas crises de cefaleia com características semelhantes à enxaqueca, seguidas dentro de 4 dias por paralisia do III (mais comum), IV ou VI nervo craniano. Devem ser excluídas neoplasias como leucemia e linfoma, infecções por HIV e sífilis, doenças inflamatórias não infecciosas, como sarcoidose e síndrome de Tolosa-Hunt, e vasculares, como aneurisma da artéria comunicante posterior. O tratamento consiste no emprego de corticosteroide.

Esclerose múltipla (em placas) • Doença crônica, de progressão lenta, do SNC do adulto jovem, de etiologia desconhecida. Formam-se placas desmielinizantes disseminadas no SNC. Clinicamente, pode-se apresentar com alterações motoras, como paralisias espásticas e paresias. Pode acometer o cerebelo, gerando ataxia e nistagmo, entre outros. Também podem estar presentes alterações sensoriais, disestesia, parestesia, dores faciais do tipo choque elétrico e/ou em queimação, acometendo bilateralmente os ramos do nervo trigêmeo, cuja duração é de minutos e pode, inclusive, acordar o paciente. Alterações ópticas também são observadas, assim como distúrbios do comportamento. Dependendo da evolução do caso, o paciente pode tornar-se inválido, com grande dificuldade de locomoção.

H

Hemicrania paroxística crônica • Variante da cefaleia em salvas, mais comum em mulheres. Caracteriza-se por dor unilateral, orbital, temporofrontal, podendo acometer a orelha e até a região occipital. As crises de dor duram de 5 a 30 minutos, com média por volta dos 15 minutos. Sua frequência está na casa de 15 a 30 crises diárias, que podem eventualmente acordar o indivíduo. Estão presentes sinais e sintomas autonômicos como congestão da conjuntiva, rinorreia, ptose e edema palpebral, alteração pupilar, sudorese frontal e alterações cardíacas (bradicardia ou taquicardia). Tal cefaleia pode ser precipitada pela flexão do pescoço e também pela sua rotação. O tratamento de escolha é o uso de indometacina numa dose de 25 a 50 mg, em três tomadas diárias, ou o uso de costicosteroides, se necessário.

Herpes-zóster auricular • Condição rara, normalmente unilateral, em que o agente viral herpes-zóster se instala em determinada raiz ou gânglio – no caso, junto ao componente sensitivo do nervo facial e no gânglio geniculado, respectivamente. Tal infecção viral produz vesículas, que ocorrem cerca de 5 dias após o aparecimento do quadro álgico, rompendo-se e produzindo lesões superficiais na orelha externa, no meato acústico externo, na área mastoide e na membrana timpânica. No interior da cavidade bucal podem aparecer junto ao palato mole, à fossa tonsilar e à região anterior da língua. A dor é do tipo em choque ou queimação, localizando-se na distribuição periférica do nervo afetado. O tratamento é sintomático, uma vez que tal patologia é autolimitante. Podem ser empregados analgésicos leves, agentes antivirais, *spray* à base de fluormetano e corticosteroides.

Hiperplasia • Caracteriza-se pelo crescimento anormal dos ossos, podendo acometer o crânio, em particular a cabeça da mandíbula ou o processo coronoide do osso temporal, ou eventualmente toda a mandíbula. Aumento do número de células normais, não neoplásico, de caráter congênito ou adquirido. Quando interfere na função e/ou na estética é necessário adotar procedimentos que vão desde recontorno da cabeça da mandíbula, remoção da cabeça da mandíbula com reconstrução com costela, fíbula, com interposição de fáscia ou musculotemporal e cartilagem da orelha até, em casos mais severos, o emprego de prótese de ATM. Nos casos de envolvimento do processo coronoide, que limita a abertura da boca, indica-se sua remoção. Quando envolve toda a mandíbula, recomenda-se sua diminuição, empregando cirurgia ortognática.

Hipoplasia • Desenvolvimento incompleto, congênito ou adquirido que pode envolver um ou mais ossos do crânio. No caso de a cabeça da mandíbula estar envolvida, pode ser secundário a um trauma facial. Os sinais mais frequentes são laterognatismo com presença de maloclusão e micrognatia. A terapêutica normalmente envolve desde tratamento conservador, como ortopedia funcional dos maxilares, para estimular ou acelerar o crescimento, até tratamentos mais complexos, como ortodontia-cirurgia-ortodontia com enxerto costocondral e/ou distração osteogênica.

I

Infecção por HIV • Pode se manifestar como uma área de hipoestesia, ou parestesia facial ou oral, sem a presença de causa local, sem mobilidade dental e sem nenhum achado clínico ou radiológico que justifique tal manifestação. Pode estar presente, por outro lado, um quadro de gengivite e/ou periodontite e, neste caso, haver dor local ou mobilidade dental. Tal alteração bucal pode ser resultado da infecção por HIV ou simplesmente uma comorbidade. A atenção deve ser redobrada nos casos em que o paciente é jovem e apresenta dor do tipo choque elétrico que dura minutos, o acorda e aparece espontaneamente. Faz-se necessário um diagnóstico diferencial e encaminhamento a um especialista, ou tratamento multidisciplinar, empregando neuromodulador (anticonvulsivante), antidepressivo, opioide e um coquetel antiviral.

M

Mioespasmo • Entidade rara cujo espasmo muscular é uma disfunção aguda muscular ou de um grupo muscular que se manifesta por contração repentina, involuntária, ocasionando dor e limitação de movimento. Apresenta como causas abertura bucal prolongada (sobrestiramento muscular), uso de medicamentos (tranquilizantes), a partir de uma dor somática profunda (ponto-gatilho miofascial). Pode durar minutos e até dias. Clinicamente pode-se observar importante limitação da abertura bucal e maloclusão aguda, dependendo do músculo acometido. Quando o paciente apresentar limitação da abertura bucal associada a dor na ATM, podem estar presentes dois problemas: espasmo massetérico e deslocamento anterior do disco sem redução em fase aguda. O tratamento baseia-se em não exceder a abertura bucal (sem provocar dor), uso de analgésicos, aplicação de calor local e massagem, Tens, acupuntura, dispositivos interoclusais (no apertamento ou no bruxismo), bloqueio muscular anestésico, sem vasoconstritor. Todas essas terapêuticas podem produzir algum alívio da dor. Em fase aguda, pode-se empregar gelo na forma de *spray* refrigerantes. É importante identificar e eliminar o(s) fator(es) etiológico(s) e predisponente(s), como cantar, mergulhar, tensão emocional.

Miosite • Condição inflamatória localizada no interior do músculo, resultante de um problema local. Pode ter como causas trauma externo, estiramento muscular ou infecção dental. Na realidade, pode advir de cocontração muscular e mioespasmo que perduram por longo período. Se essa condição persistir, o processo inflamatório pode gerar uma fibrose cicatricial no músculo contraturado. Clinicamente o paciente se queixa de dor constante de longa duração, edema e sensibilidade muscular à palpação. A dor ocorre em repouso e se acentua com atos funcionais. Se a causa é infecciosa, observa-se linfoadenopatia regional, febre, mal-estar e até mesmo supuração. Indicam-se antibioticoterapia associada a analgésicos, sem uso de infiltração local, massagem ou exercícios Quando há fatores predisponentes, como bruxismo ou apertamento, podem ser indicados dispositivos interoclusais para prevenir a recorrência dessa condição mais do que eliminar a miosite propriamente dita.

N

Neuralgia do nervo laríngeo superior • A neuralgia do nervo laríngeo superior também é uma condição rara. Esse nervo é ramo do vago que inerva o músculo cricotireóideo da laringe responsável pela adução, pela distensão e pelo tracionamento das pregas vocais. Ocorrendo paralisia de tal nervo, observam-se rouquidão e alteração da voz. A dor é unilateral, paroxística, com duração de minutos a horas. Inicia-se na região submandibular irradiando-se para a garganta, para os olhos e para a orelha. É desencadeada por deglutição, bocejo, tosse, espirros, assoar o nariz e rotação da cabeça, onde está presente um ponto-gatilho localizado na face lateral da garganta, sobre a membrana hipotireóidea. O tratamento preconizado inclui estabilizador(es) de membrana neural(is), uso de bloqueios anestésicos repetidos e neurectomia.

Neuralgia geniculada • Condição rara, denominada neuralgia do nervo intermédio ou do VII par. Corresponde à porção sensorial do nervo facial, recolhendo a sensibilidade geral do meato acústico externo, parte do pavilhão auricular e de pequena parte da pele localizada acima e atrás do lóbulo da orelha. Também pode ser sentida no palato e até mesmo na língua. A dor apresenta paroxismos, com duração de segundos a minutos, sentida profundamente na orelha e em sua porção posterior, bem como nas regiões zigomática, nasal posterior, palatina e tonsilar. Concomitantemente, podem ser observadas alterações no gosto, lacrimejamento e salivação. Tal quadro álgico está na dependência e na distribuição dos pontos-gatilho neurálgicos, junto às regiões inervadas pelos seus ramos. Citem-se como exemplos nervo petroso maior, nervo auricular posterior, nervo corda do tímpano e nervo lingual. O diagnóstico pode ser confirmado mediante a infiltração anestésica nos pontos-gatilho ou aplicação tópica de anestésico na região tonsilar eliminando transitoriamente a dor. O tratamento clínico é similar ao empregado para a neuralgia trigeminal. Quando tal terapêutica não produz resultado, indica-se rizotomia neurocirúrgica via ângulo pontocerebelar para preservar o facial propriamente dito. Em alguns casos, pode-se fazer a neurotomia do corda do tímpano.

Neuralgia glossofaríngea • A neuralgia glossofaríngea é uma condição rara, unilateral, similar, quanto à natureza, à neuralgia trigeminal. Caracteriza-se por dor severa de curta duração, segundos a poucos minutos, desencadeada por deglutição, fala e mastigação, a partir de pontos ou zonas-gatilho localizados na porção lateral e posterior da língua e na fossa tonsilar. Tais áreas hipersensíveis, quando estimuladas, produzem um padrão de dor para a orelha, base da língua, fossa tonsilar, ângulo mandibular e região cervical. Quando há dúvida se é uma neuralgia do IX ou do V par, podem ser empregadas as seguintes medidas terapêuticas: a) imobiliza-se a mandíbula, solicitando-se ao paciente que oclua sobre uma espátula, minimizando o estímulo de estruturas trigeminais e pedindo que ele deglute. Caso a dor se manifeste, trata-se de neuralgia do glossofaríngeo; b) identificam-se previamente as áreas de gatilho neurálgicas e aplica-se anestésico tópico ou infiltração anestésica sobre elas. A dor deve ser debelada prontamente. Imagens de ressonância magnética nuclear devem ser feitas para excluir neoplasia de fossa posterior, do nasofaríngeo e anomalias das artérias vertebral ou basilar. Inicialmente o tratamento deve ser clínico, farmacológico, similar ao adotado para a neuralgia trigeminal. No caso de insucesso medicamentoso, pode-se indicar craniotomia da fossa posterior com rizotomia do glossofaríngeo ou das raízes superiores do X par.

Neuralgia induzida por cavitação osteonecrótica (Nico) • Descrita pela primeira vez por Ratner, em 1974.[3] Patologia caracterizada pela presença de lesões cavitárias, presentes na mandíbula e/ou na maxila, muitas vezes não detectáveis radiologicamente. Pode originar-se de um trauma (extração dentária, endodontia e hemorragia alveolar secundária), ou até mesmo de um processo infeccioso. A Nico tem sido apontada como causa frequente de neuralgias faciais envolvendo o território trigeminal. Dor intensa, lancinante, do tipo choque elétrico, de curta duração, que não acorda o paciente e, às vezes, tem caráter contínuo. Afeta mais as mulheres que os homens, podendo desaparecer parcial ou totalmente após bloqueio anestésico na área acometida pela dor. No exame neurológico, os pares cranianos apresentam-se dentro de um padrão de normalidade. Tais áreas radiolúcidas ósseas podem ser detectadas, ou não, por radiografia periapical, panorâmica, tomografia computadorizada, ressonância magnética nuclear, mas o padrão-ouro é a cintilografia óssea. Pela falta de conhecimento dos profissionais de saúde, é denominada dor facial atípica. Na realidade, é uma necrose isquêmica do osso alveolar. Estudos mais atuais descrevem os distúrbios da coagulação da medula óssea alveolar isquêmica como causa de cavitação osteonecrótica, podendo ser também o resultado de trombose com ou sem hipofibrinólise que produziria a obstrução dos espaços vasculares, comprometendo o fluxo sanguíneo na região. Poderia, portanto, ser tratada com o uso de varfarina ou estanozol. Outras opções terapêuticas seriam osteotomia regional e curetagem da área com dor, ou osteotomia associada à aplicação local de esponja gelatinosa absorvível associada à tetraciclina, com tetraciclina e cefalexina, ou clindamicina com gentamicina. Há também a possibilidade de infiltrações locais com antibiótico por um período de dois meses. A escolha do tratamento depende de cada caso, da experiência do profissional, dos tratamentos prévios, da extensão da área envolvida e do estado geral do paciente. Se a escolha for a cirúrgica, deve-se encaminhar o tecido ósseo removido para exame anatomopatológico.

Neuralgia occipital • Dor do tipo choque elétrico que ocorre na distribuição dos nervos occipital maior e menor. Podem estar presentes hipoestesia, parestesia ou disestesia na área afetada. A dor pode ser referida à região frontal, parietal, aos globos oculares, ou se manifestar localmente. A causa pode ser de caráter traumático, infeccioso, ou devida a uma compressão nervosa. O diagnóstico diferencial inclui pontos-gatilho miofasciais nos músculos esternocleidomastóideo, trapézio superior, esplênio da cabeça e semiespinal da cabeça, neoplasia da fossa posterior e outras alterações da coluna cervical. O tratamento envolve a definição do(s) fator(es) etiológico(s), quando possível. Emprega-se desde tração mecânica manual suboccipital, bloqueios anestésicos do nervo envolvido, neuromodulador(es) em associação com antidepressivo(s), corticosteroide, neurectomia do nervo occipital até rizotomia da segunda raiz cervical por radiofrequência.

Neuralgia pré-trigeminal • Recebe essa denominação uma vez que os pacientes portadores dessa dor neuropática acabam desenvolvendo, posteriormente, a neuralgia trigeminal clássica. Caracteriza-se por dor dental difusa, contínua, que se localiza na maxila ou na mandíbula. Não apresenta causa definida clínica ou radiológica (tomografia computadorizada, ressonância magnética nuclear do crânio e face normais) que justifique esse quadro álgico. A neuralgia pré-trigeminal tem sido manejada adequadamente com o emprego dos mesmos neuromoduladores utilizados para a neuralgia trigeminal.

Neuralgia trigeminal • A neuralgia trigeminal (*tic douloureux*) é uma condição dolorosa que afeta unilateralmente a face em uma ou mais das três divisões do nervo trigêmeo. Incide com maior frequência sobre a segunda divisão (V2), seguida da combinação da segunda e da terceira (V2 e V3), terceira divisão sozinha (V3), sendo menos envolvida a primeira divisão (V1). Acomete mais mulheres que homens com idade superior a 50 anos, sendo o lado direito predominante. A dor é lancinante, do tipo choque elétrico, podendo se apresentar em queimação, com duração de segundos a até poucos minutos. É desencadeada por estímulos tácteis não dolorosos, como lavar e/ou secar o rosto, escovar os dentes, fumar, assoar o nariz e movimentos mandibulares ou faciais, sobre pontos ou zonas-gatilho localizadas na asa do nariz, no lábio superior ou inferior, no mento, na porção lateral da sobrancelha, na gengiva, nos dentes e na porção lateral da língua. Raramente se apresenta bilateral, mas não de forma simultânea. Quando ocorre tal situação, deve-se pesquisar patologia sistêmica, como esclerose múltipla ou neoplasia cranial expansiva. Portanto, solicitar exames tomográficos e de ressonância magnética nuclear. Ocasionalmente, um ramo, como o auriculotemporal (ramo de V3), pode estar envolvido, produzindo otalgia e dor temporal, podendo ser confundida com odontalgia (do terceiro molar superior ou inferior, com cárie ou quando tal dente se encontra semi-incluso), neuralgia do geniculado, do glossofaríngeo, do laríngeo superior, síndrome de Eagle, de Ernest e disfunção temporomandibular. O bloqueio anestésico, a idade, os testes funcionais e os exames radiológicos complementares podem elucidar o caso. O tratamento da neuralgia trigeminal pode ser farmacológico, empregando-se estabilizadores de membrana de forma única ou combinados, como carbamazepina, oxicarbazepina, gabapentina, pré-gabalina, baclofeno, fenitoína, topiramato e em associação com antidepressivos tricíclicos em baixas doses (amitriptilina). Tais medicamentos usados separadamente ou em combinação podem produzir efeitos colaterais, assim como resistência do paciente. Por isso a terapêutica pode ser alterada com respeito à posologia e, dependendo do resultado obtido, deve-se trocar o fármaco. Caso a resposta clínica com os medicamentos seja insatisfatória, ou detecte-se por meio de ressonância magnética nuclear (fiesta3D) na fossa média ou posterior da base do crânio algum conflito neurovascular ou neoplasia, pode-se optar por procedimentos neurocirúrgicos nos quais as fibras nervosas envolvidas próximas ou localizadas no interior do gânglio trigeminal são traumatizadas, destruídas ou isoladas. As opções são rizotomias com insuflação de um balão diminuto (microcompressão percutânea), termocoagulação por radiofrequência ou com uso de substância como o glicerol e mais modernamente radiofrequência pulsada. Uma alternativa às rizotomias é a descompressão da raiz dorsal e do gânglio trigeminal, procedimento de grande porte, sendo indicado preferencialmente em indivíduos jovens e que gozem de bom estado geral.

Neurite • Processo inflamatório que se produz diante de um agente traumático, infeccioso, viral ou metabólico em um ou mais nervos. A dor apresenta-se em queimação, constante, podendo envolver alterações sensitivas (hipoestesia, hiperestesia, parestesia, disestesia e anestesia), motoras (fraqueza, mioespasmo e paralisia) e autonômicas (hiperemia, lacrimejamento, escotoma). Quando envolve o nervo alveolar inferior pode referir dor a todos os dentes inferiores até a linha média. Quando envolve o nervo alveolar superior posterior também pode referir dor aos molares superiores homolaterais. Pode ser de causa virótica, como do herpes-zóster, envolvendo o nervo facial e desencadear uma paresia/ou paralisia do VII nervo. A conduta é definir o(s) fator(es) etiológico(s), bem como a região e o nervo envolvido. A seguir devem ser empregados analgésicos, Aine, bloqueios anestésicos repetidos, antivirais e descompressão cirúrgica, quando necessário.

O

Odontalgia atípica • O mesmo que odontalgia idiopática. Dor de dente cuja causa é desconhecida; perdura por mais de quatro meses. Predomina em mulheres entre a 4ª e a 5ª década de vida, acometendo mais a maxila do que a mandíbula na região de molares e pré-molares. Dor contínua, constante, em geral sem um padrão de dor referida que aumenta e diminui de intensidade, mas não desaparace. Características: a) o paciente consegue localizar o dente "supostamente" envolvido na manutenção do quadro de dor; b) dor constante no dente sem qualquer causa clínica e/ou radiológica que a justifique; c) o emprego de calor, frio ou sobrecarga ao dente não afeta o quadro de dor; d) as terapêuticas dentárias não eliminam a dor; ao contrário, podem piorar o quadro álgico; e) o bloqueio anestésico não elimina a dor e pode, em alguns pacientes, desencadear dor nos dentes adjacentes. O tratamento envolve o emprego de antidepressivos tricíclicos com doses que variam de 25 a 75 mg; gabapentina, com doses de 900 mg até 3.600 mg; pré-gabalina, com doses de 150 a 450 mg; e pomada de capsaicina 0,025%, 4 vezes ao dia, por pelo menos 1 hora, associada a um anestésico tópico, sobre o dente envolvido. Mais modernamente tem sido empregada, nos casos refratários, a estimulação magnética transcraniana como nova possibilidade terapêutica.

Oftalmoplegia dolorosa (síndrome de Tolosa-Hunt) • Caracteriza-se por episódios de dor orbital acompanhados por paralisia de um ou mais dos nervos cranianos III, IV ou VI, o que leva à perda da movimentação dos globos oculares. O nervo oculomotor é o mais envolvido, seguido do abducente e, com menor frequência, do nervo troclear. Não há predileção por sexo; quando há envolvimento de V1, em geral há hipoestesia dessa região. A etiologia está relacionada a um processo inflamatório granulomatoso ou neoplásico com localização junto ao seio cavernoso. Quanto ao diagnóstico diferencial, deve se levar em conta a oftalmoplegia diabética, aneurismas da artéria comunicante posterior, arterite temporal, lesões expansivas parasselares (tumor epidermoide, linfoma, sarcoma), pseudotumor orbital, doença de Reiter, processos inflamatórios e granulomatosos de base, como sarcoidose, aspergilose, sífilis, tuberculose, granulomatose de Wegener e enxaqueca oftalmoplégica. Exames de imagem, como tomografia computadorizada e ressonância magnética nuclear, podem mostrar alterações na parede do seio cavernoso. O tratamento envolve o emprego de corticosteroides cuja resposta analgésica é extremamente rápida, variando de 48 a 72 horas após sua administração.

Osteoartrite primária • Considerada um distúrbio degenerativo não inflamatório que afeta o tecido articular e o osso subcondral. Pode-se observar um quadro de sinovite associado. É denominada osteoartrite primária na ausência de um fator local ou sistêmico. A dor e a disfunção podem variar dependendo do grau de inflamação associada à deformidade. Clinicamente, a dor aumenta com a função, podendo-se observar pontos-gatilho na musculatura mastigatória, como no masseter, no temporal e no pterigóideo lateral da cabeça inferior. Radiograficamente observam-se alterações estruturais, como erosões na cabeça mandibular com a presença de osteófitos junto a seu polo anterior e esclerose subcondral. Podem estar presentes ruídos múltiplos ou crepitação. Nota-se, também, limitação da abertura bucal e espasmo muscular (lateral à ATM) associado a deslocamento anterior do disco com redução, do mesmo lado que o distúrbio muscular, onde se observa deflecção e desvio, respectivamente, para o lado afetado.

O tratamento consiste em diminuir a sobrecarga ao sistema. Opta-se inicialmente por dieta líquida e pastosa, restrição dos movimentos mandibulares (sem presença de dor), uso de analgésicos/anti-inflamatórios. Caso o bruxismo esteja presente, emprega-se uma placa de estabilização superior. Já na presença de um deslocamento anterior sem redução em fase aguda, pode-se tentar infiltração local articular com corticosteroide. Se o quadro não se alterar, ou seja, a dor e a limitação persistirem, podem ser indicadas técnicas cirúrgicas como artrocentese, artroscopia e ancoragem do disco, ou abordagens mais agressivas como ortodontia, condilotomia com enxerto ósseo e ortodontia, ou emprego de próteses metálicas.

Osteoartrite secundária • Muito similar à anterior, entretanto o fator causal é passível de identificação. Citem-se como exemplos trauma direto sobre a ATM, infecção articular ou história de doença sistêmica (artrite reumatoide). Os critérios de diagnóstico são os mesmos, excetuando-se a identificação do fator etiológico. O tratamento preconizado obedece aos mesmos parâmetros da osteoartrite primária.

P

Pulpite aguda • Considerada a mais típica de todas as dores viscerais. É mal localizada, sendo difícil precisar o dente envolvido. Pode variar de hipersensibilidade ocasionada por doces, calor e aliviada pelo frio, ou se exacerbar mediante tais estímulos físicos. Tal dor heterotópica segue um padrão vertical, laminar. Pode simular quase todas as dores craniofaciais. Não infrequente, a hiperalgesia secundária é comum nessa odontalgia. Pode induzir efeitos autonômicos e formação de pontos-gatilho miofasciais nos músculos inervados pelo trigêmeo. Deve-se proceder a exame odontológico adequado, investigando a(s) possível(is) fonte(s), como cárie primária, recorrente, exposição do colo dentário, erosão, abrasão, fratura dental, restaurações extensas e profundas. Clinicamente, cada dente deve ser testado isoladamente por inspeção, sondagem, palpação, percussão, teste térmico e estímulo elétrico e radiografia(s). Caso perdure a dúvida de qual é o dente, se superior ou inferior, que está produzindo a dor, pode-se lançar mão de bloqueio anestésico, de preferência seletivo. Se o bloqueio falhar, ou seja, se o quadro doloroso não for debelado, deve-se buscar outra origem para essa dor.

R

Retrodiscite • O tecido retrodiscal, localizado posteriormente à cabeça da mandíbula, é altamente inervado e vascularizado. Quando traumatizado, pode exibir um processo inflamatório, em que se verifica dor intermitente e edema. A retrodiscite pode ser causada por um trauma agudo externo sobre o mento, direcionando a cabeça mandibular de encontro a esses tecidos. Nessa fase podem ocorrer dor referida e mioespasmo secundário. Quanto à sua etiologia, pode ocorrer a partir de um deslocamento anterior do disco, de um microtrauma pela perda de dente(s) posterior(es) e de desarmonia oclusal. Clinicamente, há dor à palpação junto ao polo lateral articular; a algia acentua-se pela oclusão dental em máxima intercuspidação, ou pelo movimento forçado da mandíbula para o lado afetado, o que gera compressão da cabeça da mandíbula contra o tecido inflamado. A dor não se altera pela protrusiva mandibular contrarresistente, assim como a mordida sobre uma espátula diminui a dor, pois evita a intercuspidação dental. Quando há edema pronunciado, a cabeça da mandíbula é deslocada anterior e inferiormente, estabelecendo-se então uma maloclusão (aguda), com perda de contato dos dentes posteriores ipsilaterais e contato prematuro dos anteriores do lado oposto. O tratamento visa a remover o agente traumático ou minimizar seus efeitos. Procura-se instruir dieta líquida e pastosa, mastigar só do lado comprometido, evitando-se com isso aumento de pressão na área inflamada (mastigação do lado contralateral), o que poderia causar mais dor. Pode-se empregar calor úmido, Tens, iontoforese fonoforese, ultrassom e Aine. Está indicado também dispositivo de estabilização (placa) para diminuir a sobrecarga sobre o tecido retrodiscal. Nos casos agudos e de deslocamento anterior do disco, pode-se indicar aparelho de reposição mandibular para minimizar o trauma contra essa zona inflamada, bem como restabelecer a relação disco-cabeça. É absolutamente contraindicada qualquer manobra de manipulação, visando a aumentar a mobilidade mandibular, o que pode gerar dor e induzir cocontração muscular.

S

Síndrome da ardência bucal (SAB) • Sensação de queimação e dor na mucosa bucal que, no entanto, tem aparência normal. A língua é o local de maior envolvimento. Atinge mais mulheres em relação aos homens numa proporção de 7:1, com média de idade de 50 anos. A etiologia é desconhecida, contudo distúrbios psicológicos, doenças sistêmicas e xerostomia parecem desempenhar um papel importante. A SAB é classificada em secundária e primária. A secundária é seguida por fatores perpetuantes, como anemia, candidíase, diabetes, deficiências vitamínicas, hábitos bucais parafuncionais, xerostomia. Quando tais fatores perpetuantes não são identificados, é classificada como primária. Sua fisiopatologia está relacionada a mecanismos periféricos e centrais nos quais observam-se alteração no fluxo e na composição da saliva e alterações nos componentes aferentes viscerais especiais, principalmente relacionados à gustação. Estariam envolvidos principalmente o VII, o IX e o X nervos cranianos. O diagnóstico se baseia na história, na qualidade, na duração, na localização da dor e nos tratamentos prévios sem resultado adequado. Devem-se associar exames laboratoriais, como hemograma, glicemia e avaliação vitamínica. O tratamento preconizado é à base de antidepressivos tricíclicos (amitriptilina), benzodiazepínicos (clonazepam), neuromoduladores (gabapentina, pré-gabalina), embora não haja estudos clínicos randomizados controlados com o emprego desses fármacos. O ácido α-lipoico, o clonazepam tópico e a capsaicina sistêmica apresentaram bons resultados com respeito à SAB a curto prazo.

Síndrome de Barré-Liéou (síndrome simpática cervical posterior) • Disfunção do sistema simpático cervical posterior devido à artrose cervical, à má posição postural com contratura da musculatura posterior e a acidentes automobilísticos nos quais ocorre o chicote cervical. Isso gera uma irritação da artéria vertebral ou da rede simpática cervical posterior devido às forças de alongamento ou de compressão que originam tal síndrome. Os sintomas mais comuns são dor na cabeça e na parte posterior do pescoço, no globo ocular, na orelha, apresentando-se de forma contínua, em queimação, pulsátil ou em punhaladas. Pode simular a cefaleia tensional, a sinusite, a enxaqueca, a dor miofascial. Há um quadro de disautonomia com hipoacusia, visão borrada, zumbido, lacrimejamento e rouquidão. Tal quadro de dor e disfunção simpática pode exacerbar-se pela movimentação da cabeça e por testes manuais na região suboccipital.

O tratamento consiste em orientar o paciente quanto ao tipo e à altura do travesseiro, emprego de Tens, acupuntura, massagem, aplicação de calor local, ultrassom, ondas curtas e alongamento da musculatura posterior da cabeça. Pode-se também encaminhar o paciente a uma equipe multidisciplinar de dor para o respectivo tratamento.

Síndrome de dor complexa regional • A síndrome de dor complexa regional (SDCR) divide-se em dois grupos: tipo I e tipo II. Essa nova nomenclatura veio a substituir, respectivamente, a distrofia simpática reflexa e a causalgia. Pode coexistir com edema local e alterações circulatórias e/ou atividade sudomotora anormal. Na do tipo I parece não haver uma causa, lesão nervosa, que a justifique. Na do tipo II, diferentemente, há uma lesão nervosa real, em que a dor não está limitada ao território do nervo injuriado. Suas manifestações ocorrem geralmente nas extremidades, embora sejam possíveis em outras regiões, como na face, na região zigomática ou no maxilar. A dor é do tipo em queimação, lancinante, com alodinia e hiperalgesia, exacerbando-se quando há aumento de temperatura, estresse emocional e contato com a parte afetada. Sua fisiopatologia permanece indefinida, podendo ser de caráter periférico ou mediada centralmente. Ocorre com maior prevalência no sexo feminino, na proporção de 3:1, acima dos 40 anos de idade. Sua manifestação na região da cabeça e do pescoço é rara. O diagnóstico pode ser obtido por termografia, que possibilita determinar a diferença de temperatura entre a região envolvida e a assintomática contralateral. O tratamento envolve acompanhamento psiquiátrico e/ou psicológico, emprego de bloqueio simpático do gânglio estrelado, que indica ou não o envolvimento do componente simpático na dor, e caso a debele pode ser empregado de forma repetida. Outras modalidades de tratamento são infusão venosa de lidocaína ou fentolamina, bloqueio venoso regional com guanetidina, clonidina, dexmedetomidina, reserpina ou corticoides. Pode também lançar-se mão de neuromoduladores, como gabapentina, pré-gabalina e até mesmo opioides.

Síndrome de dor e disfunção miofascial • Caracteriza-se pela presença de áreas sensíveis, denominadas pontos-gatilho miofasciais, localizadas em uma banda muscular que se apresenta tensa, sendo capazes de produzir um padrão de dor local ou referida. Podem desencadear dor intensa, quando pressionados mono ou bidigitalmente, ou pela inserção de uma agulha. Quando se apresentam ativos, na maioria das vezes produzem quadros de disautonomia. Tais pontos álgicos podem ser encontrados em qualquer músculo esquelético do corpo, mas com mais frequência na cabeça, no pescoço e nos membros superiores. Podem ser classificados basicamente em três categorias: latentes, ativos e satélites. Os latentes são clinicamente assintomáticos com respeito à dor espontânea, sendo doloridos só quando palpados. Podem permanecer inativos por anos, sendo ativados mediante trauma, exposição ao frio e ao próprio estresse. Não apresentam um padrão de dor referida a menos que sejam estimulados pela introdução de uma agulha em seu interior. Os ativos apresentam-se sintomáticos com respeito à dor, irradiando um padrão desta a distância (dor referida). Quanto mais ativo for o ponto, maior será a resposta muscular local. Já os satélites desenvolvem-se no músculo que se encontra na zona de dor referida de outro ponto-gatilho miofascial. Podem exibir características de pontos-gatilho latentes ou ativos, sobrepujando o padrão de dor, o que dificulta o estabelecimento exato de sua origem. Quanto à prevalência, acomete mais mulheres que homens, sendo geralmente unilateral. Sua etiologia é multifatorial, podendo estar relacionada à presença de um macrotrauma, como injúria física diretamente no músculo (queda, soco, acidente automobilístico, incisão cirúrgica). Pode também ser decorrente de um microtrauma (hiperatividade muscular – bruxismo), produzindo contração muscular contínua. Para que se estabeleça uma banda muscular tensa, tem de haver tensão nos músculos capaz de levar ao rompimento do retículo sarcoplasmático, resultando na liberação de íons cálcio. Na presença de ATP, o cálcio livre poderá ativar o mecanismo de contratilidade do complexo actina-miosina. Se tal fenômeno se processa em um grupo de fibras musculares, temos como resultado um ponto-gatilho miofascial. O meio de identificação mais frequente é a palpação através do dedo médio, indicador e auxílio do polegar, reproduzindo o padrão de dor do paciente, que normalmente está associado a uma resposta muscular local – sinal de pulo. O tratamento de pacientes com síndrome de dor e disfunção miofascial tem sido discutido extensivamente durante os últimos 50 anos. Meios físicos, como calor superficial, compressas quentes; profundo, como ultrassom e *laser*; frio, cubos de gelo, *spray* vapocolante à base de cloreto de etila e clorometano; correntes elétricas; acupuntura, agulhamento seco; dispositivos interoclusais; infiltração anestésica e de toxina botulínica-A têm sido indicados.

Síndrome de Eagle • Síndrome que consiste no alongamento ou na calcificação do ligamento estilo-hioide, acima de 2,5 cm, caracterizado por disfagia, garganta irritada, cefaleia ou dor difusa para a língua, ATM, têmpora e região cervical. A dor é unilateral, do tipo neurálgica, que aumenta pela deglutição, pela fala e pela mastigação. Quando está presente um fator etiológico, este se relaciona à tonsilectomia. Clinicamente, a dor aumenta pela rotação da cabeça para o lado assintomático, pela palpação do pilar tonsilar, sendo eliminada transitoriamente pela sua infiltração local anestésica. Radiografia panorâmica ou tomografia computadorizada no plano frontal pode revelar a presença do processo estiloide alongado e, quando calcificado, o seu tipo e grau. O tratamento de eleição é o cirúrgico com a remoção deste.

Síndrome de Ernest • Síndrome que consiste no alongamento ou na calcificação do ligamento estilomandibular, que se caracteriza por disfagia, garganta irritada ou dor infra-auricular, difusa para a mandíbula, ATM e região temporal e cervical. A dor é unilateral, do tipo pulsátil, que pode aumentar com movimentos protrusivos, mastigatórios e pela palpação da fossa tonsilar. Tal patologia relaciona-se a trauma automobilístico ou mandibular. A dor pode ser aliviada pela infiltração local anestésica da loja tonsilar. Radiografia panorâmica ou tomografia computadorizada no plano frontal pode revelar a presença do processo estiloide alongado, o tipo e o grau de calcificação. O tratamento inicial constitui-se de dieta líquida e pastosa, diminuição dos movimentos mandibulares, uso de analgésicos, anti-inflamatórios, calor ou gelo local e acupuntura. Caso a resposta terapêutica seja insatisfatória, pode-se lançar mão de injeção local de corticoide associado a anestésico local junto ao ligamento estilomandibular.

Síndrome de Frey • Também conhecida como síndrome do auriculotemporal, do suor gustatório, síndrome de Dupuy, síndrome de Baillarger. Neuropatia vegetativa que apresenta como etiologia uma lesão do nervo auriculotemporal (NAT) ou uma irritação de suas fibras vegetativas ao longo de seu trajeto. Está associada, em recém-nascidos, ao emprego de fórceps durante o parto (trauma). Nos demais pacientes, está associada a abordagem cirúrgica como da glândula submandibular, retromandibular ou pré-auricular em fraturas da cabeça da mandíbula, em casos de parotidectomia, remoção da glândula submandibular e em paciente com diabete melito. Clinicamente observam-se hiperestesia, rubor, aumento de temperatura e sudorese na região de distribuição do nervo auriculotemporal e/ou do nervo auricular maior. É desencadeada por alimentação, sucção, ou simplesmente por ativação dos órgãos do sentido, como odor, visão e audição. O NAT é composto por diferentes fibras nervosas; aferentes, sensitivas e eferentes, vegetativas. A primeira recolhe a sensibilidade da porção posterior tanto medial como lateral da articulação temporomandibular, assim como sua propriocepção e nocicepção. É responsável também pela sensibilidade da orelha média, da membrana timpânica, do ligamento anterior do martelo, da porção anterior da cóclea, do meato acústico externo e da pele da região do pavilhão da orelha e temporal. A última compreende os componentes eferentes parassimpático e simpático da ATM, o parassimpático da glândula parótida, o componente simpático das artérias meníngea média, timpânica anterior, temporal superficial e, finalmente, do componente simpático e parassimpático das artérias da região temporal e do pavilhão auricular. O possível mecanismo envolvido na síndrome de Frey é uma injúria ao NAT que desencadeia uma regeneração anômala que une as fibras parassimpáticas com as simpáticas. Isso resulta em vasodilação e hiperidrose, ao contrário da produção de saliva. O tratamento inclui o emprego de fármacos anticolinérgicos de forma tópica e por via sistêmica, anti-histamínicos, radioterapia, quimioterapia e técnicas mais radicais, como a ressecção intracraniana do nervo glossofaríngeo e seus ramos anastomóticos. Atualmente tem-se empregado toxina botulínica do tipo A com excelente resultado.

Síndrome de Gradenigo • Complicação rara de otite média com otorreia purulenta, paralisia de nervo abducente e dor na área de inervação do nervo trigêmeo, principalmente dos ramos oftálmico e maxilar. A etiologia está relacionada com uma infecção que se dissemina da orelha média até o ápice da porção petrosa do osso temporal através das células ósseas aeradas. O tempo do início da otite até o envolvimento dos nervos cranianos pode variar de 7 a 60 dias. Os agentes patogênicos mais frequentes são *Streptococcus* hemolíticos, pneumococos e *Staphylococcus aureus*. Em casos crônicos pode-se encontrar *Pseudomonas aeruginosa*. O diagnóstico baseia-se na história associada à otoscopia, *swab* da secreção, análise do líquido cerebrospinal, tomografia computadorizada e ressonância magnética nuclear T1 e T2, com substância paramagnética. O tratamento inicial é conservador com uso de antibióticos de amplo espectro, ou antibiótico associado a miringotomia. Nos casos crônicos, ou quando a terapia conservadora não produziu bons resultados, opta-se pela mastoidectomia.

Síndrome paratrigeminal de Raeder • Dor unilateral, normalmente envolvendo a divisão oftálmica do V nervo craniano, localizada na região frontal e orbital, acometendo quase exclusivamente indivíduos do gênero masculino. Clinicamente, está presente uma paralisia oculossimpática (miose e semiptose palpebral). A dor tem um caráter constante, com duração de horas, estando envolvidos em sua gênese e/ou manutenção: trauma craniano, neoplasias da fossa média da base do crânio ou do seio cavernoso e dissecção da artéria carótida interna, entre outros. A terapêutica envolve a remoção do(s) fator(es) etiológico(s) e/ou emprego de analgésicos, anti-inflamatórios, corticosteroides, antidepressivos, relaxante muscular, bloqueio do gânglio esfenopalatino e cirurgia.

Síndrome pescoço-língua • Distúrbio raro no qual está presente uma dor unilateral na porção superior do pescoço que dura de segundos a minutos. Apresenta padrão heterotópico, referindo à orelha. Sobreposta à dor há parestesia ou sensação de movimento involuntário da metade ipsilateral da língua. A rotação súbita da cabeça gera o ataque no lado contralateral ao da rotação. Podem ainda ser observadas alterações sensoriais da orofaringe seguidas de disfagia. O possível mecanismo envolvido abrange a compressão do ramo ventral de C2 devido à subluxação da articulação atlantoaxial lateral, o que gera dor occipital. A estimulação das fibras aferentes da língua que trafegam por C2, com conexões entre o nervo lingual e o hipoglosso, ocasionam os sintomas sensitivos da língua. Grande parte dos indivíduos portadores dessa síndrome tem patologia significativa da articulação atlantoaxial, estando associada também em pacientes com artrite reumatoide ou lassidão articular congênita. O tratamento preconizado é o conservador, com emprego de analgésicos, relaxantes musculares, esteroides, antidepressivos, neuromoduladores, manipulação manual da região cervical, colar cervical e infiltrações locais.

Subluxação • Movimento do conjunto cabeça da mandíbula/disco, ou só da cabeça da mandíbula, além do tubérculo articular, sendo reduzido espontaneamente pelo próprio paciente. Quanto à etiologia, pode advir de ampla abertura bucal (bocejo), de hiperextensão do complexo disco/cabeça da mandíbula, além da translação máxima, gerando trismo muscular; a rotação posterior do disco impede o fechamento bucal. Pode advir, também, de alteração estrutural do tubérculo articular, em que seu declive posterior é inclinado e curto, ao passo que o declive anterior se apresenta alongado. Clinicamente, os pacientes relatam estalido (ruído seco) com desvio da linha média durante a abertura bucal, retornando, conforme a cabeça da mandíbula se mover sobre o tubérculo articular. O desvio é tanto mais visível quanto maior for a abertura bucal máxima. Não se verifica dor a não ser que se instale um quadro de sinovite, capsulite, ligamentite ou retrodiscite, ou quando tal movimento for frequente, podendo evoluir para deslocamento (travamento aberto). O tratamento é basicamente clínico com monitoração da abertura bucal pelo próprio paciente (reeducação).

SUNCT • Cefaleia rara cuja etiologia e fisiopatologia são mal compreendidas. Predomina em indivíduos do sexo masculino, numa proporção de 5:1, por volta dos 50 anos. Costuma ocorrer com maior frequência durante o dia, raramente à noite. Cada letra tem um significado em inglês: *Short-lasting* – cefaleia breve; *Unilateral* – unilateral; *Neuralgiform* – do tipo neuralgiforme; *Conjunctival injection* – com injeção conjuntival e *Tearing* – lacrimejamento. Ou seja, cefaleia neuralgiforme com crises de curta duração, unilateral, com injeção conjuntival e lacrimejamento. Caracteriza-se por crises de dor orbital, supraorbital ou temporal, em choque elétrico, em facada ou pulsátil, unilateral, que dura de 5 segundos a 4 minutos. Nas crises de dor, há aumento da pressão intraocular no lado sintomático e edema palpebral, porém não são observa-das alterações no diâmetro pupilar. Não há período refratário após as crises, sendo a dor deflagrada pelo estímulo de áreas-gatilho normalmente junto à primeira divisão do trigêmeo (oftálmico). A dor também pode ser desencadeada a partir de áreas localizadas fora do território trigeminal, como na região do pescoço, por certos movimentos. O tratamento farmacológico envolve o emprego de carbamazepina, oxcarbazepina, gapapentina, topiramato, lidocaína endovenosa, lamotrigina e corticosteroide. Caso o paciente não responda satisfatoriamente a essas terapias, pode-se lançar mão de técnicas neurocirúrgicas, como descompressão microvascular e microcompressão do gânglio trigeminal.

T

Tendinite retrofaríngea • Caracteriza-se por dor na região cervical posterior que se irradia para a região occipital ou para toda a extensão da cabeça. Pode ser agravada com a deglutição e com a hiperextensão e rotação da coluna cervical. O exame radiográfico pode revelar edema e diminutas calcificações nos tecidos moles pré-vertebrais entre C1 e C4. O tratamento consiste no emprego de anti-inflamatórios não esteroidais.

REFERÊNCIAS

1. Monzillo PH, Saab VM, Protti GG, SanvitoWL. Ophthalmoplegic migraine: case report. Arq Bras. Oftalmol. 2006;69(5):737-9.
2. International Headache Society. The international classification of headache disorders. 2nd ed. Cephalalgia. 2004;24(Suppl 1):S8-S160.
3. Grossmann E, Cousen TB, Grossmann TK, Berzin F. Neuralgia induzida por cavitação osteonecrótica. Revista Dor. 2012;13(2):156-64.

LEITURAS SUGERIDAS

Adelman JU, Adelman RD. Current options for the prevention and treatment of migraine. Clin Ther. 2001;23(6):772-88.

Adams WR, Spolnick KJ, Bouquot JE. Maxillofacial osteonecrosis in a patient with multiple facial pains. J Oral Pathol Med. 1999;28:423-32.

Al-Ammar A. Recurrent temporal petrositis. J Laryngol Otol. 2001;115(4):316-8.

Al-Hadithi BA, Mitchell J. The otic ganglion and its neural connections in the rat. J Anat. 1987;154:113-9.

Allam A, Schucknecht H. Pathology of petrositis. Laryngoscope.1968;78:1813-32.

Ardner WJ, Mccubbin JW. Auriculotemporal syndrome: gustatory sweating due to misdirection of regenerated nerve fibres. J Am Med Assoc. 1956; 160(4):272-7.

Bailey DR. Tension headache and bruxism in the sleep disordered patient. Cranio. 1990;8(2):174-82.

Beck SA, Burks AW, Woody RC. Auriculotemporal syndrome seen clinically as food allergy. Pediatrics. 1989;83(4):601-3.

Beloniel R, Sharav Y. SUNCT syndrome and literature review. Oral Surg. 1998;85:158-61.

Benoliel R, Sharav Y. Trigeminal neuralgia with lacrimation or SUNCT syndrome? Cephalalgia. 1998; 18(2):85-90.

Bendtsen L, Jensen R. Amitriptyline reduces myofascial tenderness in patients with chronic tension-type headache. Cephalalgia. 2000;20(6):603-10.

Leituras sugeridas

Bertolotti G, Vidotto G, Sanavio E, Frediani F. Psychological and emotional aspects and pain. Neurol Sci. 2003;24(2 Suppl):71-5.

Black DF, Dodick DW. Two cases of medically and surgically intractable SUNCT: a reason for caution and an argument for a central mechanism. Cephalalgia. 2002;22(3):201-4.

Bouquot JE, Roberts AM, Person P, Christian J. Neuralgia-inducing cavitational osteonecrosis (NICO): osteomyelitis in 224 jawbone samples from patients with facial neuralgias. Oral Surg Oral Med Oral Pathol. 1992;73(3):307-19.

Bouquot JE. In review of NICO (Neuralgia-Inducing Cavitational Osteonecrosis), the invisible "osteomyelitis" of the jaws. Proceedings of Parker Mahan International Conference on Facial Pain. Gainesville: Pantke Institute; 1994.

Bouquot JE, Christian J. Long-term effects of jawbone curettage on the pain of facial neuralgia. J Oral Maxillofac Surg. 1995;53(4):387-97.

Bouquot JE, Mcmahon RE. Ischemic osteonecrosis in facial pain syndromes: a review of NICO (neuralgia-inducing cavitational osteonecrosis) based on experience with more than 2,000 patients. TMDiary. 1996;8:32-9.

Bouquot JE, Lamarche MG. Ischemic osteonecrosis under fixed partial denture pontics: radiographic and microscopic features in 38 patients with chronic pain. J Prosthet Dent. 1999;81:148-58.

Bouquot JE, Mcmahon RE. Neuropathic pain in maxillofacial osteonecrosis. J Oral Maxillofac Surg. 2000; 58:1003-20.

Bouquot JE, Adams W, Spolnik K. Technetium-99 m MDP (tech99) radioisotope scans and bone biopsies in 56 patients with chronic facial pain. Oral Surg Oral Med Oral Pathol Oral Radiol Endod. 2001;92:543.

Brandt KD, Dieppe P, Radin E. Etiopathogenesis of osteoarthritis. Med Clin North Am. 2009;93(1):1-24.

Burton MJ, Brochwick-Lewinski M. Lucia Frey and the auriculotemporal nerve syndrome. J of the Royal Soc of Medic. 1991;84:619-20.

Celik SE, Kocaeli H, Cordan T, Bekar A. Trigeminal neuralgia due to cerebellopontine angle lipoma. Case illustration. J Neurosurg. 2000;92(5):889.

Carlson CR, Okeson JP, Falace DA, Nitz AJ, Curran SL, Anderson D. Comparison of psychologic and physiologic functioning between patients with masticatory muscle pain and matched controls. J Orofac Pain. 1993;7(1):15-22.

Carlson C, Bertrand P, Ehrlich AD, Maxwell AW, Burton RG. Physical self-regulation training for the management of temporomandibular disorders. J Orofac Pain. 2001;15(1):47-55.

Chole R, Donald P. Petrous apicitis: clinical considerations. Ann Otol Rhinol Laryngol. 1983;92:544-51.

Clayman MA, Clayman SM, Seagle MB. A review of the surgical and medical management of Frey Syndrome. Ann Plast Surg. 2006;57:581-4.

Collares MV, Grossmann E. Long-lasting bilateral dislocation of the temporomandibular joint. Braz J Craniomaxillofacial Surg. 2000;3:29-32.

Dalessio DJ, Silberstein SD. Wolff's headache and other head pain. 6th ed. New York: Oxford University Press; 1993.

Davé A, Diaz-Marchan P, Lee A. Clinical and magnetic ressonance imaging features of gradenigo syndrome. Am J Ophtalmol 1997;124(4):568-70.

De Leeuw R. Orofacial pain: guidelines for classification, assessment, and management. 4th ed. Chicago: Quintessence; 2008.

Devor M, Amir R, Rappaport ZH. Pathophysiology of trigeminal neuralgia: the ignition hypothesis. Clin J Pain. 2002;18(1):4-13.

Dizon MV, Fisher G, Jopp-Mckay A, Treadwell PW, Paller AS. Localized facial flushing in infancy. Auriculotemporal nerve (Frey) syndrome. Arch Dermatol. 1997;133(9):1143-5.

Drummond PD, Boyce GM, Lance JW. Postherpetic gustatory flushing and sweating. Ann Neurol. 1987; 21:559-63.

Dunbar EM, Singer TW, Singer K, Knight H, Lanska D, Okun MS. Understanding gustatory sweating. What have we learned from Lucja Frey and her predecessors? Clin Auton Res 2002; 12(3):179-84.

Ekström J. Non-adrenergic, non-cholinergic reflex secretion of parotid saliva in rats elicited by mastication and acid applied on the tongue. Exp Physiol. 1998;83:697-700.

Leituras sugeridas

Ekström J, Emmelin N. The secretory innervation of the parotid gland of the cat: an unexpected component. Q J Exp Physiol Cogn Med Sci. 1974;59:11-7.

Eliav E, Herzberg U, Ruda MA, Bennett GJ. Neuropathic pain from an experimental neuritis of the rat sciatic nerve. Pain. 1999;83(2):169-82.

Eliav E, Kamran B, Schaham R, Czerniski R, Gracely RH, Benoliel R. Evidence of chorda tympani dysfunction in patients with burning mouth syndrome. J Am Dent Assoc. 2007;138(5):628-33.

Emmelin N. Degeneration secretion from parotid glands after section of the auriculotemporal nerves at different levels. J Physiol. 1968;195:407-18.

Emmelin N. Nerve interactions in salivary glands. J Dent Res. 1987;66:509-17.

Fernández PR, De Vasconsellos HA, Okeson JP, Bastos RL, Maia ML. The anatomical relationship between the position of the auriculotemporal nerve and mandibular condyle. Cranio. 2003;21(3):165-71.

Fields HL, Rowbotham M, Baron R. Postherpetic neuralgia: irritable nociceptors and deafferentation. Neurobiol Dis. 1998;5(4):209-27.

Fiske J, Griffiths J, Thompson S. Multiple sclerosis and oral care. Dent Update. 2002;29(6):273-83.

Gillanders D. Gradenigo's syndrome revisited. J Otolaryngol. 1983;12(3):169-74.

Gilron I, Bailey JM, Tu D, Holden RR, Jackson AC, Houlden RL. Nortriptyline and gabapentin, alone and in combination for neuropathic pain: a double-blind, randomised controlled crossover trial. Lancet. 2009; 374(9697):1252-61.

Glaros AG, Burton E. Parafunctional clenching, pain, and effort in temporomandibular disorders. J Behav Med. 2004;27(1):91-100.

Glueck CJ, McMahon RE, Bouquot JE, Stroop D, Tracy T, Wang P, et al. Thrombophilia, hypofibrinolysis and osteonecrosis of the jaws. Oral Surg Oral Med Oral Pathol Oral Radiol Endod. 1996; 81(5):557-66.

Glueck CJ, McMahon RE, Bouquot JE, Khan NA, Wang P. T-786C polymorphism of the endothelial nitric oxide synthase gene and neuralgia-inducing cavitational osteonecrosis of the jaws. Oral Surg Oral Med Oral Pathol Oral Radiol Endod. 2010;109(4):548-53.

Glueck CJ, McMahon R, Bouquot J, Tracy T, Sieve-Smith L, Wang P. A preliminary pilot study of treatment of thrombophilia and hypofibrinolysis and amelioration of the pain of osteonecrosis of the jaws. Oral Surg Oral Med Oral Pathol Oral Radiol Endod. 1998;85(1):64-73.

Glueck CJ, McMahon RE, Bouquot JE, Triplett D, Gruppo R, Wang P. Heterozygosity for the Leiden mutation V gene, a common pathoetiology for osteonecrosis of the jaw with thrombophilia augmented by exogenous estrogens. J Lab Clin Med. 1997; 130(5):540-3.

Goadsby PJ, Matharu MS, Boes CJ. SUNCT syndrome or trigeminal neuralgia with lacrimation. Cephalalgia. 2001;21:82-3.

Goldstein BH, Epstein JE. Unconventional dentistry: part IV unconventional dental practices and products. J Can Dent Assoc. 2000;66:564-8.

Goldstein DS, Pechnik S, Moak J, Eldadah B. Painful sweating. Neurology. 2004;63(8):1471-5.

Gomez-Arguelles JM, Dorado R, Sepulveda JM, Herrera A, Arrojo FG, Aragón E, et al. Oxcarbazepine monotherapy in carbamazepine-unresponsive trigeminal neuralgia. J Clin Neurosci. 2008;15(5):516-9.

Gordon AB, Fiddian RV. Frey's syndrome after parotid surgery. Am J Surg. 1976;132:54-8.

Graaf J, Cats H, De Jager A. Gradenigo's syndrome: a rare complication of otitis media. Clin Neurol Neurosurg. 1988;90(3):237-9.

Graff-Radford SB, Solberg WK. Atypical odontalgia. J Craniomandib Disord. 1992;6(4):260-5.

Griffiths RH. Report of the president's conference on examination, diagnosis and management or temporomandibular disorders. J Am Dent Assoc. 1983; 06:75-7.

Grossmann E, Primo BT, Cardinal L. Ramsay hunt syndrome: a case report. Intern J Dent. 2011;10:42-4.

Grossmann E, Grossmann TK. Cirurgia da articulação temporomandibular. Rev Dor. 2011;12:152-9.

Grossmann E. Exame do paciente com disfunção temporomandibular. Âmbito Hospitalar. 2011;207:37-43.

Grossmann E. Dor facial; diagnóstico e tratamento. Âmbito Hospitalar. 2009;01:67-75.

Grossmann E. Glossário de cabeça e pescoço. São Paulo: Quintessence; 2008.

Grossmann E, Collares MV. Odontalgia associate to the myofascial pain and dysfunction. Braz J of Craniomaxillof Surg. 2006;9:19-24.

Grossmann E. Neuralgia trigeminal simulando a síndrome de dor e disfunção miofascial. Revista Dor. 2004;5:379-84.

Grossmann E. Hiperplasia do processo coronóide da mandíbula. Revista Dor. 2001;32:69-72.

Grossmann E. Luxação aguda da articulação temporomandibular em paciente portador de síndrome da imunodeficiência adquirida. Rev Simbidor. 2001; 2:97-100.

Grossmann E, Collares MV. Minimally invasive therapy in the treatment of disk displacement without reduction: mandibular manipulation assisted by increased hydraulic pressure. Braz J Craniomaxill Surg. 2001;4:22-8.

Grossmann E. O uso de atrocentese e da lavagem articulação temporomandibular em pacientes com deslocamento anterior do disco sem redução. Rev Dor. 2001;3:97-102.

Grossmann E. O uso de toxina botulínica: a no tratamento de ponto gatilho miofascial localizado no feixe inferior do músculo pterigóideo lateral. Rev Dor. 2001;3:132-4.

Grossmann E. Uma proposta de um curso de pósgraduação em dor orofacial e disfunção temporomandibular. JBA. 2001;3:258-62.

Grossmann E, Collares MV. Arthrocentesis and lavage in the treatment of articular disk displacement without reduction. Braz J Craniomaxillof Surg. 2000;3:27-31.

Grossmann E, Martelete M. Use of 2% lidocaine hydrocloride without vasoconstrictor in the treatment of posttraumatic myofascial pain dysfunction syndrome. Braz Endod J. 2000;4:33-6.

Grossmann E. Uso de manipulação assistida com aumento de pressão hidrostática no tratamento de deslocamento irredutível do disco articular. Revista Dor. 2000;2:12-7.

Grossmann E, Martelete M, Collares MV. Eagle's syndrome associated with an accidental fracture of the styloid process: a case report. Braz J Craniomaxillof Surg. 1999;2:25-7.

Grossmann E, Volkweis MR, Flores JA. Luxação anterior irredutível do disco articular: uma nova proposta terapêutica. Revista Gaúcha de Odontologia. 1998; 46:50-4.

Grossmann E, Martelete M. Trigeminal neuralgia (Tic Douloreux) mimicking toothache. Braz Endod J. 1998;3:55-8.

Grossmann E, Paiano G. Eagle's syndrome: a case report. Cranio. 1998;16(2):126-30.

Grossmann E, Collares MV, Silva AL. Neuralgia trigeminal: relato de um caso com duração de vinte anos. Revista de Medicina ATM. 1997;3:199-201.

Grossmann E, Fabiano RP, Girard L. Odontalgia atípica: relato de caso. Alcance (UNIVALI). 1997;3:65-7.

Grossmann E. Tratamento clínico de luxação medial irredutível de disco articular. Revista da Faculdade de Odontologia de Universidade de Passo Fundo. 1997; 2:17-22.

Gruppo R, Glueck CJ, McMahon RE, Bouquot J, Rabinovich BA, Becker A, et al. The pathophysiology of osteonecrosis of the jaw: anticardiolipin antibodies, thrombophilia, and hypofibrinolysis. J Lab Clin Med. 1996;127(5):481-8.

Grushka M. Clinical features of burning mouth syndrome. Oral Surg Oral Med Oral Pathol. 1987;63(1):30-6.

Grushka M, Epstein JB, Gorsky M. Burning mouth syndrome: differential diagnosis. Dermatol Ther. 2002;15:287-91.

Grushka M, Bartoshuk L. Burning mouth syndrome and oral dysesthesias. Can J Diag. 2000;17(1):99-109.

Grushka M, Ching VW, Epstein JB, Gorsky M. Radiographic and clinical features of temporomandibular dysfunction in patients following indirect trauma: a retrospective study. Oral Surg Oral Med Oral Pathol Oral Radiol Endod. 2007;104(6):772-80.

Gulekon N, Anil A, Poyraz A, Peker T, Turgut HB, Karaköse M. Variations in the anatomy of the auriculotemporal nerve. Clin Anat. 2005;18(1):15-31.

Gutierrez-Garcia JM. SUNCT syndrome responsive to lamotrigine. Headache. 2002;42;823-5.

Leituras sugeridas

Gutierrez LM, Grossmann TK, Grossmann E. Deslocamento anterior da cabeça da mandíbula: diagnóstico e tratamento. Revista Dor. 2011;2:64-70.

Haanpaa ML, Gourlay GK, Kent JL, Miaskowski C, Raja SN, Schmader KE, et al. Treatment considerations for patients with neuropathic pain and other medical comorbidities. Mayo Clin Proc. 2010;85 (3 Suppl):S15-25.

Hannerz J, Lindderoth B. Neurosurgical treatment of short-lasting, unilateral, neuralgiform hemicrania with conjunctival injection and tearing. Headache. 2003;43:429.

Hardjasudarma M, Edwards R, Ganley J, Aarstad RF. Magnetic resonance imaging features of Gradenigo's syndrome. Am J Otolaryngol. 1995;16(4):247-50.

Hawkes C. Anatomy and physiology of the taste. In: Hawkes C. Smell and taste complaints. London: Elsevier; 2002. p. 123-31.

Holte KA, Vasseljen O, Westgaard RH. Exploring perceived tension as a response to psychosocial work stress. Scand J Work Environ Health. 2003;29(2):124-33.

Homer J, Johnson I, Jones NS. Middle ear infection and sixth nerve palsy. J Laryngol Otol. 1996;110(9):872-4.

Ito J, Oyagi S, Honji I. Autonomic innervation in the middle ear and pharynx. Acta Otolaryngol Suppl. 1993;506:90-3.

Iversen HK, Langemark M, Andersson PG, Hansen PE, Olesen J. Clinical characteristics of migraine and tension-type headache in relation to new and old diagnostic criteria. Headache 1990;30(8):514-9.

Jensen TS, Madsen CS, Finnerup NB. Pharmacology and treatment of neuropathic pains. Curr Opin Neurol. 2009;22(5):467-74.

Johnson IJ, Birchall JP. Bilateral auriculotemporal syndrome in childhood. Int J Pediatr Otorhinolaryngol. 1995;32:83-6.

Klasser GD, Okeson JP. The clinical usefulness of surface electromyography in the diagnosis and treatment of temporomandibular disorders. J Am Dent Assoc. 2006;137(6):763-71.

Kruszewski P, Fasano ML, Brubakk AO, Shen JM, Sand T, Sjaastad O. Short-lasting, unilateral, neuralgiform headache attacks with conjunctival injection, tearing, and sub-clinical forehead sweating ("Sunct" syndrome): II. Changes in heart rate and arterial blood pressure during pain paroxysms. Headache. 1991;31(6):399-405.

Labarta N, Olaguibel JM, Gómez B, Lizaso MT, García BE, Echechipia S, et al. Síndrome del nervio auriculotemporal. Diagnóstico diferencial con alergia alimentaria. Alergol Inmunol Clin. 2002;17:223-6.

Laccourreye O, Muscatello L, Gutierrez-Fonseca R, Seckin S, Brasnu D, Bonan B. Severe Frey syndrome after parotidectomy: treatment with botulinum neurotoxin type A. Ann Otolaryngol Chir Cervicofac. 1999;116(3):137-42.

Lain AH, Caminero AB, Pareja JA. SUNCT syndrome; absence of refractory periods and modulation of attack duration by lengthening of the trigger stimuli. Cephalalgia. 2000;20:671-3.

Lambert GA, Zagami AS. The mode of action of migraine triggers: a hypothesis. Headache. 2009;49(2): 253-75.

Lamey PJ, Lamb AB, Lamey PJ. Prospective study of aetiological factors in burning mouth syndrome. Br Med J. 1988;296(6631):1243-6.

Landis BN, Scheibe M, Weber C, Berger R, Brämerson A, Bende M, et al. Chemosensory interaction: acquired olfactory impairment is associated with decreased taste function. J Neurol. 2010;257(8):1303-8.

Laskawi R, Drobick C, Schonebeck C. Up-to-date report of botulinum toxin type A treatment in patients with gustatory sweating (Frey's syndrome). Laryngoscope. 1998;108:381-4.

Lipton RB, Bigal ME, Steiner TJ, Silberstein SD, Olesen J. Classification of primary headaches. Neurology. 2004;63(3):427-35.

Lipton RB, Bigal ME, Diamond M, Freitag F, Reed ML, Stewart WF. Migraine prevalence, disease burden, and the need for preventive therapy. Neurology. 2007;68(5):343-9.

Llanos De La Torre M, Vázquez Doval FJ. Síndrome de Frey o síndrome del nervio auriculotemporal. Ped Rur Ext. 2004;34(318):45-6.

Love S, Coakham HB. Trigeminal neuralgia: pathology and pathogenesis. Brain. 2001;124(Pt 12):2347-60.

Lund JP, Widmer CG. An evaluation of the use of surface electromyography in the diagnosis, documentation, and treatment of dental patients. J Craniomandib Disord. 1988;3:125-37.

McMahon RE, Bouquot JE, Glueck CJ. Exogenous estrogen may exacerbate thrombophilia, impair bone healing and contribute to development of chronic facial pain. J Craniomand Pract. 1998;16:143-53.

Marianowski R, Rocton S, Aimer J, Morisseau-Durand MP, Manach Y. Conservative management of Gradenigo syndrome in a child. Int J Pediatr Otorhinolaryngol. 2001;57(1):79-83.

Martis C, Athanassiades S. Auriculotemporal syndrome (Frey's syndrome), secondary to the fracture of the mandibular condyle. Plast Reconstr Surg. 1969;44:602-3.

McArdle MJ. Atypical facial neuralgia. In: Hassler R, Walker AE, editors. Trigeminal neuralgia: pathogenesis und pathophysiology. Stuttgart: Thieme Verlag; 1970. p. 35-42.

Mellor TK, Shaw RJ. Frey's syndrome following fracture of the mandibular condyle: case report and literature review. Injury. 1996;5:359-60.

Mense S. The pathogenesis of muscle pain. Curr Pain Headache Rep. 2003;7(6):419-25.

Milam SB, Zardeneta G, Schmitz JP. Oxidative stress and degenerative temporomandibular joint disease: a proposed hypothesis. J Oral Maxillofac Surg. 1998;56(2):214-23.

Minotti A, Kountakis S. Management of abducens palsy in patients with petrositis. Ann Otol Rhinol Laryngol. 1999;108:897-902.

Molina OF, Santos Junior J, Nelson S, Grossmann E. Prevalence of modalities of headaches and bruxism among patients with craniomandibular disorders. Cranio. 1997;15(4):314-25.

Moreno-Arias GA, Grimalt R, Llusa M, Cadavid J, Otal C, Ferrando J. Frey's syndrome. J Pediatr. 2001;138(4):246.

Motamed M, Kalan A. Gradenigo's syndrome. Postgrad Med J. 2000;76:559-60.

Mulleners WM, Chronicle EP. Anticonvulsants in migraine prophylaxis: a cochrane review. Cephalalgia. 2008;28(6):585-97.

Murakami T, Tsubaki J, Tahara Y, Nagashima T. Gradenigo's syndrome: CT and MRI findings. Pediatr Radiol. 1996;26(9):684-5.

Nasreddine W, Beydoun A. Oxcarbazepine in neuropathic pain. Expert Opin Investig Drugs. 2007;16(10):1615-25.

Neville BW, Damm DD, Allen CM. Long-term effects of jawbone curettage on the pain of facial neuralgia. J Oral Maxillofac Surg. 1995;53(4):387-97.

Nitzan DW. Friction and adhesive forces'–possible underlying causes for temporomandibular joint internal derangement. Cells Tissues Organs. 2003;174(1-2):6-16.

Nordenfelt I. On the sympathetic innervation of the parotid gland of the cat. Q J Exp Physiol Cogn Med Sci. 1965;50:62-4.

Okeson JP. Management of temporomandibular disorders and occlusion. 6th ed. St Louis: Elsevier; 2008.

Olesen JG, Ramandon N, Tfelt-Hansen P, editors. The headaches. 3rd ed. Philadelphia: Lippincott, Williams and Wilkins; 2006.

Olesen J. The international classification for headache disorders. Cephalalgia. 2004;24(1 Suppl):1-160.

Olesen J, Lipton RB. Headache classification update 2004. Curr Opin Neurol. 2004;17(3):275-82.

Oleson J, Tfelt-Hansen P, Welch KM. The headaches. 2nd ed. Philadelphia: Lippincott, Williams and Wilkins; 1999.

Ozge A, Ozge C, Kaleagasi H, Yalin OO, Unal O, Özgür ES. Headache in patients with chronic obstructive pulmonary disease: effects of chronic hypoxaemia. J Headache Pain. 2006;7(1):37-43.

Pareja JA, Sjaastad O. SUNCT syndrome in the female. Headache. 1994;34:217-20.

Pareja J, Caminero A, Sjaastad O. SUNCT syndrome: diagnosis and treatment. Headache. 2003;43:306.

Pareja JA, Sjaastad O. SUNCT syndrome: a clinical review. Headache. 1997;37:195-202.

Pareja JA, Shen JM, Kruszewski P, Caballero V, Pamo M, Sjaastad O. SUNCT syndrome: duration, frequency, and temporal distribution of attacks. Headache. 1996;36(3):161-5.

Pareja JA, Caminero AB, Sjaastad O. SUNCT syndrome: diagnosis and treatment. CNS Drugs. 2002;16:373-83.

Pareja JA, Joubert J, Sjaastad O. SUNCT syndrome. Atypical temporal patterns. Headache. 1996;36:108-10.

Leituras sugeridas

Porta-Etessam J, Benito-Leon J, Martinez-Salio A, Berbel A. Gabapentin in the treatment of SUNCT syndrome. Headache. 2002;42:523-4.

Porta-Etessam J, Martinez-Salio A, Berbel A, Benito-Leon J. Gabapentin (neuronetin) in the treatment of SUNCT syndrome. Cephalalgia. 2002; 22(3):249.

Rasmussen BK, Jensen R, Olesen J. A population-based analysis of the criteria of the International Headache Society. Cephalalgia. 1991;11:129-34.

Ratner EJ, Person P, Kleinman DJ, Shklar G, Socransky SS. Jawbone cavities and trigeminal and atypical facial neuralgias. Oral Surg. 1979;48(1):3-20.

Ratner EJ, Langer B, Evins ML. Alveolar cavitational osteopathosis: manifestations of an infectious process and its implications in the causation of chronic pain. J Periodontol. 1996;57: 593-603.

Reche M, Garcia MC, Boyano T. Syndrome auriculotemporal. Allergol Immunopatho. 2001;29:33-4.

Roberts AM, Person P. Etiology and management of idiopathic trigeminal and atypical facial neuralgias. Oral Surg. 1979;48:298-308.

Roberts AM, Person P, Chandran NB, Hori JM. Further observations on dental parameters of trigeminal and atypical facial neuralgias. Oral Surg Oral Med Oral Pathol. 1984;58(2):121-9.

Ruocco I, Cuello AC, Parent A, Ribeiro-da-Silva A. Skin blood vessels are simultaneosly innervated by sensory, sympathetic, and parasympathetic fibers. J Comp Neurol. 2002;448(4):323-36.

Russell MB, Olesen J. A nosographic analysis of the migraine aura in a general population. Brain. 1996;119(Pt 2):355-61.

Santos RC, Chagas JF, Bezerra TF, Baptistella JE, Pagani MA, Melo AR. Frey syndrome prevalence after partial parotidectomy. Braz J Otorhinolaryngol. 2006;72(1):112-5.

Sardella A. An up-to-date view on burning mouth syndrome. Minerva Stomatol. 2007;56(6):327-40.

Sardella A, Lodi G, Demarosi F. Burning mouth syndrome: a retrospective study investigating spontaneous remission and response to treatments. Oral Dis. 2006;12(2):152-5.

Schmidt BL, Pogrel MA, Necoechea M. The distribution of the auriculotemporal nerve around the temporomandibular joint. Oral Surg Oral Med Oral Pathol Oral Radiol Endod.1998;86:165-8.

Schwaag S, Frese A, Husstedt IW, Evers S. SUNCT syndrome: the first German case series. Cephalalgia. 2003;23(5):398-400.

Sesso RM. SUNCT syndrome or trigeminal neuralgia with lacrimation and conjunctival injection? Cephalalgia. 2001;21:151-3.

Ship JA, Grushka M, Lipton JA, Mott AE, Sessle BJ, Dionne RA. Burning mouth syndrome: an update. J Am Dent Assoc. 1995;126(7):842-53.

Sicherer SH, Sampson HA. Auriculotemporal syndrome: a masquerader of food allergy. J Allergy Clin Immunol. 1996;97:851-2.

Silberstein SD. Practice parameter: evidence-based guidelines for migraine headache (an evidence-based review): report of the Quality Standards Subcommittee of the American Academy of Neurology. Neurology. 2000;55(6):754-62.

Simons DG, Travell JG, Simons LS. Pain and dysfunction: a trigger point manual. 2nd ed. Baltimore: Williams & Wilkins; 1999.

Sjaastad O, Zhao JM, Kruszewski P, Stovner LJ. Short-lasting unilateral neuralgiform headache attacks with conjunctival injection, tearing .(SUNCT): III. Another Norwegian case. Headache. 1991;31(3):175-7.

Sood S, Bradley PJ. Parotid surgery and Frey syndrome. Arch Otolaringol Head Neck Surg. 2000; 126:1168.

Suarez P, Clark GT. Burning mouth syndrome: an update on diagnosis and treatment methods. J Calif Dent Assoc. 2006;34(8):611-22.

Svensson P, Kaaber S. General health factors and denture function in patients with burning mouth syndrome and matched control subjects. J Oral Rehabil. 1995;22(12):887-95.

Sverzut CE, Trivellato AE, Serra EC, Ferraz EP, Sverzut AT. Frey's syndrome after condylar fracture: case report. Braz Dent J. 2004;15(2):159-62.

Swanson KS, Laskin DM, Campbell RL. Auriculotemporal syndrome following the preauricular approach to the temporomandibular joint surgery. J Oral Maxillofac Surg. 1991;49:680-2.

Torres TS, Lucena Neto B, Silva GO, Silva AJ. Anatomía quirúrgica del nervio auriculotemporal en el acceso preauricular. Int J Morphol. 2004;22(4):327-30.

Tuinzing DB, van der Kwast WA. Frey's syndrome: a complication after sagittal splitting of the mandibular ramus. Int J Oral Surg. 1982;11:197-200.

Tutuncuoglu S, Urann, Kavas I, Ozgur T. Gradenigo syndrome: a case report. Pediatr Radiol. 1993;23:556.

Upadhyay UD, Holbrook EH. Olfactory loss as a result of toxic exposure. Otolaryngol Clin North Am. 2004;37(6):1185-207.

Utrata J. Gradenigo's syndrome: bilateral occurence. Eye Ear Nose Throat Mon. 1973;52:54-6.

van Seventer R, Feister HA, Young JP Jr. Efficacy and tolerability of twicedaily pregabalin for treating pain and related sleep interference in postherpetic neuralgia: a 13-week, randomized trial. Curr Med Res Opin. 2006;22(2):375-84.

von Lindern JJ, Niederhagen B, Bergé S. Treatment of Frey's syndrome with type A botulinum toxin: Case report. J Oral Maxillofac Surg. 2000;58:1411-14.

Yanagisawa K, Bartoshuk LM, Catalanotto FA, Karrer TA, Kveton JF. Anesthesia of the chorda tympani nerve and taste phantoms. Physiol Behav. 1997; 63(3):329-35.

Yun PY, Kim YK. The role of facial trauma as a possible etiologic factor in temporomandibular joint disorder. J Oral Maxillofac Surg. 2005;63(11):1576-83.

Zhang ZK, Ma XC, Gao S, Gu ZY, Fu KY. Studies on contributing factors in temporomandibular disorders. Chin J Dent Res. 1999;2(3-4):7-20.

Zöller J, Herrmann A, Maier H. Frey's syndrome secondary to a subcondylar fracture. Otolaryngology. 1993;8:751-3.

Walters WE, Silberstein SD, Dalessio DJ. Inheritance and epidemiology of headache. In: Dalessio DJ, Silberstein SD, editors. Wolff's headache and other head pain. 6th ed. New York: Oxford University Press; 1993. p. 42-58.

Williamson DJ, Hargreaves RJ. Neurogenic inflammation in the context of migraine. Microsc Res Tech. 2001;53(3):167-78.

Woody R. The role of Computerized Tomographic scan in the management of Gradenigo's syndrome: a case report. Pediatr Infect Dis. 1984;3(6):595-7.

Capítulo 6

TERAPÊUTICA FARMACOLÓGICA

Helson José de Paiva
Eduardo Grossmann
Angela Maria Fernandes Vieira de Paiva
Florentino Fernandes Mendes

ANALGÉSICOS

Tanto os analgésicos opioides quanto os não opioides são usados para reduzir a dor associada às DTM. Podem ser adotados para tratar tanto a dor leve como a dor moderada. A aspirina, que inibe a síntese das prostaglandinas, é para alguns estudiosos o protótipo desse tipo de droga.

ANALGÉSICOS E ANTI-INFLAMATÓRIOS DE AÇÃO PERIFÉRICA – AINES

Propriedades gerais

Os analgésicos e os anti-inflamatórios não esteroidais compreendem um grupo de drogas com estruturas diversas, efeitos terapêuticos semelhantes, boa eficácia oral e efeitos colaterais similares. Eles são mais bem tolerados pelos pacientes ambulatoriais que as drogas opioides, têm menos efeitos colaterais sedativos e não apresentam risco de causar dependência ou resultar em tolerância. Por outro lado, as consequências da administração dos Aines por longo tempo são reconhecidas e comprometem em especial os sistemas gastrintestinal e renal e, mais recentemente, com o advento dos bloqueadores seletivos da COX_2, evidenciaram-se os riscos cardiovasculares associados ao uso crônico dos Aines. Os Aines apresentam eficácia analgésica quando usados para o tratamento de condições inflamatórias leves a moderadas, para o tratamento da dor aguda pós-operatória; podem ser efetivos no tratamento da dor artrogênica temporomandibular.[1] Os Aines podem oferecer um bom controle nas dores musculoesqueléticas associadas à DTM, entretanto, assim como outras medicações, essas drogas só fornecem alívio sintomático e não detêm a progressão da lesão do tecido comprometido, com a possível exceção da doença articular inflamatória aguda.[2]

De modo geral os Aines têm se mostrado eficazes no tratamento da dor oriunda da artrite reumatoide, de artropatias soronegativas e da osteoartrite. São ainda empregados no tratamento da síndrome de dor miofascial e em lesões musculares. Para o alívio de suas dores, quase todos os pacientes fibromiálgicos usam periodicamente anti-inflamatórios associados a outras modalidades terapêuticas. A dipirona e o paracetamol, por exemplo, contribuem para o alívio da dor dos pacientes com fibromialgia, em particular, quando associados ao tramadol. **Nos casos de dores neuropáticas**, o uso isolado dos anti-inflamatórios normalmente não tem efeito no controle da dor; todavia, eles podem ser utilizados em associação com outras drogas. **Em pacientes sensíveis** ou com asma brônquica, o emprego dos anti-inflamatórios pode desencadear crises. Nos casos de pacientes com hipertensão arterial e insuficiência cardíaca, os Aines podem piorar o quadro clínico por retenção de sódio e água. **Os efeitos adversos gastrintestinais** são os mais comuns associados ao uso dos Aines. Estes também podem provocar efeitos nocivos à função renal. Embora a lesão renal seja rara, na ausência de fatores predisponentes, ela pode ocorrer com o uso prolongado dos Aines. De modo geral, **os Aines aumentam o risco de eventos cardiovasculares** em diferentes amplitudes. Entre as suas complicações cardiovasculares são citadas: hipertensão arterial, taquicardia, arritmias, edema e insuficiência cardíaca congestiva. Os Aines exercem tanto a atividade analgésica quanto a antipirética e anti-inflamatória. São indicados para o alívio da dor leve ou moderada, aguda ou crônica. Para a dor intensa são recomendados em associação com outras drogas. Associados aos opioides, por apresentarem efeito aditivo, reduzem a dose necessária para obter o efeito analgésico reduzindo, com isso, os efeitos adversos associados a essa classe de analgésicos. **Apresentam dose-teto para agir efetivamente**, isto é, sua administração em doses superiores às preconizadas não proporciona analgesia suplementar e, como propriedade indesejada, aumentam a incidência dos seus efeitos colaterais. **Uma das principais vantagens** dos anti-inflamatórios é que, mesmo quando usados por um período prolongado, não causam dependência física ou psíquica. Também não provocam depressão respiratória. Têm início de ação rápido (15 a 30 minutos), com efeito máximo entre 30 minutos e 3 horas. Em geral, são absorvidos rápida e extensivamente quando administrados por via oral, sendo a maioria deles absorvido no estômago.

O tempo de ação dos Aines gira em torno de 3 a 7 horas. Os Aines de meia-vida curta (menor do que 6 horas) são: a aspirina, o diclofenaco, o ibuprofeno, a indometacina, o cetoprofeno e o cetorolaco. Os de meia-vida longa (maior do que 10 horas) são: o naproxeno, a fenilbutazona, o piroxicam e o tenoxicam. **O efeito analgésico dos anti-inflamatórios** ocorre por bloqueio da cicloxigenase (COX), com consequente inibição da síntese de prostaglandinas, provocando diminuição da intensidade do processo inflamatório e da nocicepção periférica. Os anti-inflamatórios inibem tanto a COX_1 como a COX_2, porém com intensidades diferentes. **São eficazes, principalmente, no tratamento da dor associada à inflamação ou à lesão tecidual**, visto que diminuem a produção das prostaglandinas, as quais sensibilizam os mediadores da inflamação, como a bradicinina. Os pacientes que usam Aines, de forma crônica, correm o risco, cerca de 3 vezes maior, de sofrer efeitos gastrintestinais, em comparação com os não usuários. De modo geral, **os Aines difundem-se lentamente no líquido sinovial** e permanecem em concentrações razoavelmente estáveis no plasma (em torno de 60%); podem ter efeito tanto no sistema nervoso central (SNC) quanto no sistema nervoso periférico; aliviam a dor por intermédio de diversos mecanismos, entre os quais se destacam o bloqueio da síntese e da ação de substâncias que ativam e sensibilizam o sistema nervoso.

Acetaminofeno • Um derivado do aminofenol que produz um efeito analgésico semelhante ao do ácido acetilsalicílico. É um analgésico bastante eficaz e seguro, com pequena interação em doses de até 4 g/dia. Não tem efeito anti-inflamatório, não causa lesão gástrica e raramente produz toxicidade renal, podendo ser adotado em pacientes com insuficiência renal. Sua complicação mais grave nos casos de sobredose é a hepatotoxicidade. **Ações terapêuticas:** antipirético e analgésico. **Propriedades:** sua eficácia clínica como analgésico e antipirético é similar à dos anti-inflamatórios não esteroidais ácidos. É **absorvido** com rapidez e, quase completamente, no trato gastrintestinal. A **concentração plasmática** é alcançada no máximo em 30 a 60 minutos e a **meia-vida** é de aproximadamente 2 horas. A **eliminação** é produzida por biotransformação hepática por meio da conjugação com ácido glicurônico (60%), com ácido sulfúrico (35%) ou cisteína (3%). **Indicações:** cefaleia, odontalgia e febre. **Posologia:** adultos: 500 a 1.000 mg/vez, sem ultrapassar os 4 g/dia. Crianças: 30 mg/kg/dia. **Reações adversas:** geralmente é bem tolerado. Não foi descrita produção de irritação gástrica, nem capacidade ulcerogênica. Em raras ocasiões, apresentaram-se erupções cutâneas e outras reações alérgicas. Outros efeitos que podem se manifestar são necrose tubular renal e coma hipoglicêmico. O efeito adverso mais grave descrito, com a superdosagem aguda, é necrose hepática, que é dose-dependente e potencialmente fatal. A necrose hepática (e a tubular renal) é o resultado de um desequilíbrio entre a produção do metabólito altamente reativo e a disponibilidade de glutationa. **Precauções:** deve-se medicar com cuidado nos casos de pacientes alcoólicos, nos tratados com indutores enzimáticos ou com drogas consumidoras de glutationa (doxorrubicina). Em pacientes alérgicos ao ácido acetilsalicílico, o paracetamol pode provocar reações alérgicas tipo broncospasmo. **Interações:** a associação com outros fármacos anti-inflamatórios não esteroidais pode potencializar os efeitos terapêuticos, bem como os tóxicos. **Contraindicações:** hipersensibilidade reconhecida à droga.

Aspirina • **Ações terapêuticas**: analgésico, anti-inflamatório, antipirético. **Propriedades**: a absorção é rápida e completa após a administração oral; os alimentos diminuem a velocidade, porém não o grau de absorção. A meia-vida é de 15 a 20 minutos (para a molécula intacta), pois se hidrolisa rapidamente em salicilato. A **concentração plasmática** terapêutica como analgésico e antipirético é de 2,5 a 5 mg por 100 mL, alcançada em geral com doses únicas. É **eliminada** por via renal como ácido salicílico livre e como metabólitos conjugados. **Indicações:** processos dolorosos somáticos, inflamações diversas e febre. Profilaxia e tratamento de trombose venosa e arterial. Artrite reumatoide juvenil. Profilaxia do infarto do miocárdio em pacientes com *angina pectoris* instável. **Posologia:** 300 a 1.000 mg em 3 a 4 vezes conforme o quadro clínico. Processos reumáticos agudos: 4 a 8 g/dia. **Reações adversas:** náuseas, vômitos, diarreia, epigastralgia, gastrite, exacerbação de úlcera péptica, hemorragia gástrica, exantema, urticárias, petéquias, enjoos, acúfenos (zumbidos, *tinnitus*). O uso prolongado e em dose excessiva pode predispor à nefrotoxicidade. Pode induzir broncoespasmos em pacientes com asma, alergias e pólipos nasais. **Precauções:**

pacientes com antecedentes de úlcera péptica, gastrite ou anormalidades da coagulação. Pacientes grávidas; no último trimestre pode prolongar o trabalho de parto e contribuir com o sangramento fetal e materno. Pacientes asmáticos, já que pode precipitar uma crise. **Interações:** não é recomendado o uso prolongado e simultâneo de paracetamol, pois aumenta o risco de nefropatias. O uso simultâneo com outros analgésicos anti-inflamatórios não esteroidais pode aumentar o risco de hemorragias devido à inibição adicional da agregação plaquetária. **Contraindicações:** hipersensibilidade ao ácido acetilsalicílico, úlcera péptica, hipoprotrobinemia, hemofilia, insuficiência renal crônica avançada.

Cetoprofeno • **Ações terapêuticas:** anti-inflamatório, antirreumático e analgésico. **Propriedades:** é um Aine derivado do ácido propriônico, relacionado com o diclofenaco, com o ibuprofeno, com o naproxeno e com o ácido tiaprofênico. Diminui a aderência e inibe de forma reversível a agregação plaquetária, mas em menor grau que o ácido acetilsalicílico. **Aborção:** por via oral de forma rápida e completa; é **metabolizado no** fígado e eliminado por via renal. Na artrite reumatoide o início de ação acontece em uma semana. **Indicações:** artrite reumatoide; osteoartrite, dor leve ou moderada, dismenorreia; inflamação não reumática. **Posologia:** adultos: 75 mg 3 vezes/dia ou 50 mg 4 vezes/dia, com ajustes posteriores conforme a resposta do paciente. Dose máxima para adultos: 300 mg/dia em 3 a 4 ingestões. **Reações adversas:** Incidência maior que 3%: edema, náuseas, irritação gastrintestinal, cefalcias, constipação, problemas para dormir. Incidência de 1 a 3%: visão turva, irritação do trato urinário, erupção cutânea, zumbido. **Precauções:** o álcool e o uso de outros Aines podem aumentar os efeitos colaterais gastrintestinais. Pode provocar inflamação, irritação ou ulceração da mucosa oral. **Interações:** o uso simultâneo com paracetamol pode aumentar o risco de efeitos renais adversos. Corticoides, ACTH, AAS e outros Aines podem aumentar o risco de efeitos colaterais gastrintestinais, incluindo úlcera ou hemorragia. Reduz ou reverte os efeitos de muitos anti-hipertensivos. **Contraindicações:** anemia, asma, função cardíaca comprometida, hipertensão, hemofilia ou outros problemas hemorrágicos; disfunção hepática, úlcera péptica, colite ulcerativa, disfunção renal e broncoespasmo.

Cetorolaco de trometamina • **Ações terapêuticas:** analgésico e anti-inflamatório. **Propriedades:** é um Aine com ações analgésicas, anti-inflamatórias e antipiréticas, cujo mecanismo de ação está relacionado com sua capacidade inibitória da síntese de prostaglandinas e um efeito analgésico periférico. Nenhum efeito sobre os receptores opioides foi demonstrado. É absorvido com rapidez após a administração oral e intramuscular, com um **pico de concentração plasmática** entre 1 e 2 horas. A **meia-vida** de eliminação em jovens varia entre 4 e 6 horas e, em idosos, entre 5 e 8; mais de 99% do cetorolaco liga-se a proteínas plasmáticas. Em geral, quando administrado a cada 6 horas, o pico plasmático é alcançado em 24 horas. Para obter efeito analgésico mais rápido, a administração de uma dose de ataque (equivalente ao dobro da dose de manutenção) pode ser necessária. A via principal de **eliminação** é a urinária (92%); o restante é excretado pelas fezes. **Indicações:** oral; tratamento por curtos períodos, de dor moderada a grave. Parenteral: tratamento da dor aguda pós--operatória, moderada a grave. **Posologia:** a dose diária deverá ser individualizada conforme a intensidade da dor, aceitando-se como dose máxima 90 mg/dia. Via oral, dose inicial

10 mg. Dose de manutenção: de 10 a 20 mg a cada 6 horas; o tratamento não deve superar 5 dias. Via parenteral, dose inicial 10 mg. Doses subsequentes: de 10 a 30 mg a cada 8 horas, com duração máxima de 2 dias de tratamento. **Reações adversas:** após o uso por curto tempo de Aine a frequência de reações adversas é, em geral, a metade de uma décima parte da frequência de efeitos adversos encontrados após o uso crônico. Os efeitos colaterais mais frequentes (> 1%) incluem náuseas, dispepsia, epigastralgia, diarreia, sonolência, enjoos, cefaleia, sudorese e dor no local da injeção após a administração de várias doses. Os efeitos menos frequentes (< 1%) incluem astenia, mialgia, palidez, vasodilatação, constipação, flatulência, anormalidades no funcionamento hepático, melena, úlcera péptica, hemorragia renal, estomatite, púrpura, secura na boca, nervosismo, parestesias, depressão, euforia, sede excessiva, insônia, vertigem, dispneia, asma, alterações de paladar e visão, polaciúria, oligúria. **Precauções:** recomenda-se seu uso em curto prazo, considerando que, em pacientes tratados cronicamente (> 3 meses), o risco de úlcera gastroduodenal, hemorragia e perfuração aumenta acentuadamente. Os pacientes idosos ou debilitados toleram menos que os mais jovens as ulcerações e as hemorragias, e ocorrem mais acidentes gastrintestinais fatais neste grupo etário. Deve ser usado com cuidado na vigência de insuficiência hepática, renal ou em pacientes com antecedentes de doenças hepáticas ou renais. A administração de Aine pode causar uma redução dose-dependente na síntese de prostaglandinas renais e precipitar um quadro de insuficiência renal aguda. Deve ser usado com cuidado em insuficiência cardíaca e hipertensão. As modificações das enzimas hepáticas (aumento de TGO-AST e de TGP-ALT) podem ou não ser transitórias e, portanto, nesses casos os pacientes devem ser monitorados com frequência. Deve ser usado com precaução no pré-operatório. **Interações:** pacientes que utilizam lítio podem ter aumento da concentração sanguínea, quando utilizam cetorolaco, principalmente quando o uso é associado com altas doses de salicilatos, ou como com outros Aines. A administração de cetorolaco pode diminuir a depuração do metotrexato e aumentar sua concentração plasmática. Devido à ação do cetorolaco sobre a agregação plaquetária, não é conveniente sua associação com heparina ou com anticoagulantes orais. **Contraindicações:** hipersensibilidade ao cetorolaco, gravidez, parto e lactação. Menores de 16 anos. Insuficiência hepática grave. Insuficiência renal ou creatinemia, úlcera gastroduodenal em evolução ou antecedentes de úlcera ou hemorragia digestiva. Pacientes com suspeita ou confirmação de hemorragia cerebrovascular, diátese hemorrágica ou anomalias da hemostasia. Pacientes com hipovolemia ou desidratação aguda. Síndrome de polipose nasal parcial ou completa, angiodema, reação de broncoespasmo relacionada com o uso de ácido acetilsalicílico ou outro anti-inflamatório não esteroidal.

Diclofenaco • É um analgésico anti-inflamatório que atua inibindo a síntese de prostaglandinas, que desempenham importante ação na gênese da inflamação, dor e febre, na produção de hialuronidase por microrganismos e na agregação plaquetária. É absorvido rapidamente e, após a ingestão de 50 mg, as concentrações plasmáticas alcançam seu valor máximo entre **20 e 60 minutos**. A metade da dose administrada é, geralmente, metabolizada no fígado; liga-se, em cerca de 99%, às proteínas plasmáticas (principalmente à albumina). Tem indicação em tratamentos de curta duração para afecções agudas, processos inflamatórios pós-traumáticos e para analgesia pós-operatória. Os casos de superdosagem com diclofenaco apresentam-se como casos isolados. Os sintomas podem, em geral, envolver distúrbios do SNC, como vertigens, cefaleia, hiperventilação, alterações do nível de consciência e, em crianças, podem manifestar-se cãibras mioclônicas. Podem ocorrer ainda sintomas do trato gastrintestinal (náuseas, vômitos, dores abdominais e sangramentos), bem como comprometimento das funções hepática e renal. Não há antídoto específico para a superdosagem com esse tipo de droga.[3] **Ações terapêuticas:** analgésico e anti-inflamatório. **Propriedades:** atua inibindo a síntese de prostaglandinas. Após a ingestão de 50 mg, a absorção é rápida e as **concentrações plasmáticas** alcançam o valor máximo de 3,9 mmol/L dentro de 20 a 60 minutos. **Indicações:** em tratamentos curtos, para as seguintes afecções agudas: processos inflamatórios pós-traumáticos, reumatismo extra-articular, infecções dolorosas e inflamatórias de garganta, nariz e orelha. Processos dolorosos ou inflamatórios ginecológicos como anexites e dismenorreia primária. Analgesia pós-operatória. **Posologia: Adultos:** a dose diária inicial é de 100 a 150 mg, em geral distribuídos em 2 ou 3 tomadas. O tratamento com diclofenaco injetável não deve se prolongar por mais do que 2 dias. Uma vez solucionada a crise aguda, o tratamento deverá ser continuado usando-se comprimidos ou supositórios. **Superdosagem:** os casos de superdose são isolados. Os sintomas, em geral, podem envolver distúrbios do **SNC** (vertigens, cefaleia, hiperventilação, alterações do nível de consciência e, em crianças, podem manifestar-se cãibras mioclônicas), do **trato gastrintestinal** (náuseas, vômitos, dores abdominais, sangramentos), bem como comprometimento das funções hepática e renal. As medidas terapêuticas são lavagem gástrica e tratamento com carvão ativo, o mais rapidamente possível, para evitar absorção. **Reações adversas: gastrintestinais:** dores epigástricas, náuseas, vômitos, diarreia. Raramente, hemorragias, úlcera péptica. Em casos isolados: transtornos hipogástricos (colite hemorrágica inespecífica e exacerbação de colite ulcerativa). **Sistema nervoso central:** cefaleias, enjoos, vertigens. Em raras ocasiões, sonolência; em casos isolados, distúrbios visuais. **Dermatológicos:** *rash* ou erupção cutânea. **Hematológicos:** em casos isolados: trombocitopenia, leucopenia, agranulocitose, anemia hemolítica, anemia aplástica. **Renais:** raramente insuficiência renal aguda, alterações urinárias, síndrome nefrótica. Reações de hipersensibilidade (broncoespasmos, reações sistêmicas anafiláticas, inclusive hipotensão). Raras vezes hepatite com ou sem manifestação de icterícia. **Precauções:** os pacientes com transtornos gastrintestinais ou com antecedentes de úlcera péptica, doença de Crohn ou com distúrbios hematopoiéticos, como afecções hepáticas, cardíacas ou renais graves, deverão ser mantidos sob estrita vigilância médica. Pacientes submetidos a tratamento prolongado devem fazer exames hematológicos periódicos para o controle das funções hepática e renal. Precauções especiais devem ser observadas em pacientes com idade avançada, diminuindo-se a dose em idosos debilitados ou de baixo peso e naqueles que estejam sob tratamento com diuréticos. Em particular, não administrar no terceiro trimestre da gravidez (pela possível inibição das contrações uterinas e fechamento precoce do ducto arterioso). **Interações:** se administrado simultaneamente com preparações contendo lítio ou digoxina, o diclofenaco pode aumentar o nível plasmático daqueles fármacos. Pode também inibir o efeito dos diuréticos. Há relatos de que o risco de hemorragias aumenta durante o uso combinado de diclofenaco com anticoagulantes. A nefrotoxicidade da ciclosporina pode ser exacerbada em razão dos efeitos anti-inflamatórios não esteroidais do diclofenaco sobre as prostaglandinas renais. **Contraindicações:** úlcera gastroduodenal. Hipersensibilidade ao diclofenaco. Do mesmo modo que com outros anti-inflamatórios não esteroidais, o diclofenaco é contraindicado em pacientes nos quais o ácido acetilsalicílico e outros agentes inibidores da síntese de prostaglandinas desencadeiam crises de asma, urticária ou rinite aguda.

Diflunisal • **Ações terapêuticas:** anti-inflamatório e analgésico. **Propriedades:** tem ações anti-inflamatória, analgésica e antipirética. Age em nível periférico e não tem ações narcóticas. Seu mecanismo de ação é através da inibição da síntese de prostaglandinas, podendo interferir nas ações dessas substâncias nos tecidos periféricos. Após administração oral é rapidamente absorvido; o **pico plasmático** observa-se após 2 ou 3 horas. No tratamento crônico da osteoartrite e da artrite reumatoide o diflunisal provoca menos efeitos adversos do que o AAS. **Indicações:** artrose, reumatismo extra-articular, artrite reumatoide. **Posologia:** dor leve a moderada: dose de ataque de 1.000 mg, seguida de 500 mg a cada 8 a 12 horas. Osteoartrite e artrite reumatoide: 500 a 1.000 mg/dia em 2 tomadas. **Superdosagem:** a superdose de diflunisal pode conduzir à morte. **Reações adversas:** náuseas, vômitos, dispepsia, dor gastrintestinal, diarreia, constipação e flatulência. Sonolência, insônia, tontura, *tinnitus*, erupções, dor de cabeça, fadiga e cansaço. **Precauções:** os Aines podem mascarar os sinais e sintomas de infecção. Podem produzir edema periférico, razão pela qual devem ser usados com precaução em pacientes com função cardíaca comprometida ou hipertensão. O diflunisal foi associado com a ocorrência de uma síndrome de hipersensibilidade severa que inclui febre, calafrios, icterícia, mudanças na função hepática, trombocitopenia, leucopenia, eosinofilia, coagulação intravascular disseminada e insuficiência renal. **Interações:** anticoagulantes orais; aumento do tempo de protrombina. **Contraindicações:** hipersensibilidade ao diflunisal. Pacientes nos quais os Aines tenham provocado ataque agudo de asma, urticária ou rinite. Úlcera gastroduodenal ativa. Insuficiência hepática.

Dipirona • Foi introduzida no mercado brasileiro em 1922, com o nome comercial de Novalgina®. É o principal analgésico, servindo de base para mais de 100 produtos. Embora seu mecanismo de ação permaneça controverso, estudos farmacológicos apontam a dipirona como um analgésico que apresenta propriedades anti-inflamatórias, tendo alta eficácia analgésica, ampla disponibilidade, baixo custo e segurança, especialmente em pacientes com hepatopatias, nefropatias e cardiopatias. Tem sido usada como droga principal ou coadjuvante tanto no tratamento das dores agudas quanto no das crônicas. Ainda que seu uso tenha sido associado com a ocorrência de agranulocitose, persistem dúvidas de que ela tenha sido a única responsável, visto que a incidência de agranulocitose, em pacientes que fizeram uso desta, mostrou-se semelhante à encontrada em pacientes que usavam outras medicações. **Ações terapêuticas:** analgésico, antipirético e espasmolítico. **Propriedades:** derivado pirazolônico; trata-se do sulfonato sódico da amidopirina. Sua **meia-vida** no organismo é de 7 horas, sendo **eliminada** pela via urinária na forma de metabólitos. Atua também como inibidor seletivo das prostaglandinas F_2a. **Indicações:** algias por afecções reumáticas, cefaleias ou odontalgias. Dores consequentes a intervenções cirúrgicas, espasmos do aparelho gastrintestinal, vias biliares, rins e vias urinárias. Estados febris. **Posologia:** por via oral: 300 a 600 mg ao dia; a dose máxima diária é de 4 g. Injetável: 0,5 a 1 g por vias SC, IM ou IV. **Reações adversas:** sendo um derivado pirazolônico, as reações mais comuns são as de hipersensibilidade, que podem chegar a produzir distúrbios hematológicos por mecanismos imunológicos, como a agranulocitose. Podem aparecer de modo súbito, com febre, angina e ulcerações bucais; nestes casos a medicação deve ser suspensa de imediato e realizar-se um controle hematológico. A agranulocitose, a leucopenia e a trombocitopenia são pouco frequentes, porém são graves o suficiente para serem levadas em consideração. Outra reação essencial de hipersensibilidade é o choque, manifestando-se com prurido, suores frios, obnubilação, náuseas, descoloração da pele e dispneia. Além disso, podem manifestar-se reações de hipersensibilidade cutânea, nas mucosas oculares e na região nasofaríngea. **Precauções:** com a administração do fármaco, estão mais expostos a possíveis reações anafilactoides os pacientes que apresentam asma brônquica ou infecções crônicas das vias respiratórias e aqueles afetados por reações de hipersensibilidade. Durante o primeiro trimestre e nas últimas semanas da gravidez, bem como em lactantes, crianças pequenas e em pacientes com distúrbios hematopoéticos, a administração só deverá ser feita por prescrição do médico. **Interações:** pode causar redução da ação da ciclosporina, e os efeitos são potencializados pela ingestão simultânea de álcool. **Contraindicações:** pacientes com hipersensibilidade aos pirazolônicos e em presença de determinadas enfermidades metabólicas, como porfiria hepática, deficiência congênita de glicose-6-fosfato desidrogenase.

Etodolaco • **Ações terapêuticas:** analgésico e anti-inflamatório. **Propriedades:** é bem absorvido pelo trato gastrintestinal e alcança o pico plasmático 1 a 2 horas após sua administração. Liga-se amplamente às proteínas plasmáticas e sua **meia-vida** é de aproximadamente 7 horas. É excretado predominantemente pela urina, em especial como metabólitos hidroxilados e conjugados glicurônicos. **Indicações:** artrite reumatoide, afecções dolorosas e inflamatórias articulares, musculares e ósseas de etiologia variada. **Posologia:** a dose usual varia entre 200 e 600 mg ao dia. **Reações adversas:** Incluem distúrbios gastrintestinais, cefaleias, sonolência, vertigens, *tinnitus* e erupção cutânea. **Precauções:** deve ser usado com cuidado em pacientes com insuficiência hepática ou renal e naqueles que recebem anticoagulantes orais. A presença de metabólitos de etodolaco na urina pode dar falsos-positivos para a reação de bilirrubina. **Contraindicações:** não deve ser administrado a pacientes com úlcera péptica ou com antecedentes desta doença, ou pacientes com hipersensibilidade ao ácido acetilsalicílico.

Fenilefrina • **Ações terapêuticas:** vasopressor. **Propriedades:** como coadjuvante da anestesia local, atua sobre os receptores alfa-adrenérgicos na pele, membranas mucosas e vísceras, e produz vasoconstrição. A vasoconstrição diminui o fluxo sanguíneo e a velocidade de absorção, prolonga o efeito e diminui a toxicidade dos anestésicos locais. Em doses terapêuticas, produz pouquíssima estimulação do sistema cardiovascular. O **metabolismo** acontece em nível gastrintestinal e hepático. Após a administração por via IM ou SC, o início do efeito vasopressor ocorre em cerca de 10 a 15 minutos. Pela via IV o efeito é imediato. **Indicações:** insuficiência vascular que não responde à reposição adequada de volume, choque, hipotensão induzida por fármacos depressores ou por reações alérgicas. **Posologia:** ampolas adultos: como vasopressor por via IM ou SC 2 a 5 mg administrados em um intervalo maior do que 10 a 15 minutos; por via IV: 0,2 mg, administrados em um intervalo maior do que 10 a 15 minutos. A dose inicial IM ou SC não deve ultrapassar 5 mg. Hipotensão grave e choque por infusão IV: 10 mg em 500 mL de solução glicosada a 5%. Coadjuvante da anestesia local: 1 mg de cloridrato de fenilefrina para cada 20 mL de solução de anestésico local. Dose pediátrica como vasopressor: 0,1 mg/kg, dividido em 1 ou 2 horas, se necessário. **Reações adversas:** sinais de superdosagem: taquicardia, palpitações, cefaleia, formigamento nas mãos e nos pés, vômitos. Podem aparecer efeitos colaterais: enjoos, nervosismo, tremor, dispneia, debilidade não habitual. **Precauções: o uso** de fenilefrina durante o período final da gravidez ou durante o parto pode ocasionar anoxia e bradicardia fetal pelo aumento das contrações uterinas e diminuição do fluxo sanguíneo uterino. **Interações:** podem bloquear a resposta pressora à fenilefrina medicamentos bloqueadores alfa- -adrenérgicos (haloperidol, fenotiazina, fentolamina, labetalol, tioxantenos). O uso simultâneo com anestésicos inalatórios (clorofórmio, ciclopropano, enflurano, halotano, isoflurano) pode aumentar o risco de arritmias ventriculares graves. O efeito de drogas anti-hipertensivas e de diuréticos empregados como anti-hipertensivos é reduzido. Se for usada com aminoglicosídeos, digitálicos ou levodopa, pode também aumentar o risco de arritmias cardíacas. Oxitocina, di-hidroergotamina e ergometrina podem ocasionar aumento da vasoconstrição. Os antidepressivos tricíclicos e os inibidores da monoaminoxidase (Imao) podem potencializar os efeitos cardiovasculares da fenilefrina. O uso simultâneo de hormônios tireóideos pode aumentar os efeitos do hormônio ou da fenilefrina. A fenilefrina pode reduzir os efeitos antianginosos dos nitratos. **Contraindicações:** a relação risco-benefício deverá ser avaliada em quadros de acidose, hipoxia, aterosclerose grave, bradicardia, bloqueio cardíaco parcial, hipertireoidismo, taquicardia, trombose vascular periférica ou mesentérica.

Ibuprofeno • **Ações terapêuticas:** anti-inflamatório, analgésico, antipirético. **Propriedades:** é um anti-inflamatório não esteroidal, que inibe a enzima cicloxigenase; origina uma diminuição da formação de precursores das prostaglandinas e dos tromboxanos a partir do ácido araquidônico. **Absorve-se** por via oral de forma rápida, mas os alimentos diminuem a velocidade de absorção. **Metaboliza-se** no fígado. O tempo até alcançar seu efeito máximo é de 1 a 2 horas. Inibe de maneira reversível a agregação plaquetária, mas menos que o ácido acetilsalicílico. A recuperação da função plaquetária é produzida no prazo de 1 dia após a suspensão do tratamento. **Indicações:** processos inflamatórios e dolorosos, agudos e crônicos, de tecidos moles. Osteoartrite. Artrite reumatoide. Dismenorreia. **Posologia:** adultos, dose usual como antirreumático, 300 a 800 mg por via oral 3 ou 4 vezes/dia; como analgésico, antipirético ou antidismenorreico, 200 a 400 mg por via oral a cada 4 ou 6 horas, conforme a necessidade. A prescrição usual limite é de 3.200 mg. **Reações adversas:** epigastralgia, pirose, diarreia, distensão abdominal, náuseas, vômitos, cólicas abdominais, constipação, tonturas, erupção, prurido, *tinnitus*, diminuição do apetite, edema, neutropenia, agranulocitose, anemia aplástica, trombocitopenia, sangue oculto nas fezes. **Precauções:** deve-se administrar com cuidado em pacientes com hemofilia ou com outros problemas hemorrágicos, já que aumenta o risco de hemorragias por inibição da agregação plaquetária. Pode provocar ulceração ou hemorragias gastrintestinais. Seu uso na presença de úlcera péptica, colite ulcerosa ou doenças do trato gastrintestinal superior pode aumentar o risco de efeitos colaterais gastrintestinais ou efeitos ulcerosos. **Interações:** o uso simultâneo com paracetamol pode aumentar o risco de efeitos renais adversos. Administrar com corticoides ou álcool aumenta o risco de efeitos gastrintestinais colaterais. Pacientes diabéticos tratados com hipoglicemiantes orais ou com insulina podem ter os efeitos hipoglicemiantes exacerbados com o uso do ibuprofeno. **Contraindicações:** hipersensibilidade à droga, síndrome de pólipos nasais, angioedema ou broncoespasmo diante do ácido acetilsalicílico ou outros Aines.

Nabumetona • Ações terapêuticas: anti-inflamatório, analgésico e antipirético. **Propriedades:** é um Aine que apresenta atividade analgésica e antipirética. É um pró-fármaco que se transforma no metabólito ativo ácido 6-metoxi-2-naftilacético (6MNA) no fígado. É bem absorvido por via oral; o 6MNA tem farmacocinética monocompartimental, circula ligado às proteínas plasmáticas em mais de 99% e a fração livre é proporcional à dose para quantidades ingeridas entre 1.000 (fração livre 0,2 a 0,4%) e 2.000 mg (fração livre 0,6 a 0,8%). O 6MNA é **metabolizado** no fígado e tem meia-vida de 24 horas. Tem menor capacidade de inibir a agregação plaquetária que o naproxeno e, após uma semana de tratamento, observou-se que não havia modificação significativa do tempo de sangramento. A insuficiência renal não afeta a farmacocinética da nabumetona devido ao extenso metabolismo hepático do 6MNA; no entanto, seus metabólitos são eliminados principalmente por via renal, portanto alguns efeitos adversos causados por esses metabólitos poderiam ser aumentados nos pacientes com disfunção renal. **Indicações:** artrose e artrite reumatoide. Reumatismos extra-articulares (tendinite, bursite, sinusite, torções musculares). **Posologia:** dose inicial: 1.000 mg/dia, em 1 ou 2 tomadas. Se o paciente não responder adequadamente, a dose diária pode ser aumentada para 1.500 a 2.000 mg, em 1 ou 2 tomadas. **Superdosagem:** Para o tratamento da superdose requerem-se esvaziamento gástrico e medidas de ação de suporte sintomático. **Reações adversas:** diarreia, dispepsia, dor abdominal. Constipação, náusea, flatulência, tontura, cefaleias, prurido, erupções, zumbido, edema. **Precauções:** usar com precaução em pacientes com disfunção hepática e nos com antecedentes de insuficiência cardíaca congestiva, hipertensão e outros transtornos que podem ser agravados pela retenção de líquidos que foi observada ocasionalmente com a nabumetona. Pode causar fotossensibilização; apesar de não ter sido demonstrado um efeito carcinógeno em animais, ensaios com linfócitos indicaram que pode induzir aberrações cromossômicas. Por não haver provas conclusivas, recomenda-se não usar em mulheres grávidas a menos que o benefício para a mãe supere o risco potencial para o feto. **Interações:** varfarina: é deslocada de sua ligação às proteínas plasmáticas pela nabumetona. Similar efeito poderia ser observado sobre outros fármacos. **Contraindicações:** hipersensibilidade à nabumetona. Pacientes nos quais os Aines (ácido acetilsalicílico ou outros) induzem asma, urticária ou outras reações de tipo alérgico.

Naproxeno • Ações terapêuticas: anti-inflamatório, analgésico e antipirético. **Propriedades:** é um anti-inflamatório não esteroidal do grupo dos derivados do ácido propiônico; inibe a síntese de prostaglandinas. Quando administrado por via oral é absorvido completamente; o **pico plasmático** é alcançado entre 2 e 4 horas. Também é bem absorvido quando usado por via retal. A **meia-vida** plasmática é de 14 horas. Sofre metabolização hepática. **Indicações:** artrite reumatoide, osteoartrite, espondilite anquilosante, artrite reumatoide juvenil, gota aguda e distúrbios musculoesqueléticos agudos (torsão, distensão, trauma direto, dor lombossacral, espondilite cervical, tenossinovite e fibromialgia). **Posologia – Adultos:** dose usual: 500 a 1.000 mg/dia, em uma ou duas ingestões. Crianças, artrite reumatoide juvenil: 10 mg/kg/dia. O uso não é recomendado abaixo dos 16 anos. **Reações adversas:** distúrbios gastrintestinais: as reações mais frequentes são náuseas, vômitos, dor abdominal, epigastralgia. As reações mais sérias que, às vezes, podem ocorrer são hemorragia gastrintestinal, úlcera péptica e colite. **Precauções:** deve ser usado com cuidado em pacientes com antecedentes de doença gastrintestinal. Pode precipitar broncoespasmo em pacientes com antecedentes asmáticos ou doença alérgica. **Interações:** como outros Aines, pode diminuir o efeito anti-hipertensivo do propanolol e de outros beta-bloqueadores. **Contraindicações:** úlcera péptica ativa. Hipersensibilidade ao naproxeno (sensibilidade cruzada).

Nimesulida • **Ações terapêuticas:** antirreumático, analgésico e anti-inflamatório não esteroidal. **Propriedades:** é um Aines com atividade analgésica, que em diferentes estudos experimentais *in vivo* e *in vitro* mostrou equipotência farmacológica com fenilbutazona, ácido acetilsalicílico, indometacina e diflumidona. Atua sobre o centro termorregulador hipotalâmico no SNC e sobre os neurorreceptores algógenos e endorfinas mediadoras da dor. A **absorção** pelo trato gastrintestinal é rápida e completa; níveis séricos de 20 mg/mL são alcançados em cerca de 1 a 2 horas. Apresenta ampla biodisponibilidade e é **eliminada** praticamente inalterada. Estima-se que cerca de 40 a 73% da eliminação ocorra por via renal e o restante por via entérica. Assim como acontece com outros agentes anti-inflamatórios não esteroidais, este derivado sulfonanilídico liga-se em alto grau a proteínas plasmáticas (95%). **Indicações:** artrites, artroses, artrite reumatoide, periartrite de ombro, bursites, periartrites, tendinites, tenossinovites e osteoartrites. Afecções dolorosas ou inflamatórias do aparelho osteomioarticular. Outras doenças inflamatórias: anexites, pulpites, flebites, mastites, alveolites. **Posologia: adultos** (a partir dos 16 anos). Posologia não superior a 200 mg/dia; em doses que não superem os 100 mg a cada 12 horas durante períodos não superiores a 7 dias. Em geriatria, a dose não deverá superar os 100 mg/dia. **Reações adversas:** ocasionalmente podem manifestar-se distúrbios gastrintestinais, *rash* cutâneo, cefaleia, enjoos, prurido. **Precauções:** em pacientes sob esquemas posológicos prolongados deverão realizar-se controles hematológicos periódicos e provas de avaliação de função hepática e renal. **Interações:** betabloqueadores: redução do efeito anti-hipertensivo. Ciclosporina: somação dos efeitos nefrotóxicos. Trombolíticos: aumento do risco de hemorragias. Relatou-se uma possível interação entre a nimesulida e a varfarina com aumento do risco de sangramento. A associação entre nimesulida e orfenadrina pode aumentar ou prolongar os efeitos dos hipoglicemiantes orais, os anticoagulantes orais e os antiepilépticos. Pacientes sob tratamento com antipsicóticos que apresentam efeito antimuscarínico podem ter esse efeito potencializado, razão pela qual recomenda-se evitar esta combinação ou, caso não seja possível, controlar atentamente o surgimento de efeitos indesejados. **Contraindicações:** doença gastroduodenal ulcerativa ativa, hemorragia digestiva, hipersensibilidade ao princípio ativo, insuficiência hepática ou renal grave, gravidez e lactação. Menores de 16 anos. Antecedentes de alergia ou asma por outros Aines.

Piroxicam • **Ações terapêuticas:** anti-inflamatório e antirreumático. **Propriedades:** é um Aine. Foi demonstrado que bloqueia a síntese de prostaglandinas por inibição da enzima cicloxigenase; inibe a migração de polimorfonucleares neutrófilos e de monócitos às zonas inflamadas. Em pacientes com artrite reumatoide diminui a produção do fator reumatoide, tanto sistêmico como no líquido sinovial. Atua diminuindo a hipercontratilidade do miométrio e é eficaz no tratamento da dismenorreia primária. É bem absorvido por via oral ou retal. **Indicações:** afecções que requeiram ação anti-inflamatória e analgésica, como artrite reumatoide, osteoartrite, espondilite anquilosante, distúrbios musculoesqueléticos agudos e gota aguda. Dismenorreia primária em pacientes maiores de 12 anos. **Posologia:** dose inicial recomendada: 20 mg administrados em 1 dose única diária. A maioria dos pacientes é mantida com 20 mg/dia. Alguns podem necessitar de aumento da dose até 80 mg/dia em 1 só ingestão ou divididas. Nos casos de **distúrbios musculoesqueléticos,** o tratamento deverá ser iniciado com 40 mg/dia em doses únicas ou divididas durante os 2 primeiros dias e depois dose de manutenção de 20 mg/dia, durante 7 a 14 dias; esta dose pode ser adotada nos casos de gota aguda e dismenorreia primária, com menor tempo de tratamento. A via IM é adequada para o tratamento das afecções agudas e das exacerbações agudas das afecções crônicas. **Reações adversas:** os sintomas gastrintestinais são os mais frequentes, mas em geral não interferem no tratamento: estomatite, anorexia, desconfortos epigástricos, náuseas, constipação, flatulência, diarreia, dispepsia. Foram observadas hemorragias gastrintestinais, perfuração e ulceração. Podem aparecer edemas maleolares e, raramente, efeitos sobre o SNC como tonturas, cefaleias, sonolência, insônia, depressão, nervosismo, alucinações. Foram descritos sinais de hipersensibilidade cutânea como anafilaxia, broncoespasmo, urticária, edema angioneurótico e vasculite. Com a apresentação de supositórios, foram observadas em alguns casos reações anorretais na forma de dor local, ardor, prurido ou tenesmo. As alterações metabólicas são muito raras, como hipoglicemia, hiperglicemia ou aumento/diminuição de peso. A forma injetável pode provocar dor transitória na zona da injeção, com reações adversas locais como sensação de queimação. **Precauções:** a administração deve ser vigiada em pacientes com antecedentes de doença gastrintestinal alta. Por inibir a síntese de prostaglandinas renais, que desempenham um papel importante na perfusão renal, podem desencadear quadro de insuficiência renal principalmente em pacientes idosos e depletados de volume. Este efeito também é observado em pacientes com insuficiência cardíaca congestiva, cirrose hepática e síndrome nefrótica. O piroxicam diminui a agregação plaquetária e prolonga o tempo de sangramento. Cuidado especial deve ser tomado em pacientes que dirigem veículos automotores ou operam máquinas, pelo possível aparecimento de vertigem ou tontura. **Interações:** não associar com ácido acetilsalicílico ou administração simultânea com outro Aine, porque não há sinergia entre eles e aumenta a possibilidade de reações adversas. Como a ligação às proteínas plasmáticas é alta, pode deslocar outros fármacos ligados a elas; portanto, a dose em pacientes tratados com fármacos unidos às proteínas deverá ser controlada. O piroxicam aumenta os níveis plasmáticos do lítio e incrementa ligeiramente sua absorção quando administrado junto à cimetidina, mas as constantes de eliminação dessas drogas não são modificadas. A associação com ácido acetilsalicílico produz uma diminuição nos níveis plasmáticos de piroxicam de até 80% dos valores normais. **Contraindicações:** ulceração péptica ativa. Pacientes que têm hipersensibilidade demonstrada ao fármaco. Não deve ser administrado em pacientes aos quais o ácido acetilsalicílico ou outros Aines provocam sintomas de asma, polipose nasal, edema angioneurótico ou urticária. Não deve ser empregada a forma de supositórios em pacientes com lesões inflamatórias do reto ou ânus, ou nos que têm antecedentes recentes de hemorragia retal ou anal.

ANALGÉSICOS OPIOIDES

Os opioides são substâncias endógenas e exógenas, que se ligam aos receptores específicos nos sistemas nervosos central e periférico. São conhecidos pelo menos oito tipos de receptores, cada grupo subdividido em subgrupos, e os principais são os receptores dos tipos μ, κ, δ e ε (mu, kappa, delta e epsilon). De acordo com o tipo de ligação aos receptores, os opioides são classificados em agonistas, antagonistas, agonistas parciais e agonistas/antagonistas.

No tratamento da dor aguda, usam-se quase exclusivamente os opioides do grupo agonista. As ações dos opioides ocorrem em nível periférico, quando ligados a receptores encontrados nas terminações nervosas livres e em nível central, espinal e supraespinal. Em nível espinal, podem agir nas regiões pré e pós-sináptica: na região pré-sináptica, inibem a liberação de neurotransmissor; na pós-sináptica, reduzem a atividade em nível neuronal por hiperpolarização. Na região supraespinal, a ligação com os receptores estimula as vias descendentes inibitórias, promovendo bloqueio na passagem do estímulo pela medula espinal. Ao nível do sistema límbico, os opioides alteram a resposta emocional à dor. São particularmente úteis quando é necessário obter alívio adicional da dor, funcionando como fármacos auxiliares nos tratamentos das algias bucofaciais, onde em geral são associados aos Aines. As associações mais comuns são do paracetamol com a codeína e do AAS com o propoxifeno. Essas formulações são racionais, pois são usados diferentes sítios de ação, central e periférico, com um objetivo comum: o alívio da dor. Estão indicados no tratamento das dores agudas, de moderadas a intensas, que não respondem a analgésicos menos potentes, ou que, por sua natureza, não são suscetíveis a estes, sendo também eficazes no controle da dor crônica.

Contraindicações, precauções e limitações: podem ser citados desenvolvimento de tolerância e dependências física e psíquica; pacientes debilitados e com alterações respiratórias; pacientes com hipotireoidismo, esclerose múltipla e portadores de hepatopatias. **Efeitos colaterais:** os mais marcantes são: depressão respiratória; náuseas; constipação intestinal; efeitos cardiovasculares; aumento da pressão intracraniana e hipersensibilidade.

Buprenorfina • **Ações terapêuticas:** analgésico, agonista/antagonista opioide. **Propriedades:** derivado da oripavina. Une-se a receptores estereoespecíficos em diversos locais do SNC e altera processos que afetam tanto a percepção da dor quanto a resposta emocional à dor. O efeito analgésico pode ser resultante da alteração na liberação de vários neurotransmissores dos nervos aferentes sensíveis aos estímulos nociceptivos. Ao menos, dois tipos de receptores (μ e κ) estão implicados na analgesia. Os receptores μ estão distribuídos por todo o SNC, especialmente no sistema límbico (córtex frontal, córtex temporal, amígdala e hipocampo). Os receptores κ estão localizados de maneira fundamental na medula espinal e no córtex cerebral. A buprenorfina atua principalmente como agonista parcial sobre o receptor μ, embora também pareça ter alguma atividade agonista sobre o receptor κ. Por esse perfil de ação, pelo efeito de massa, pode deslocar opioides agonistas de receptores μ de seus locais de ligação e inibir competitivamente suas ações. Também produz depressão do SNC e da respiração e apresenta efeito hipotensor. Tem menos potencial que outros analgésicos fortes para originar hábito ou abuso. Sua velocidade lenta de dissociação do receptor mu reduz o risco de ocorrência de síndrome de abstinência grave após a suspensão brusca. É absorvida por via IM de forma rápida, de 5 a 10 minutos após a administração. Sua união às proteínas é muito alta e é metabolizada no fígado. A duração da ação analgésica é de até 6 horas. É **eliminada**, principalmente, por via biliar e fecal. A droga cumpre extensa circulação êntero-hepática e é excretada na bile sob a forma de conjugados inativos, hidrolizados posteriormente no trato gastrintestinal. **Indicações:** tratamento da dor moderada a grave. **Posologia:** a administração IM de 0,3 mg proporciona analgesia equivalente à produzida pela administração IM de 10 mg de morfina. Dose para adultos: IM ou IV lenta de 0,3 mg de buprenorfina base a cada 6 ou mais horas, conforme a necessidade. A dose pode ser aumentada para 0,6 mg a cada 4 horas, de acordo com a gravidade da dor e a resposta do paciente. **Reações adversas:** parece ter menor probabilidade que outros analgésicos antagonistas/agonistas de opioides de produzir efeitos adversos relacionados ao uso desses fármacos: confusão, ilusões, alucinações, pesadelos, nervosismo, ansiedade, náuseas, vômitos. A administração peridural pode produzir depressão respiratória tardia, prurido e retenção urinária. **Sinais de superdosagem:** confusão, convulsões, enjoos graves, sonolência, nervosismo, bradicardia, inconsciência, debilidade. **Precauções:** os pacientes geriátricos, ou debilitados, requerem doses menores. A medicação deve ser administrada de forma lenta, porque podem ocorrer reações anafilactoides, depressão respiratória, hipotensão, colapso circulatório periférico. **Contraindicações:** diarreia causada por intoxicação, depressão respiratória aguda. A relação risco-benefício deverá ser avaliada na presença de quadros abdominais agudos, arritmias cardíacas, crises convulsivas, instabilidade emocional, aumento da pressão intracraniana, disfunção hepática ou renal, hipotireoidismo, hipertrofia ou obstrução prostática e doença inflamatória intestinal grave.

Codeína • **Ações terapêuticas:** analgésico e antitussígeno. **Propriedades:** é um alcaloide do ópio (0,5 g%), hipnoanalgésico e antitussígeno com ações similares à morfina. A diferença para esta última é uma efetividade por via oral que chega a 60% da parenteral, tanto como analgésico quanto como depressor respiratório. A eficácia oral deste composto deve-se ao menor metabolismo hepático de primeira passagem ou pré-sistêmico. Logo após a absorção, é **metabolizada** no fígado e **excretada** principalmente na urina, em sua maior parte como metabólitos inativos. Apresenta afinidade relativamente baixa pelos receptores opioides e grande parte de seu efeito analgésico se deve à sua conversão à morfina; mesmo assim, em suas ações antitussígenas, é provável que participem distintos receptores que fixam a codeína. A meia-vida plasmática é de 2 a 4 horas. **Indicações:** dor moderada a grave. Dor de doenças terminais. Tosse perigosa (hemoptoica, convulsiva, pós-operatória). **Posologia:** analgésico: a dose deve ser ajustada de acordo com a gravidade da dor e com a sensibilidade de cada paciente. Dose usual: de 60 a 80 mg/dia divididos em 4 a 6 doses diárias. Tosse perigosa: de 40 a 60 mg/dia em três doses diárias. **Reações adversas:** Os efeitos adversos mais comuns são: enjoos, sedação, náuseas e vômitos. Pode causar, ao nível do **SNC**: sonolência, embotamento, letargia, diminuição do rendimento físico e mental, ansiedade, tremor, disforia, alteração de caráter e dependência física (menor poder aditivo que a morfina); no **trato gastrintestinal**: náuseas e vômitos que podem requerer tratamento com antieméticos. Quando necessário, aumentar a dose para atingir o efeito analgésico desejado. No **aparelho geniturinário**: espasmo uretral, espasmo do esfíncter vesical e retenção urinária (raramente). A dependência psíquica, condição na qual se requer a continuidade da administração para prevenir a aparição da síndrome de abstinência, assume significado clínico só após várias semanas de doses orais continuadas. A tolerância (são necessárias altas doses para produzir o mesmo grau de analgesia) manifesta-se por diminuição do tempo de ação e da efetividade analgésica. O quadro de superdosagem é grave e caracteriza-se por depressão sensorial (coma), respiratória e cardiovascular (hipotensão acentuada), miose, flacidez ou convulsões. O tratamento pode ser conduzido com antagonistas dos receptores opioides (p. ex., naloxona). **Precauções:** depressão respiratória em pacientes suscetíveis. Aumento da pressão intracraniana e lesão cerebral, pelos efeitos depressores respiratórios e sua capacidade de elevar a pressão do líquido cerebrospinal. Analgésicos narcóticos devem ser usados com extrema precaução em pacientes idosos ou debilitados e naqueles com insuficiência renal ou hepática, doença da vesícula biliar, pneumopatias graves, arritmias cardíacas, distúrbios do trato gastrintestinal, hipotireoidismo. **Interações:** os pacientes que recebem outros analgésicos narcóticos, antipsicóticos, ansiolíticos ou outros depressores do SNC (inclusive álcool) com codeína podem apresentar efeito aditivo ao nível de depressão do SNC. O uso de Imao e de antidepressivos tricíclicos com codeína pode aumentar o efeito antidepressivo da codeína. O uso concomitante de anticolinérgicos pode produzir íleo paralítico. **Contraindicações:** gravidez, lactação, hipersensibilidade ou intolerância à codeína e a outros morfinossímiles.

Dextropropoxifeno • **Ações terapêuticas:** analgésico opioide (hipnoanalgésico). **Propriedades:** droga morfinossímile. Produz analgesia ao unir-se a receptores estereoespecíficos localizados em numerosos lugares do SNC. Altera os processos que afetam tanto a percepção quanto a resposta emocional à dor. É bem absorvido por via oral. Sua união às proteínas é alta. Alcança concentração plasmática máxima de 1 a 2 horas. **Metaboliza-se** no fígado e seu metabólito, o nordextropropoxifeno, pode ser tóxico. Menos de 10% da droga é eliminada de forma inalterada pelo rim. Sua meia-vida é de 6 a 12 horas, e a do nordextropropoxifeno, de 30 horas. **Indicações:** tratamento da dor aguda ou crônica, leve a moderada. **Posologia:** as doses variam conforme a intensidade da dor: 50 a 100 mg a cada 4 a 6 horas. **Reações adversas:** náuseas, vômitos, ilusões, alucinações, confusão. Doses altas: cardiotoxicidade, edema pulmonar, depressão respiratória e convulsões. Tolerância e dependência física: a supressão abrupta resulta em síndrome de abstinência. É muito irritante quando administrado por via IV ou SC. **Precauções:** deve ser administrado com cuidado em pacientes com doenças respiratórias crônicas, pois deprime o centro respiratório e aumenta a resistência das vias aéreas. Em pacientes com hipotireoidismo aumenta muito o risco de depressão respiratória e depressão prolongada do SNC. Na presença de insuficiência hepática e renal, aumenta o risco de efeitos adversos. Aconselha-se ter precaução ao administrar a pacientes muito jovens, idosos ou debilitados, uma vez que podem ser mais sensíveis aos efeitos deste fármaco, especialmente à depressão respiratória. **Interações:** o álcool e o uso simultâneo com outros analgésicos opioides pode produzir aumento dos efeitos depressores sobre o SNC, da depressão respiratória e da hipotensão. A administração com carbamazepina pode ocasionar diminuição no metabolismo desta droga e originar aumento de sua concentração sanguínea e de sua toxicidade. A associação com analgésicos anti-inflamatórios não esteroidais apresenta efeito aditivo, permitindo o uso de doses menores do analgésico opioide. O tabagismo pode aumentar o metabolismo do dextropropoxifeno e ocasionar redução de seus efeitos terapêuticos. Assim, deixar de fumar pode aumentar seus efeitos. **Contraindicações:** insuficiência respiratória, insuficiência hepática grave e traumatismo craniano.

Metadona • **Ações terapêuticas:** analgésico de ação central. **Propriedades:** agonista opioide de natureza sintética com potência pouco superior à da morfina e com maior duração de ação, embora com menor efeito euforizante. Sua administração produz ação analgésica central, depressão respiratória, modificação da secreção hipofisária, hipotermia, náuseas e vômitos, miose, secura na boca, depressão do reflexo de tosse e, eventualmente, hipertonia muscular. No trato gastrintestinal e nas vias urinárias causa aumento do tônus muscular. Além disto, apresenta efeitos cardiovasculares (bradicardia, hipotensão, vasodilatação cerebral), em geral pouco pronunciados e pode causar sedação ou euforia, e com o uso de altas doses, sonolência e coma. Após seu uso continuado desenvolve-se tolerância, embora com velocidade não homogênea, que varia segundo o efeito considerado e é mais lenta do que a encontrada com o uso de morfina. A síndrome de abstinência produzida pela metadona é similar à induzida pela morfina. É absorvida ampla e rapidamente por via oral e sofre metabolismo de primeira passagem (eliminação pré-sistêmica), sendo sua biodisponibilidade da ordem de 80 a 90%. Devido à sua acentuada lipofilia, é amplamente distribuída; com doses repetidas ocorre acúmulo em tecidos, sendo as concentrações hepáticas, pulmonares e renais muito superiores às concentrações plasmáticas. A partir dos tecidos, que atuam como sítios de depósito, o fármaco é liberado lentamente para o plasma, o que lhe confere meia-vida plasmática prolongada. É **eliminada** por biotransformação hepática, com formação de dois metabólitos inativos. A eliminação é principalmente renal e, em menor proporção, pelas fezes. Apenas cerca de 4% da dose é eliminada sob a forma inalterada. **Indicações:** tratamento substitutivo de manutenção em casos de dependência a opioides, dentro de um programa de manutenção com controle médico e com outras medidas de cunho médico e psicossocial. **Posologia: Adultos:** via oral, 20 a 30 mg/dia. De acordo com a resposta clínica, a dose poderá ser aumentada até 40 a 60 mg/dia no decorrer de 1 a 2 semanas. Dose de manutenção: 60 a 100 mg/dia; essa dose é alcançada através de aumentos semanais sucessivos de 10 mg/dia. Para evitar a manifestação de sintomas de abstinência, a suspensão do tratamento deve ser gradual, com diminuição paulatina das doses em quantidades de 5 a 10 mg. **Superdosagem:** as manifestações clínicas de superdose são depressão respiratória, cianose e respiração de Cheyne-Stokes, sonolência extrema que pode evoluir para estupor e coma, miose intensa, flacidez muscular, pele fria e, ocasionalmente, hipotensão e bradicardia. Em caso de intoxicação extrema podem manifestar-se apneia, colapso circulatório, insuficiência cardíaca e morte. O tratamento deverá consistir em restabelecimento de adequada função ventilatória, se necessário através de obtenção de via respiratória permeável e respiração controlada. Deve ser administrado um antagonista opioide (naloxona) por via intravenosa ou intramuscular, em doses similares às requeridas para a intoxicação morfínica. Como a duração de ação dos antagonistas opioides (meia-vida) é muito menor do que o efeito depressor causado pelo opioide, a administração do antagonista deverá ser feita em doses repetidas, ou em infusão contínua. Outras medidas de suporte vital e tratamento sintomático habitual podem ser adotadas, como oxigenoterapia, administração de fármacos vasopressores, hidratação intravenosa. **Reações adversas:** as principais reações adversas compreendem depressão respiratória, hipotensão, choque, parada cardíaca, vertigem, enjoos, sedação, náuseas, vômitos, sudorese. Menos frequentemente podem ser observados euforia, disforia, fraqueza, cefaleia, insônia, agitação, desorientação, alterações visuais, secura na boca, anorexia, constipação, espasmo das vias biliares, rubor cutâneo, bradicardia, palpitações, desmaio, síncope, retenção ou tenesmo urinário, efeito antidiurético, diminuição da libido e/ou potência sexual, prurido, urticária, exantema cutâneo, edema, urticária hemorrágica e aumento da pressão intracraniana. **Precauções:** durante o tratamento, pacientes adictos devem abandonar o consumo de heroína e podem apresentar os sintomas típicos da abstinência (lacrimejamento, rinorreia, espirros, bocejos etc.), que devem ser diferenciados dos efeitos secundários devidos à metadona. A administração de doses habituais de um antagonista opioide a um paciente com dependência física à metadona ou outros opioides desencadeia a síndrome de abstinência aguda. Caso seja necessária a utilização de naloxona em pacientes dependentes para o tratamento, de depressão respiratória grave, o antagonista deve ser administrado com extremo cuidado, através de fracionamento, empregando-se doses iniciais mais baixas que as habituais. Os pacientes sob tratamento continuado apresentarão reação ao estresse com os mesmos sintomas de ansiedade manifestados por outros indivíduos. Recomenda-se administrar com precaução a pacientes com hipotensão, pacientes idosos ou debilitados e em pacientes que apresentam insuficiência hepática ou renal, hipotireoidismo ou doença de Addison. Sua administração pode mascarar o diagnóstico e o curso clínico dos pacientes com abdome agudo. **Interações:** a administração de agonistas opioides pode potencializar a depressão respiratória e do SNC e a hipotensão, particularmente em pacientes idosos. A administração de naltrexona a um paciente dependente de metadona precipita rapidamente a manifestação de sintomas de abstinência prolongados. Os inibidores da monoaminoxidase (Imao) podem potencializar e prolongar os efeitos depressores da metadona, bem como causar estimulação do SNC. O álcool potencializa o efeito sedativo da metadona, podendo causar hipotensão e depressão respiratória graves. Aconselha-se utilizar metadona com precaução em pacientes que estejam sob tratamento com outros analgésicos opioides, anestésicos gerais, fenotiazínicos, antidepressivos tricíclicos, hipnóticos e outros fármacos sedativos do SNC, reduzindo as doses caso seja necessário, pois há risco de depressão respiratória, hipotensão e sedação profunda ou coma. A administração concomitante de rifampicina ou fenitoína ou outros indutores de enzimas hepáticas pode provocar redução dos níveis plasmáticos da metadona, podendo assim desencadear síndrome de abstinência. A administração conjunta de cimetidina potencializa os efeitos da metadona em razão do deslocamento desta última de seus sítios de ligação a proteínas plasmáticas. A fluoxetina e outros fármacos bloqueadores da recaptação da serotonina podem aumentar os níveis plasmáticos de metadona. **Contraindicações:** insuficiência respiratória ou doença respiratória obstrutiva grave, enfisema, asma brônquica, *cor pulmonale*, hipertrofia prostática ou estenose uretral, hipertensão intracraniana, gravidez, amamentação e em pacientes com hipersensibilidade à metadona.

Morfina • **Ações terapêuticas:** hipnoanalgésico. **Propriedades:** é o mais importante alcaloide derivado do ópio. Os sais disponíveis são o sulfato de morfina (comprimidos) e o cloridrato de morfina (ampolas). Geralmente exerce seus efeitos principais sobre o SNC, o trato gastrintestinal e a musculatura lisa. **SNC:** suas principais ações com valor terapêutico são a analgesia e a sedação. Atua como droga agonista, unindo-se em particular aos receptores μ no cérebro, na medula espinal e em outros tecidos. Também apresenta apreciável afinidade com os receptores δ, σ e κ. Produz depressão respiratória por ação direta sobre o centro respiratório ao nível bulbar. Deprime o centro da tosse, e os efeitos antitussígenos podem ocorrer com doses menores que as habitualmente requeridas para alcançar a analgesia. Produz miose puntiforme, que deve ser considerada sinal patognomônico da superdose de morfina. Os agentes morfinossímiles produzem náuseas e vômitos por estimulação direta da zona quimiorreceptora do gatilho situada na área posterior do bulbo. **Trato gastrintestinal e outros músculos lisos:** diminui as secreções gástrica, biliar e pancreática e provoca redução da motilidade associada com aumento do tônus no antro gástrico e no duodeno; retarda a digestão no intestino delgado e as contrações propulsivas são diminuídas. O tônus aumenta, podendo produzir espasmo acentuado. O resultado é a constipação. Pode causar aumento acentuado da pressão no trato biliar como resultado do espasmo do esfíncter de Oddi. **Sistema cardiovascular:** produz vasodilatação periférica e hipotensão ortostática. Descreve-se efeito histamino-liberador que induz vasodilatação, prurido, vermelhidão, olhos protrusos e sudorese. Também são descritas modificações do sistema endócrino e autonômico. Todos os morfinossímiles produzem tolerância, dependência física e potencial de abuso. **Pode ser administrada por via oral e parenteral (subcutânea).** Devido ao metabolismo hepático de primeira passagem, a biodisponibilidade dos preparados orais de morfina é de 25%. A **meia-vida** plasmática é de 2 horas e a duração de ação, de 4 a 5 horas. A principal via metabólica é a conjugação hepática com ácido glicurônico e a formação de metabólitos ativos e inativos. Os preparados de liberação controlada podem ser administrados a cada 12 horas; o efeito é mantido durante esse tempo. **Indicações:** tratamento de dores agudas moderadas a intensas e pacientes que necessitem de analgesia potente por tempo prolongado. **Posologia – Via oral:** os comprimidos de liberação prolongada são administrados a cada 12 horas; a dose depende da gravidade da dor, da idade do paciente e dos antecedentes e das necessidades de analgésico para obter alívio da dor. Média de doses:

20 a 200 mg/dia, embora a dose correta seja aquela com a qual se possa controlar a dor por 12 horas. **Via subcutânea**: de 10 a 20 mg a cada 4 ou 8 horas. **Reações adversas:** são observados com maior frequência: constipação, sonolência, tonturas, sedação, náuseas, vômitos, sudorese, disforia e euforia. São observados com menor frequência: debilidade, cefaleia, tremores, convulsões, alterações de humor, sonhos, alucinações transitórias, alterações visuais, insônia, aumento da pressão intracraniana, laringoespasmo, anorexia, diarreia, alterações do paladar, taquicardia, hipotensão, prurido, urticária, efeito antidiurético, nistagmo, diplopia e parestesias. É uma droga capaz de induzir abuso e causar dependência psíquica e física; quando retirada de forma abrupta, produz a síndrome de abstinência, que ocorre depois de uso prolongado (várias semanas). **A tolerância** (necessidade de doses cada vez maiores para produzir o mesmo grau de analgesia) é manifestada inicialmente com redução do efeito analgésico e, posteriormente, pela diminuição da intensidade da analgesia. **A dependência física** encontra frequentemente um inconveniente superável, quando dores crônicas ou pacientes com doenças incuráveis ou terminais são tratados. A **síndrome de abstinência** caracteriza-se por imobilidade, lacrimejamento, rinorreia, sudorese e midríase, durante as primeiras 24 horas. Estes sintomas aumentam gravemente e, nas 72 horas seguintes, podem ocorrer irritabilidade, ansiedade, contrações musculares, sensações de calor/frio, arrepios, vômitos, diarreia abundante, hipertermia, taquicardia, taquipneia e hipertensão. Na ausência de tratamento, pode ser provocado um colapso cardiovascular, ou desaparecerem os sintomas entre 5 e 14 dias após o início do quadro. **No caso de intoxicação aguda,** os sinais característicos são depressão do sensório, coma, miose puntiforme, depressão respiratória e depressão cardiovascular (hipotensão). O tratamento é realizado com antagonistas específicos dos receptores opioides (p. ex., naloxona). **Precauções:** a depressão respiratória ocorre com mais frequência em idosos e pacientes debilitados; deve ser usada com muito cuidado em pacientes com doença pulmonar obstrutiva crônica. Lesão cerebral e aumento da pressão intracraniana: a depressão respiratória com retenção de dióxido de carbono e o aumento secundário da pressão do líquido cerebrospinal podem ser agravados na presença de traumatismo craniano. **Efeito hipotensor:** pode causar hipotensão grave, em especial nos indivíduos desidratados, ou quando é administrada com fenotiazinas ou com anestésicos gerais; por via oral, pode produzir hipotensão ortostática em pacientes ambulatoriais. Os recém-nascidos de mulheres dependentes de analgésicos opioides podem apresentar dependência física, depressão respiratória e sintomas de abstinência. **Interações:** os efeitos depressores centrais são potencializados quando associados a outros depressores do SNC, como hipnóticos, neurolépticos, ansiolíticos, anestésicos gerais e álcool. Os hipnoanalgésicos podem aumentar o efeito bloqueador neuromuscular dos relaxantes musculares e agravar a depressão respiratória. Associada com antidepressivos, Imao pode provocar quadros de excitação ou depressão com hipotensão ou hipertensão. **Contraindicação:** é contraindicada em pacientes com hipersensibilidade reconhecida à droga, depressão respiratória, na ausência de equipamento de reanimação, na asma brônquica aguda ou grave e em pacientes que a apresentam, ou suspeita-se que possam desenvolvê-la, íleo paralítico.

Nalbufina • **Ações terapêuticas:** analgésico opioide. **Propriedades:** une-se a receptores específicos em numerosos locais do SNC e altera processos que afetam tanto a percepção da dor quanto a resposta emocional a este. A ação agonista, que depende da afinidade de união a cada tipo de receptor, é exercida sobre os receptores κ e σ. Podem deslocar os opioides que, isolados, têm atividade agonista de seu local de união aos receptores e inibir competitivamente suas ações. É metabolizado no fígado e na mucosa intestinal. **Indicações:** tratamento da dor. Coadjuvante da anestesia geral ou local. **Posologia:** adultos: IM, IV ou SC, 10 mg a cada 3 ou 6 horas, conforme necessidade. Dose máxima: até 20 mg como dose única e até 160 mg como dose total diária. **Reações adversas:** tem menor tendência a criar dependência e menor capacidade de induzi-la que outros agonistas opioides. Pode produzir sonolência, cansaço ou debilidade não habituais, náuseas ou vômitos, visão turva, constipação, secura na boca, cefaleias, nervosismo ou inquietude, vermelhidão, edema ou dor no local da injeção. **Precauções:** evitar a ingestão de álcool e de outros depressores do SNC. Ter precaução se aparecerem tonturas ou sonolência. A relação risco-benefício deverá ser avaliada durante a gravidez, considerando que atravessa a barreira placentária. Pode gerar dependência física ao feto e produzir síndrome de abstinência (convulsões, irritabilidade, tremores, febre, vômitos, diarreia) no neonato. Os pacientes com idade avançada podem ser mais sensíveis aos efeitos depressores respiratórios. **Interações:** o uso simultâneo de loperamida, atropina ou antimuscarínicos pode aumentar o risco de constipação. O efeito hipotensor da guanetidina, de diuréticos ou de outros fármacos que produzem hipotensão pode ser potencializada. A buprenorfina pode reduzir os efeitos terapêuticos da droga. É possível que a hidroxizina potencialize os efeitos analgésicos, bem como os efeitos depressores do SNC. Pode antagonizar os efeitos da metoclopramida sobre a motilidade intestinal. Os bloqueadores neuromusculares produzem um efeito aditivo em relação à depressão respiratória. **Contraindicações:** diarreia associada com colite pseudomembranosa causada por cefalosporinas, lincomicinas ou penicilinas. Diarreia por intoxicação. Depressão respiratória aguda. A relação risco-benefício deverá ser avaliada na presença de quadros abdominais agudos, asma, arritmias cardíacas, antecedentes de convulsões, instabilidade emocional, lesões intracranianas, disfunção hepática ou renal, hipotireoidismo, hipertrofia em obstrução prostática, estenose uretral, dependência pelo uso de analgésicos agonistas opioides.

Naltrexona • **Ações terapêuticas:** antagonista opioide. **Propriedades:** é antagonista opioide e análogo sintético da oximorfina, desprovido de qualquer atividade agonista. Bloqueador reversível muito potente de opioides administrados por via intravenosa. Sua administração não está associada ao desenvolvimento de tolerância, nem de dependência física ou psíquica. Estudos conduzidos em grupos de voluntários que receberam naltrexona e placebo demonstraram que a primeira produz abstinência, diminui o consumo de álcool e previne a recaída. Após a administração oral, são absorvidos cerca de 96% da dose, e a concentração plasmática máxima é alcançada cerca de 1 hora depois. É amplamente **metabolizada** no fígado; tanto seus metabólitos quanto o fármaco intacto são eliminados principalmente por via renal e, em menor proporção, por via fecal. É bem tolerada nas doses recomendadas, mas pode causar hepatotoxicidade se administrada em excesso ou a pacientes com doença hepática. Alguns dos sintomas observados são dores abdominais, urina escura, cor amarela na conjuntiva e alterações intestinais. **Indicações:** tratamento da dependência do álcool e antagonismo dos efeitos da administração de compostos opioides. **Posologia:** tratamento do alcoolismo: 50 mg/dia. Tratamento da dependência de narcóticos: dose inicial: 25 mg/dia; dose de manutenção: 50 mg/dia. O tratamento não deve ser iniciado antes de o paciente completar 7 a 10 dias sem receber compostos opioides. **Superdosagem:** há muitos casos clínicos de toxicidade; pacientes que receberam doses diárias de 800 mg durante uma semana não mostraram sinais de sobredose. O tratamento é sintomático. **Reações adversas:** a naltrexona é bem tolerada por pacientes em tratamento da dependência do álcool; em alguns casos produziram-se dores abdominais, náuseas, mialgia, problemas nasais, insônia, dores em ossos e articulações. Apesar da associação entre ideias suicidas e o uso deste medicamento não ser estrita, aconselha-se controle clínico, pois pode haver aumento do risco nos pacientes tratados. Em pacientes tratados com naltrexona como bloqueador dos receptores opioides não foram registrados sinais de hepatotoxicidade. Não obstante, se a dose for muito maior do que a habitual (5 vezes), as células hepáticas sofrem danos importantes. Os sinais e os sintomas de abstinência são exacerbados quando os pacientes recebem naltrexona antes dos 7 dias de desintoxicação de opioides. Os efeitos adversos mais comuns são dificuldade para dormir, ansiedade, dores abdominais, náuseas, vômitos, falta de energia, dores musculares e ósseas, cefaleia. Raramente foram observados perda de apetite, diarreia, constipação, sudorese aumentada, irritabilidade, vertigem, *rash* cutâneo, diminuição da potência, energia aumentada, calafrios, retardo da ejaculação. **Precauções:** caso seja necessária analgesia com opioides, os pacientes tratados com a droga deverão receber doses superiores às habitualmente adotadas, o que pode acarretar depressão respiratória mais profunda e prolongada. A quantidade de analgésico varia de acordo com cada paciente, podendo se observar efeitos adversos como sudorese facial, eritema generalizado e broncoconstrição, provavelmente causados pela liberação de histamina. Por causa da possibilidade de a droga causar lesão hepática, recomenda-se fazer periodicamente provas bioquímicas para a detecção de possíveis alterações do fígado. Recomenda-se evitar seu uso durante a gestação, exceto se o benefício para a mãe superar o risco potencial para o feto. **Interações:** visto que não há estudos para avaliar as possíveis interações do uso simultâneo de naltrexona e outros fármacos, recomenda-se controle cuidadoso dos pacientes sob tratamento com vários fármacos. Não se recomenda seu uso com medicamentos potencialmente hepatotóxicos. Associada com tioridazina, produziu letargia e sonolência. Se forem administrados medicamentos opioides (analgésicos, antidiarreicos, preparações para tosse e resfriado), as doses administradas devem ser superiores às recomendadas. **Contraindicações:** pacientes em tratamento com analgésicos opioides, dependentes de opioides, com síndrome de abstinência a opioides, ou com prova positiva para opioides realizada na urina, hipersensibilidade à naltrexona e insuficiência hepática.

Oxicodona • **Ações terapêuticas:** analgésico opioide. **Propriedades:** um derivado opioide puro, cuja principal ação terapêutica é a analgesia; em menor grau, exibe ações ansiolíticas, euforizantes e relaxantes. Produz depressão respiratória por redução da resposta dos centros respiratórios do tronco cerebral. Em doses inferiores àquelas necessárias para produzir analgesia, pode apresentar ação antitussígena, em virtude de sua ação sobre o centro da tosse. Sua biodisponibilidade é de 60 a 87% e a **meia-vida** de eliminação é de 3,2 horas. O volume de distribuição é de 2,6 l/kg e a ligação a proteínas é de 45%. É amplamente metabolizada (dando origem à noroxicodona, à oximorfona e aos derivados glicuronídeos) e seus metabólitos são eliminados pela urina, isoladamente ou na forma de conjugados. Como é transformada em oximorfona por ação da enzima CYP2D6 do citocromo P-450, alguns fármacos que atuam sobre essa enzima poderiam interferir na formação deste metabólito, que em condições normais representa cerca de 15% da dose de oxicodona administrada. **Indicações:** está indicada para dores severas ou moderada de várias origens. **Posologia:** pacientes não tratados com opioides: dose inicial de 10 mg/12 horas e aumento gradual até alcançar a dose ótima. Pacientes sob tratamento com outros opioides: para passar ao tratamento com oxicodona, deve-se considerar a potência relativa dos fármacos em questão e usar um fator de conversão (aproximado) de acordo com a seguinte fórmula: (mg/dia opioide prévio) x (fator de conversão) = (mg/dia de oxicodona oral), onde o fator de conversão é 0,15 para a codeína, 0,9 para a hidrocodona, 4 para a hidromorfona, 7,5 para o levorfanol, 0,1 a para meperidina, 1,5 para a metadona e 0,5 para a morfina. **Superdosagem:** diante da superdose podem observar-se depressão respiratória, sonolência que evolui para estupor ou coma, flacidez da musculatura esquelética, pele fria, miose, bradicardia, hipotensão e morte. Tratamento: pode-se administrar naloxona ou outro antagonista puro dos opioides caso haja depressão respiratória ou circulatória significativa; em outros casos, deve-se fornecer apenas suporte sintomático. O uso de antagonistas pode precipitar síndrome de abstinência aguda. **Reações adversas:** podem ocorrer reações severas: depressão respiratória, apneia, parada respiratória, depressão circulatória, hipotensão, choque. Efeitos leves frequentes: constipação, náuseas, sonolência, vertigem, pruridos, vômitos, cefaleia, secura bucal, sedação, astenia. Efeitos adversos pouco frequentes: dor no peito, edema facial, mal-estar, enxaqueca, síncope, vasodilatação, disfagia, eructação, flatulência, transtornos gastrintestinais, aumento do apetite, náuseas, vômitos, estomatite, linfadenopatia, desidratação, edema periférico, sede, transtornos de marcha, agitação, amnésia, despersonalização, depressão, instabilidade emocional, alucinações, hipercinesia, hipotonia, parestesia, transtornos da fala, estupor, *tinnitus*, tremores, vertigem, síndrome de abstinência, tosse, faringite, pele seca, dermatite esfoliativa, visão anormal, alterações do paladar, disúria, hematúria, poliúria, retenção urinária e impotência. **Precauções:** administrar com precaução a pacientes idosos, debilitados, tratados com depressores do SNC; pacientes com doença pulmonar obstrutiva crônica, com capacidade respiratória reduzida, hipoxia, hipercapnia ou depressão respiratória. Em pacientes com lesões intracranianas, pode ocorrer aumento da pressão intracraniana do líquido cerebrospinal. Em pacientes hipotensos, hipovolêmicos ou que estejam sob tratamento com fármacos que diminuam o tono vasomotor, pode haver potencialização da hipotensão e, além disso, redução do desempenho cardíaco. Usar com cautela em portadores de doença de Addison, alcoolismo agudo, coma, *delirium tremens*, mixedema, hipotireoidismo, hipertrofia prostática, obstrução uretral, insuficiências pulmonar, hepática ou renal severas, e em psicose tóxica. Pode causar contração do esfíncter de Oddi e deve ser usada com precaução em enfermidades biliares ou pancreatite aguda. Seu uso pode ser acompanhado de desenvolvimento de tolerância e dependência física pelo tratamento crônico; assim, na retirada abrupta pode desenvolver-se síndrome de abstinência. Na mulher, alcança valores plasmáticos 25% mais altos que no homem. **Interações:** fenotiazínicos: risco de aumento da hipotensão (efeito aditivo). Outros opioides: potencialização da depressão do SNC, risco de depressão respiratória, hipotensão, sedação profunda. Analgésicos opioides mistos agonistas/antagonistas (pentazocina, nalbufina, butorfanol, buprenorfina): administrar com precaução em pacientes que recebem ou tenham recebido tratamento com oxicodona, devido à possível redução do efeito analgésico e à precipitação de sintomas de abstinência. Relaxantes musculares: potencialização do bloqueio neuromuscular e possível aumento da depressão respiratória. Fármacos metabolizados pelo citocromo P450, CYP2D6: administrar com precaução, devido ao risco de bloqueio parcial da eliminação da oxicodona. Depressores do SNC (sedativos, hipnóticos, anestésicos gerais, fenotiazínicos, antieméticos de ação central, tranquilizantes, álcool): recomenda-se iniciar com um terço ou a metade da dose habitual em pacientes em uso de fármacos depressores do SNC, devido ao risco de depressão respiratória, hipotensão e sedação profunda. Inibidores da monoaminoxidase (Imao): não foi observada interação com essa classe de fármacos. Naloxona, nalmefeno: são antagonistas puros dos opioides e podem ser usados como antídotos da oxicodona em casos de superdosagem. Ácido acetilsalicílico, Aines, paracetamol: podem ser administrados concomitantemente. **Contraindicações:** hipersensibilidade à oxicodona. Doenças em que esteja contraindicada a administração de opioides (pacientes com depressão respiratória não controlada, asma brônquica, hipercapnia aguda ou grave), íleo paralítico, gravidez e amamentação.

Pentazocina • **Ações terapêuticas:** analgésico. **Propriedades:** potente analgésico opioide, da série das benzazocinas (benzomorfano). Após a administração intramuscular ou subcutânea de uma dose de 30 mg, a analgesia geralmente ocorre em cerca de 15 a 20 minutos e após administração intravenosa a analgesia ocorre em cerca 2 a 3 e persiste por 3 a 4 horas. Apresenta efeito antagonista fraco dos efeitos analgésicos da morfina, da meperidina e da fenazocina. Além disso, produz reversão parcial da depressão cardiovascular, respiratória e psíquica induzida pela morfina e pela meperidina. **Indicações:** dor moderada a severa: em cirurgias: processos traumáticos e ortopédicos, e em transtornos ou procedimentos urológicos. Em obstetrícia: alívio da dor durante o parto e no pós-parto. A pentazocina também pode ser empregada como medicação pré-anestésica, como complemento da anestesia cirúrgica e para o alívio da dor pós-operatória. **Posologia:** adultos: via intramuscular, subcutânea ou intravenosa, 30 mg a cada 3 a 4 horas, caso necessário. A dose diária máxima é de 360 mg. **Superdosagem:** tratamento de suporte com oxigênio, hidratação parenteral, vasopressores, ventilação assistida ou controlada. A naloxona por via intravenosa é antagonista específico e eficaz contra a depressão respiratória causada pela pentazocina. **Reações adversas:** as reações adversas mais frequentes compreendem náuseas, vômitos, enjoos e embotamento da consciência. Após repetidas injeções administradas durante longo tempo, relataram-se casos de ulceração da pele e do tecido celular subcutâneo (raramente dos músculos subjacentes), o que pode ser evitado observando alternância do local de injeção. Os pacientes tratados com doses terapêuticas de pentazocina em raras ocasiões sofreram alucinações (em geral visuais), desorientação ou confusão, ou ambos. **Precauções:**

aconselha-se administrar com precaução e em pequenas doses a pacientes com asma brônquica ou depressão respiratória, insuficiência hepática ou renal, ou histórico de dependência a opioides; em doentes com infarto do miocárdio que apresentem náuseas ou vômitos, em doentes que serão submetidos à cirurgia das vias biliares e em doentes propensos a crises convulsivas. Quando for necessário administrar doses múltiplas, recomenda-se seu emprego intramuscular, evitando a via subcutânea. A interrupção brusca da administração crônica de pentazocina por via parenteral (raramente por via oral) pode causar sintomas de abstinência. Aconselha-se evitar o emprego de metadona ou de outros narcóticos para tratar os sintomas da abstinência à pentazocina. Além disso, observou-se que o restabelecimento do tratamento e a redução posológica gradual reduzem a ocorrência dos sintomas de abstinência. Devido a seu efeito depressor sobre o centro respiratório, a pentazocina pode levar à retenção de CO_2 e causar aumento da pressão do líquido cerebrospinal. Este efeito pode chegar a ter grande dimensão em presença de lesões intracranianas; assim, em pacientes nessas condições recomenda-se administrar com extrema precaução e apenas nos casos estritamente necessários. **Interações:** o álcool etílico pode exarcebar os efeitos depressores da pentazocina sobre o SNC. É um antagonista parcial de narcóticos; em alguns pacientes que receberam narcoanalgésicos (metadona) previamente para tratamento de narcodependência, observou-se precipitação de sintomas de abstinência após a administração de pentazocina.

Tramadol • **Ações terapêuticas:** analgésico de ação central. **Propriedades:** em humanos e em modelos animais parece que tal fármaco e seu metabólito M1 liga-se aos receptores μ-opioide e inibe também a recaptação da norepinefrina e da serotonina. Nos seres humanos muito da droga é eliminada intacta na urina. À exceção do metabólito O-desmetiltramadol (M1), todos os demais metabólitos são farmacologicamente inativos. **Meia-vida biológica** do tramadol e seu metabólito M1 após a administração oral em humanos: no soro 6,8 a 9,4 horas e na urina, 6,2 e 7,2 horas, respectivamente. Após a administração oral, é **absorvido** rápida e quase completamente (pelo menos 90%). As concentrações séricas máximas são alcançadas em 2 horas após sua administração. A biodisponibilidade absoluta do tramadol oral é de cerca de 65%. **Indicações:** dor aguda ou crônica, grave a moderada, medidas diagnósticas dolorosas e dor pós-operatória. **Posologia:** Em **adultos** e **crianças maiores de 14 anos**: 50 a 500 mg/dia nas formas orais e 100 a 400 mg/dia na forma injetável por via IV lenta, ou diluída em solução para infusão. **Efeitos secundários:** tal como todos os analgésicos de ação central, com seu uso podem ocorrer os seguintes efeitos colaterais: diaforese (em particular quando a administração intravenosa é demasiado rápida), enjoos, náuseas, vômitos, secura na boca, fadiga ou confusão. Se for administrado por via intravenosa muito rapidamente, podem ocorrer rubor, diaforese e taquicardia passageira; exceto isso, em geral não tem efeito sobre o sistema cardiovascular. **Interações:** quando combinado com barbitúricos, prolonga a duração da anestesia. Porém, na combinação simultânea com um tranquilizante, é provável que se obtenha um efeito favorável sobre a sensação de dor. Não deve ser combinado com Imao. **Contraindicações:** em casos de intoxicação aguda por álcool, hipnóticos, analgésicos ou outras drogas com ação sobre o SNC.

ANESTÉSICOS LOCAIS

Bupivacaína • **Ações terapêuticas:** anestésico local. **Propriedades:** bloqueia a condução dos impulsos nervosos mediante a diminuição da permeabilidade da membrana neuronal aos íons de sódio e, dessa forma, estabiliza-a reversivelmente. Esta ação inibe a fase de despolarização da membrana neuronal, o que permite que o potencial de ação se propague de forma insuficiente e, como consequência, ocorre bloqueio da condução nervosa. Sua **absorção** sistêmica é completa. A velocidade de absorção depende do local administrado, da via de administração e da velocidade do fluxo sanguíneo no local da injeção. A ligação às proteínas é muito alta e sua ação é prolongada. É **metabolizada pelo fígado** e a eliminação ocorre por excreção renal dos metabólitos. **Indicações:** anestesia local ou regional, analgesia e anestesia espinal antes de intervenções cirúrgicas, anestesias dentárias. **Posologia:** durante uso peridural a bupivacaína a **0,25%** produz, em geral, bloqueio motor incompleto e é adotada quando o relaxamento muscular não é importante. A **0,5%** produz bloqueio motor e certo relaxamento muscular. A **0,75%** produz bloqueio motor completo e relaxamento muscular total. Dose para adultos: anestesia peridural caudal – bloqueio motor moderado de 15 a 30 mL de solução a 0,25% a cada 3 horas, conforme a necessidade. Bloqueio motor moderado a completo: 15 a 30 mL de solução a 0,5% a cada 3 horas, conforme a necessidade. Anestesia peridural: bloqueio motor parcial a moderado, 10 a 20 mL de solução a 0,25% a cada 3 horas, conforme a necessidade. Bloqueio motor de moderado a completo: 10 a 20 mL de solução a 0,5% a cada 3 horas, conforme a necessidade. Bloqueio motor completo: 10 a 20 mL de solução a 0,75%. Dose máxima: até 175 mg como dose única ou 400 mg/dia. Para infiltração e bloqueio nervoso na área maxilar e mandibular: 9 mg (1,8 mL) de cloridrato de bupivacaína em solução a 0,5% com epinefrina 1:200.000 por ponto de injeção. **Reações adversas:** em geral, dependem da dose e da via de administração. São de incidência menos frequente: cianose, visão turva ou dupla, enjoos, ansiedade, excitação, sonolência, erupção cutânea, urticária, aumento da sudorese, hipotensão e bradicardia. **Precauções:** deve ser injetado de forma lenta realizando frequentes aspirações antes de cada injeção e durante elas, para reduzir o risco de administração intravascular acidental. A administração de um anestésico local durante o parto pode produzir alterações na contratilidade uterina ou nos esforços maternos de expulsão. **Interações:** a inibição da transmissão neuronal que os anestésicos locais produzem pode antagonizar os efeitos dos antimiastênicos no musculoesquelético. Com os medicamentos que produzem depressão do SNC é provável que os efeitos depressores sejam aditivos. Os bloqueadores neuromusculares podem potencializar ou prolongar sua ação e também a inibição da transmissão neuronal. Recomenda-se cautela com idosos ou pacientes debilitados por serem mais sensíveis à toxicidade sistêmica. **Contraindicações:** disfunção cardiovascular, principalmente bloqueio cardíaco ou choque, hipersensibilidade à droga, disfunção hepática ou renal.

Epinefrina • **Ações terapêuticas:** broncodilatador, vasoconstritor, estimulante cardíaco, coadjuvante de anestésico local, anti-hemorrágico tópico. **Propriedades:** broncodilatador adrenérgico que estimula os receptores adrenérgicos β_2 nos pulmões, para relaxar o músculo liso brônquico e aumentar a capacidade vital. Diminui o volume residual e reduz a resistência das vias aéreas. Atua também sobre receptores alfa-adrenérgicos para contrair as arteríolas brônquicas. Atua sobre os receptores adrenérgicos β_1 no coração e produz aumento da força da contração pelo efeito ionotrópico positivo no miocárdio. Produz vasoconstrição e aumento da resistência periférica, contribuindo, assim, para os efeitos da pressão. Em doses baixas, produz elevação moderada da pressão arterial sistólica. Em doses mais altas, atua sobre os receptores alfa-adrenérgicos dos vasos do músculo esquelético, o que causa vasoconstrição e elevação das pressões arteriais sistólica e diastólica. Coadjuvante de anestesia local: atua sobre os receptores alfa-adrenérgicos da pele, membranas mucosas e víceras; produz vasoconstrição e diminui a velocidade de absorção vascular do anestésico local utilizado; prolonga a duração da ação e diminui o risco de toxicidade relacionado com a absorção sistêmica do anestésico local. Produz vasoconstrição da conjuntiva e hemostasia nas hemorragias de pequenos vasos; diminui a congestão conjuntival. Contrai o músculo dilatador da pupila e produz midríase. Atua como descongestionante nasal, por vasoconstrição mediada por estimulação dos receptores alfa-adrenérgicos da mucosa nasal. É metabolizada no fígado e excretada por via renal. **Indicações:** asma brônquica, bronquite, enfisema pulmonar, bronquiectasia, doença pulmonar obstrutiva crônica. Em reações alérgicas graves, por combater a hipotensão produzida pela anestesia raquidiana. Parada cardíaca, bloqueio atrioventricular (A-V) transitório, síndrome de Adams-Stokes; como coadjuvante da anestesia local, congestão conjuntival, hemorragia superficial em cirurgia ocular, congestão nasal. **Posologia – Adultos:** como broncodilatador: por via subcutânea, 0,2 a 0,5 mg a cada 20 minutos a 4 horas, conforme a necessidade. Reações anafiláticas: IM ou SC, 0,2 a 0,5 mg a cada 10 a 15 minutos, conforme a necessidade. Como vasoconstritor (choque anafilático): IM ou SC, 0,5 mg seguidas de 0,025 a 0,05 mg via IV a cada 5 a 15 minutos, conforme a necessidade. Como estimulante cardíaco: IV, 0,1 a 1 mg a cada 5 minutos, se for necessário. Como coadjuvante da anestesia, para o uso com anestésicos locais: 0,1 a 0,2 mg em uma solução de 1:20.000 a 1:200.000. Como anti-hemorrágico, midriático ou descongestionante: solução de 0,01 a 0,1%. **Reações adversas:** dor no peito, calafrios, febre, taquicardia, cefaleias contínuas ou graves, náuseas ou vômitos, dispneia, bradicardia, ansiedade, visão turva ou dilatação pupilar, nervosismo ou inquietude. **Precauções:** o médico deverá ser consultado se persistir a dificuldade de respirar após o uso da medicação. Em diabéticos pode aumentar a concentração de glicemia. Pode aparecer secura na boca e na garganta. Deve-se evitar a administração simultânea de corticoides. O emprego de epinefrina durante a gravidez pode produzir anoxia no feto. Não se recomenda a utilização durante o parto, porque a ação relaxante nos músculos uterinos pode retardar a progressão do trabalho de parto. Por ser excretada no leite materno; seu uso em mães pode produzir reações adversas importantes no lactente. **Interações:** outros medicamentos com ação bloqueadora alfa-adrenérgica (haloperidol, loxaprina, fenotiazinas, tioxantenos, nitritos) podem bloquear os efeitos alfa-adrenérgicos da epinefrina, com produção de hipotensão grave e taquicardia. Os anestésicos gerais halogenados (enflurano, halotano, isoflurano) podem aumentar o risco de arritmias ventriculares graves e diminuir os efeitos de hipoglicemiantes orais ou insulina, uma vez que a epinefrina aumenta a glicemia. Os efeitos dos anti-hipertensivos e diuréticos podem diminuir, e quando se administra simultaneamente com bloqueadores beta-adrenérgicos pode haver inibição mútua dos efeitos terapêuticos. O uso concomitante de estimulantes do SNC pode ser aditivo e produzir efeitos indesejados. Os glicosídeos cardíacos podem aumentar o risco de arritmias cardíacas. A ergometrina, ergotamina ou oxitocina podem potencializar o efeito constritivo da epinefrina e diminuir os efeitos antiaginosos dos nitratos. **Contraindicações:** deve ser avaliada a relação risco-benefício na presença de lesão cerebral orgânica, doença cardiovascular, arritmias cardíacas, dilatação cardíaca, aterosclerose cerebral, insuficiência cardíaca congestiva, hipertensão, *diabetes mellitus*, glaucoma de ângulo fechado, hipertireoidismo, feocromocitoma e choque cardiogênico.

Lidocaína • **Ações terapêuticas:** anestésico local e antiarrítmico. **Propriedades:** seu mecanismo de ação como anestésico local consiste no bloqueio da condução dos impulsos nervosos, mediante a diminuição da permeabilidade da membrana neuronal aos íons de sódio, estabilizando-a de forma reversível. Esta ação inibe a fase de despolarização da membrana neuronal, o que dá lugar a um potencial de propagação insuficiente e ao bloqueio da condução. Exerce sua ação como antiarrítmico, diminuindo a despolarização, o automatismo e a excitabilidade nos ventrículos durante a fase diastólica, mediante ação direta sobre os tecidos, especialmente a rede de Purkinje, sem envolver o sistema autonômico. A lidocaína é absorvida com rapidez através das membranas mucosas até a circulação geral, com dependência da vascularização e velocidade do fluxo sanguíneo no local da aplicação e da dose total administrada. Sua absorção por meio da pele intacta é escassa, aumentando quando aplicada sobre pele traumatizada. A absorção sistêmica é praticamente completa e a velocidade de absorção depende do local e da via de administração, da dose total administrada e da associação, ou não, com vasoconstritores. Os vasoconstritores diminuem o fluxo sanguíneo próximo ao local da injeção, o que reduz a velocidade de absorção do anestésico e prolonga o tempo de ação. Além disso, diminui a concentração sérica, o risco de toxicidade sistêmica e melhora a qualidade do bloqueio. O metabolismo é principalmente hepático (90%); seus metabólitos são ativos e tóxicos, porém menos do que a droga-mãe; 10% são excretados sem modificação pelos rins. **Indicações:** anestesia local tópica em membranas mucosas acessíveis (endoscopia ou exploração de esôfago, laringe, boca, cavidade nasal, faringe, reto, traqueia e trato urinário), alívio sintomático de distúrbios anorretais (hemorroidas, dor anorretal), tratamento de distúrbios da cavidade oral (dor por irritação, inflamação em lesões bucais e da gengiva, dor por prótese dental), tratamento da dor faríngea, alívio e controle da dor na uretrite, tratamento da dor, prurido e inflamação das doenças menores de pele. Por via parenteral, é indicada para produzir anestesia local ou regional, analgesia e bloqueio neuromuscular em grau variável antes das intervenções cirúrgicas dentais e obstétricas. **Posologia:** lidocaína tópica, geleia a 2%: 5 mL por aplicação até 3 vezes/dia; urologia: 25 mL em homens e 15 mL em mulheres. Lidocaína tópica, pomada a 5%: varia conforme o uso e a área a anestesiar. Lidocaína tópica, solução a 4%: depende da área a anestesiar. Lidocaína tópica, aerossol a 10%: não ultrapassar os 30 mg por quadrante de mucosa gengival ou oral (cada atomização libera 10 mg da droga). Lidocaína tópica, viscosa a 2%: por contato, pode ser aplicada com pincel ou com a ponta dos dedos várias vezes ao dia; por ingestão: 5 mL, 3 vezes/dia. **Reações adversas:** administração tópica: erupção cutânea, urticária ou angioedema por reação alérgica. Administração parenteral como anestésico local: erupção cutânea, urticária ou angiodema por reação alérgica; como anestésico dental: adormecimento prolongado de lábios e boca; como anestésico espinal: hipotensão, cefaleias, náuseas, vômitos e toxicidade sistêmica. Administração parenteral como antiarrítmico: erupção cutânea e angioedema por reação alérgica, dor no local da injeção, ansiedade, enjoos, sonolência. **Precauções:** quando ministrada por via tópica, deve ser administrada com cuidado na presença de hemorroidas sangrantes, infecção local na zona de tratamento (diminuição ou perda do efeito anestésico local) e trauma grave da mucosa (aumenta sua absorção). A administração de lidocaína peridural, subaracnóidea, paracervical ou genital durante o parto pode produzir alterações na contratilidade uterina ou nos esforços de expulsão da mãe e contrações das artérias uterinas. Quando empregada por via parenteral como anestésico local, deve-se ter precaução na presença de disfunção cardiovascular e hepática. A utilização como antiarrítmico deve ser cuidadosa em pacientes com insuficiência cardíaca congestiva, hipovolemia ou choque, bloqueio cardíaco incompleto, bradicardia sinusal e síndrome de Wolff-Parkinson-White, dado que pode agravar todas essas doenças. Geralmente não há sensibilidade cruzada com outros anestésicos locais do tipo amida. **Interações:** o uso simultâneo com bloqueadores beta-adrenérgicos pode tornar mais lento o metabolismo da lidocaína pela diminuição do fluxo sanguíneo hepático. A cimetidina pode inibir o metabolismo hepático da lidocaína. Os medicamentos depressores do SNC podem aumentar os efeitos depressores da droga. O uso simultâneo com bloqueadores neuromusculares pode potencializar ou prolongar a ação destes. A administração com vasoconstritores para anestesiar zonas irrigadas por artérias terminais (como dedos das mãos, dos pés ou pênis) deve ser muito cuidadosa, uma vez que pode produzir isquemia e gangrena. Quando utilizada como antiarrítmico, o uso simultâneo com outros antiarrítmicos pode gerar efeitos cardíacos aditivos. **Contraindicações:** para qualquer via de administração: hipersensibilidade à droga. Para administração parenteral: bloqueio cardíaco completo, síndrome de Adams-Stokes, hipotensão grave, infecção local, septicemia.

Prilocaína • **Ações terapêuticas:** anestésico local. **Propriedades:** esse anestésico local estabiliza a membrana neuronal mediante a inibição do fluxo de íons requeridos para o início da condução do impulso nervoso. Na aplicação por infiltração em pacientes com transtornos dentários, a prilocaína começa sua ação após 2 minutos e em tecidos moles prolonga-se durante 2 horas. A anestesia pulpar dura aproximadamente 10 minutos. No bloqueio do nervo alveolar inferior, a ação começa após 3 minutos e a anestesia prolonga-se por 2,5 horas. A prilocaína é absorvida totalmente após ser injetada e é metabolizada no fígado e nos rins. É excretada principalmente pelos rins. Sua farmacocinética pode ser alterada nos pacientes com doença hepática ou renal. O fármaco atravessa a barreira hematoencefálica. A acidose e o uso de depressores do SNC afetam os níveis de prilocaína necessários para que ocorra manifestação de efeitos sistêmicos. **Indicações:** anestesia local em odontologia por técnicas de infiltração ou bloqueio nervoso. **Posologia:** é empregada em solução a 5%. Habitualmente entre 1 e 2 mL de solução são adequados para os diversos procedimentos. Dose máxima recomendada em adultos: 8 mg/kg (em uma aplicação única); dose máxima recomendada em crianças: 6,6 mg/kg. **Superdosagem:** confusão, convulsões, depressão ou parada respiratória. Uma equipe de reanimação adequada deve estar disponível para essas situações. **Reações adversas:** inflamação e parestesia persistente dos lábios e dos tecidos moles. Em algumas ocasiões a parestesia pode durar até um ano. Costumam ocorrer ocasionalmente transtornos nervosos (excitação, vertigem, cefaleia) e cardiovasculares (taquicardia, colapso vascular, arritmias). **Precauções:** em busca de manifestação de toxicidade sistêmica, sinais e sintomas semiológicos devem ser vigiados após cada administração de anestésicos locais, já que confusão, agitação, convulsões, depressão ou parada respiratória podem desenvolver-se por administração na região da cabeça e do pescoço; essas situações requerem atenção imediata. Utilizar com precaução em pacientes com doença hepática e renal. **Interações:** depressores do SNC: diminuem o limiar de toxicidade sistêmica. **Contraindicações:** hipersensibilidade à prilocaína e a outros anestésicos do tipo amida. Pacientes com meta-hemoglobinemia idiopática ou congênita.

ANSIOLÍTICOS

Buspirona • **Ações terapêuticas:** ansiolítico. **Propriedades:** é um ansiolítico não relacionado estruturalmente com as benzodiazepinas, os barbituratos ou outros agentes ansiolíticos. Pertence a um novo grupo químico (azaspirodecanodionas), com um perfil farmacológico diferente do das benzodiazepinas, pois carece de ações hipnóticas, anticonvulsivantes e miorrelaxantes, não altera a memória e, mais que sedação, produz insônia. Sua eficácia ansiolítica é escassa (menor que as benzodiazepinas) e lenta, já que ocorre após 2 semanas. O mecanismo de ação deve-se ao efeito agonista sobre os receptores serotoninérgicos 5-HT1A. Não foi descrito o desenvolvimento de dependência física e abstinência, não provoca transtornos cognitivos ou psicomotores. As azaspirodecanodionas não interagem com o álcool nem com outros neurodepressores. A buspirona tem resultado quase ineficaz em indivíduos tratados previamente com benzodiazepinas. É rapidamente absorvida e sofre extenso metabolismo de primeira passagem; 95% do fármaco circulante encontra-se ligado a proteínas plasmáticas. A influência da insuficiência hepática e renal no metabolismo e na biodisponibilidade não foi estabelecida. Gera-se um metabólito ativo N-dismetilbuspirona. A **meia-vida** é de 3 a 4 horas. **Indicações:** ansiedade, distúrbio de ansiedade generalizada. Sugere-se associá-la a benzodiazepinas nos transtornos de pânico, como alternativa aos antidepressivos. Está em estudo sua utilidade em alterações do controle impulsivo (agressão, suicídio) em síndromes depressivas, no abuso e na dependência-abstinência alcoólica, transtornos de conduta alimentar, síndromes obsessivas, transtornos da migrânea. **Posologia:** a dose inicial é de 15 mg/dia (5 mg, 3 vezes/dia). Na maioria dos pacientes obtém-se resposta terapêutica ótima com 20 ou 30 mg/dia administrados em 2 ou 3 tomadas. Não se deve superar os 60 mg/dia, dada a possibilidade de aparecerem sintomas disfóricos e tendências suicidas. Cefaleias, parestesias, vertigem, sudorese. **Superdosagem:** náuseas, vômitos, tonturas, sonolência, miose e mal-estar gástrico. **Tratamento:** lavagem gástrica imediata e medidas de suporte. **Reações adversas:** tonturas, náuseas, nervosismo, excitação. Por suspensão do tratamento: tonturas, insônia, náuseas, transtornos gastrintestinais. **Precauções:** não administrar a pacientes que ingerem fármacos Imao. A retirada da droga deve ser gradual. A falta de experiência clínica não sustenta seu uso em grávidas nem em mães lactantes. Não administrar a pacientes com insuficiência renal ou hepática. **Interações:** Imao podem desencadear crises hipertensivas. **Contraindicações:** hipersensibilidade à buspirona.

Diazepam • **Ações terapêuticas:** ansiolítico, miorrelaxante e anticonvulsivante. **Propriedades:** as benzodiazepinas atuam geralmente como depressoras do SNC, causando sedação leve até hipnose ou coma, dependendo da dose. Acredita-se que seu mecanismo de ação é potencializar ou facilitar a ação inibidora do neurotransmissor ácido gama aminobutírico (Gaba), mediador da inibição tanto no nível pré-sináptico como no pós-sináptico, em todas as regiões do SNC. É bem **absorvido** no trato gastrintestinal e, quando injetado no músculo deltoide, geralmente a absorção é rápida e completa. O estado de equilíbrio da **concentração plasmática** é produzido entre 5 dias e 2 semanas após o início do tratamento. A eliminação é lenta, uma vez que os metabólitos ativos podem permanecer no sangue vários dias ou semanas, produzindo possivelmente efeitos persistentes. O início da ação é evidenciado entre 15 e 45 minutos após a administração oral, por via IM antes de 20 minutos, e por via IV entre 1 e 3 minutos. **A eliminação é por via renal**. **Indicações:** comprimidos: ansiedade, distúrbios psicossomáticos, torcicolos, espasmos musculares. Ampolas: sedação prévia a intervenções (endoscopias, biópsias, fraturas); estados de agitação motora, *delirium tremens*, convulsões. **Posologia:** as doses ótimas devem ser avaliadas para cada paciente. Ansiedade: 5 a 30 mg/dia. Espasmos musculares: 5 a 15 mg/dia. Convulsões: 10 a 20 mg/dia. Crianças: 0,2 mg/kg/dia. Nos tratamentos da ansiedade ou de distúrbios psicomotores é conveniente não ultrapassar as 4 semanas. Se for necessário continuar além desse prazo, a suspensão deverá ser gradual. Idosos e pacientes desnutridos requerem doses menores devido às variações na sensibilidade e na farmacocinética. **Reações adversas:** sedação, sonolência, ataxia, vertigem, hipotensão, distúrbios gastrintestinais, retenção urinária, alteração na libido, icterícia, discrasias sanguíneas. Reações paradoxais: excitação e agressividade (crianças e idosos). A administração parenteral pode produzir hipotensão ou debilidade muscular. Em pacientes geriátricos ou debilitados, assim como em crianças ou indivíduos com doenças hepáticas, aumenta a sensibilidade ao efeito das benzodiazepinas no SNC. **Precauções:** podem modificar a capacidade de reação quando se dirige veículos ou se opera máquinas de precisão. A dependência é importante quando são usadas doses elevadas durante períodos prolongados. Após a suspensão brusca podem ocorrer depressão, insônia por efeito de rebote, nervosismo, salivação e diarreia. Foi descrita síndrome de abstinência (estados de confusão, manifestações psicóticas e convulsões) logo após a suspensão de doses elevadas e administradas por longo tempo. Na gravidez não se recomenda o uso no primeiro trimestre. Durante a lactação deve ser evitado, dado que o diazepam é excretado no leite materno. **Interações:** os efeitos sedantes são intensificados quando se associam com álcool, neurolépticos, antidepressivos, hipnóticos, hipoanalgésicos, anticonvulsivantes e anestésicos. O uso simultâneo de antiácidos pode retardar, mas não diminuir, sua absorção. A cimetidina pode inibir o metabolismo hepático e provocar atraso na eliminação. As benzodiazepinas podem diminuir os efeitos terapêuticos da levodopa e a rifampicina pode potencializar a eliminação do diazepam. **Contraindicações:** miastenia grave, glaucoma, insuficiência pulmonar aguda, depressão respiratória, insuficiência hepática e renal. A relação risco-benefício deverá ser avaliada em pacientes com antecedentes de crises convulsivas, hipoalbuminemia, psicose.

Meprobamato • **Ações terapêuticas:** ansiolítico. **Propriedades:** um derivado do carbamato. Seu mecanismo de ação não é bem conhecido; ao que parece, atua em múltiplos locais do SNC, incluindo o tálamo e o sistema límbico. É bem absorvido no trato gastrintestinal e é metabolizado no fígado. A meia-vida plasmática é de aproximadamente 10 horas. A excreção é renal (de 8 a 19% sob a forma inalterada). **Indicações:** distúrbios de ansiedade que requerem tratamento a curto prazo. Não são indicados para ansiedade ou tensão associada com a vida diária. **Posologia:** adultos: 400 mg, 3 vezes/dia. Dose máxima: até 2,4 g/dia. Em pacientes geriátricos ou debilitados a dose poderá ser reduzida, porque são mais sensíveis a seus efeitos. **Reações adversas:** torpor, instabilidade, sonolência, cefaleias, confusão, taquicardia, excitação não habitual, náuseas ou vômitos. Sinais de toxicidade aguda: confusão grave, sonolência grave, bradicardia, debilidade. Sinais de toxicidade crônica: tonturas contínuas, andar instável, balbucios. **Precauções:** como atravessa a placenta, há o risco de malformações congênitas quando é administrado durante o primeiro trimestre de gravidez. É excretado no leite materno e pode originar sedação no lactente. Pode diminuir ou inibir o fluxo salivar e contribuir para o desenvolvimento de cáries, candidíase oral e mal-estar. **Interações:** outros medicamentos depressores do SNC adotados de forma simultânea podem aumentar esse efeito, bem como aumentar o risco de hábito. **Contraindicações:** a relação risco-benefício deverá ser avaliada na presença de antecedentes de abuso de fármacos, epilepsia, disfunção hepática ou renal e porfiria aguda intermitente.

ANTICONVULSIVANTES (Neuromoduladores)

A dor neuropática, seja de origem periférica, seja central, é caracterizada por hiperexcitabilidade neuronal nas áreas lesadas do sistema nervoso. Tal hiperexcitabilidade e as alterações a elas relacionadas apresentam vários aspectos em comum com as modificações celulares de certas formas de epilepsia. Tal fato, ao longo dos últimos anos, levou ao uso dos anticonvulsivantes no tratamento de certas dores crônicas, sobretudo aquelas em queimação, lancinantes ou em forma de choque elétrico, uma vez que qualquer droga que, em princípio, reduza a hiperexcitabilidade neuronal, pode ser considerada de valor analgésico.

Ácido valproico • **Ações terapêuticas:** anticonvulsivante e antiepiléptico. **Propriedades:** agente antiepiléptico maior, indicado em diferentes formas clínicas da enfermidade convulsiva: pequeno mal, crises de ausência e, como adjuvante, nas crises mistas. Apresenta-se na forma de diferentes sais e derivados (sódico, magnésio, piroxil, divalproato) usados indistintamente na prática; contudo, o sal magnésio (valproato de magnésio) tem demonstrado ser mais eficaz e mais bem tolerado, com menor índice de efeitos secundários. Este anticonvulsivante (AC) é totalmente diferente dos outros fármacos desse grupo terapêutico (fenobarbital, carbamazepina), tanto estruturalmente (não tem radicais unidos à sua estrutura química) quanto farmacologicamente, já que tem outros efeitos (antianóxico) em nível periférico, evitando o bloqueio do metabolismo muscular e a apneia da crise convulsiva, além de apresentar efeito ansiolítico decorrente de sua ação GABAérgica. **Indicações:** tratamento da epilepsia (crise de ausência, pequeno mal). Como coadjuvante no tratamento das crises mistas de epilepsia. **Posologia:** a dose usual para **adultos** é de 5 a 15 mg/kg/dia por via oral; a dose é aumentada semanalmente de 5 a 10 mg/kg/dia conforme a tolerância, até um máximo de 60 mg/kg/dia. A dose usual **pediátrica** (para crianças de 1 a 12 anos) é de 15 a 45 mg/kg/dia. **Reações adversas:** hepatotoxicidade grave ou fatal (risco maior em crianças que recebem outros anticonvulsivantes de forma simultânea) cãibras abdominais, alterações intestinais, diarreia, tremores, náuseas, vômitos, *rash* cutâneo, sonolência, inibição da agregação plaquetária, trombocitopenia, hemorragias, hematomas. **Precauções:** a administração desse fármaco em crianças deve ser cuidadosa (apresentam maior risco de desenvolver hepatotoxicidade grave), em presença de discrasias sanguíneas, patologias cerebrais, insuficiência hepática e disfunção renal. Deve-se ter precaução em casos de cirurgia, de tratamentos dentários ou em emergências, pelo possível prolongamento do tempo de sangramento. Não se recomenda ingestão associada de álcool ou outros depressores do SNC. Para suspender sua administração, a dose deve ser reduzida de forma gradual, pois a suspensão brusca pode precipitar crise convulsiva ou o estado de mal epiléptico. **Interações:** a hipoprotrombinemia induzida pelo ácido valproico pode aumentar a atividade dos derivados cumarínicos e da indandiona e aumentar o risco de hemorragias em pacientes que recebem heparina ou trombolíticos. O uso simultâneo com antidepressivos tricíclicos, haloperidol, inibidores da monoaminoxidase e fenotiazínicos pode potencializar a depressão do SNC e diminuir o limiar convulsivo. A administração com medicamentos hepatotóxicos pode aumentar o risco da hepatotoxicidade. A administração concomitante de inibidores da agregação plaquetária pode aumentar o risco de hemorragias.

Carbamazepina • Foi o primeiro AC usado com sucesso em estudos clínicos para tratar dores neuropáticas. Seu efeito analgésico ocorre, provavelmente, por atividade central e periférica, tendo comprovada eficácia terapêutica no tratamento da neuralgia trigeminal e na neuralgia do glossofaríngeo. Seus efeitos colaterais mais frequentes são sonolência, tontura, ataxia (alteração da motricidade caracterizada pela falta de coordenação dos movimentos), náusea e vômito. **Ações terapêuticas:** anticonvulsivante, antineurálgico. **Propriedades:** derivado tricíclico do iminostibeno. Estruturalmente é similar aos fármacos psicoativos (imipramina, clorpromazina e maprotilina) e compartilha algumas características estruturais com os anticonvulsivantes (fenitoína, clonazepan e fenobarbital). O mecanismo exato de sua ação anticonvulsiva é desconhecido; pode deprimir a atividade do núcleo ventral anterior do tálamo, porém o significado não está totalmente esclarecido. Como antineurálgico pode atuar no SNC diminuindo a transmissão sináptica ou a somação da estimulação temporal que dá origem à descarga neuronal. A **absorção** é lenta e variável, porém é quase completamente absorvido no trato gastrintestinal. Sua união às proteínas é de 55 a 59% em crianças e de 76% em adultos. É **metabolizado** no fígado e um metabólito, a carbamazepina-10,11-epóxido, tem atividade anticonvulsiva, antidepressiva e antineurálgica. O início de ação anticonvulsivante varia entre dias e meses, e depende de cada paciente devido à autoindução do metabolismo; o alívio da dor na neuralgia do trigêmeo ocorre entre 24 e 72 horas. É **eliminada** principalmente por via renal (72%; 3% como fármaco inalterado). **Indicações:** epilepsia, tratamento das crises convulsivas parciais com sintomatologia simples ou complexa, crises convulsivas tônico-clônicas generalizadas (grande mal), crises convulsivas mistas. Anticonvulsivante de primeira escolha na neuralgia do trigêmeo. **Posologia: adultos como anticonvulsivante**: dose inicial de 200 mg, 2 vezes no primeiro dia, com aumentos de até 200 mg/dia em intervalos semanais, até obter a resposta ótima; dose de manutenção 800 mg a 1,2 g/dia; dose máxima em pacientes de 12 a 15 anos, 1 g/dia; maiores de 15 anos, 1,2 g/dia. **Adultos como antineurálgico**: no início 100 mg, 2 vezes no primeiro dia, com aumento de até 200 mg em dias alternados em frações de 100 mg a cada 12 horas até o alívio da dor; manutenção de 200 mg a 1,2 g/dia em várias doses; dose máxima 1,2 g/dia. **Doses pediátricas:** crianças até 6 anos 10 a 20 mg/kg/dia, divididos em 2 a 3 doses; manutenção 250 a 350 mg/dia, sem ultrapassar 400 mg/dia; crianças de 6 a 12 anos, 100 mg 2 vezes no primeiro dia, com aumento de até 1.000 mg/dia, com intervalos semanais até obter a resposta ótima; manutenção de 400 a 800 mg/dia. Em geral, a dosagem não deve superar 1 g/dia. Sempre que possível, a dose diária total deve ser dividida em 3 a 4 doses. **Reações adversas:** de incidência mais frequente: visão turva, cefaleia contínua, aumento da frequência de crises convulsivas, sonolência e debilidade. Raramente: bradicardia, dificuldade de respiração, disartria, rigidez, tremor, alucinações visuais, fezes esbranquiçadas, hemorragias ou hematomas, febre, adenopatias, linfadenopatias e parestesias. **Precauções:** deve-se ter cuidado ao dirigir, no manuseio de máquinas ou ao executar trabalhos que exijam atenção e coordenação. Em pacientes diabéticos poderá haver aumento nas concentrações de açúcar na urina. Os efeitos leucopênicos e trombocitopênicos podem originar maior incidência de infecção microbiana, retardo na cicatrização e hemorragia gengival. **Interações:** o paracetamol pode aumentar o risco de hepatopatoxicidade e diminuir os efeitos terapêuticos desta droga. Pode diminuir o efeito dos corticosteroides devido ao aumento do metabolismo destes. Os efeitos depressores sobre o SNC são potencializados com o uso simultâneo de antidepressivos tricíclicos, haloperidol, loxapina, fenotiazinas ou tioxantenos. A cimetidina pode aumentar a concentração plasmática de carbamazepina. O uso de Imao pode originar crises hiperpiréticas, crises hipertensivas e convulsões graves. **Contraindicações:** crises de ausência atípicas ou generalizadas. Crises atônicas. Crises convulsivas mioclônicas, bloqueio atrioventricular (A-V), antecedentes de depressão da medula óssea. A relação risco-benefício deverá ser avaliada na presença de gravidez, lactação, *diabetes mellitus*, glaucoma, disfunção hepática ou renal e reações hemáticas adversas por outros medicamentos.

Gabapentina • Agente antiepiléptico, originalmente desenvolvido para tratar espasticidade, com potente efeito anticonvulsivante. Atualmente, é o AC de melhor evidência quanto à eficácia no tratamento da dor neuropática, em especial na neuropatia diabética e na neuralgia pós-herpética. **Ações terapêuticas**: anticonvulsivante. **Propriedades**: o mecanismo de ação da gabapentina é desconhecido. Mesmo com uma estrutura molecular relacionada com a do ácido gama-aminobutírico (Gaba), sabe-se que não interage com os receptores do Gaba, não é convertida em Gaba por biotransformação, nem inibe seu metabolismo. **Biodisponibilidade:** 60%, e diminui com o aumento das doses; a absorção não é afetada pela ingestão de alimentos. Ligação às proteínas plasmáticas: < 3%. Em pacientes com epilepsia, a concentração de gabapentina no líquido cerebrospinal é a quinta parte da concentração plasmática. Sofre excreção renal, sem ser metabolizada, e a meia-vida de eliminação é de 5 a 7 horas. A constante de eliminação e os *clearances* plasmático e renal são proporcionais ao *clearance* de creatinina. Em pacientes com insuficiência renal, e idosos, é necessário ajustar a dose. **Indicações:** como coadjuvante na epilepsia de adultos e crianças maiores de 12 anos, em crises parciais com generalização secundária ou sem ela, que não tenham respondido a tratamentos anteriores. **Posologia:** a dose ótima é de 900 a 1.800 mg diários, administrados em 3 tomadas ao dia. Iniciar o tratamento com 300 mg no dia 1, aumentando 300 mg a cada dia subsequente até atingir a dose ótima. Foi observado que doses de 2.400 mg/dia são bem toleradas em tratamentos por longos períodos de tempo e doses de até 3.600 mg/dia em tratamentos por curtos períodos de duração. Em pacientes com comprometimento da função renal, o *clearance* de creatinina (CC) determina a posologia: CC < 60 mL/min, 3 tomadas diárias de 400 mg; CC de 30 a 60 mL/min, 2 tomadas diárias de 300 mg; CC de 5 a 30 mL/min, 1 tomada diária de 300 mg; CC < 15 mL/min, 300 mg em dias alternados. Pacientes em hemodiálise: 300 mg a cada 4 horas de hemodiálise. **Superdosagem:** os sinais de toxicidade aguda incluem ataxia, diplopia, disartria, adormecimento, letargia e diarreia. Em caso de superdose, a gabapentina pode ser eliminada por hemodiálise. **Reações adversas:** as mais comuns são sonolência, ataxia, fadiga, tontura e nistagmo. Com menor frequência ocorrem tremores, rinite, crises atônicas, diplopia, aumento de peso, faringite, nervosismo, disartria, amnésia, dispepsia, mialgias, dor nas costas, depressão, tosse, edema periférico, secura bucal e da garganta, impotência, alterações de pensamento, constipação, transtornos mentais, contração espasmódica, erosão cutânea, prurido, vasodilatação, aumento do apetite, leucopenia, coordenação anormal. **Precauções:** não é eficaz nas crises de ausência e ainda pode exacerbá-las. Não interromper a administração repentinamente. Aconselha-se não dirigir automóveis nem operar maquinaria pesada. Não é necessário monitorar as concentrações plasmáticas de gabapentina para otimizar o tratamento. **Interações:** não modifica a biodisponibilidade de outros fármacos antiepilépticos comuns (ácido valproico, carbamazepina, fenitoína e fenobarbital). A cimetidina reduz levemente sua excreção renal. Não é aconselhável o uso simultâneo de antiácidos (deixar passar 2 horas para a ingestão destes). **Contraindicações:** hipersensibilidade ao fármaco.

Lamotrigina • **Ações terapêuticas:** antiepiléptico. **Propriedades:** trata-se de um bloqueador dos canais de sódio voltagem-dependentes, que produz bloqueio da descarga repetitiva sustentada em neurônios mantidos em cultura. Além disso, inibe a liberação patológica de glutamato e os potenciais de ação evocados por esse aminoácido, envolvido na gênese de crises epilépticas. **Indicações:** epilepsias em adultos e crianças. **Posologia:** doses em monoterapia. **Adultos e crianças maiores de 12 anos – dose inicial**: 25 mg 1 vez/dia, durante 2 semanas, seguido por 50 mg 1 vez/dia também durante 2 semanas; **dose habitual de manutenção**: 100 a 200 mg/dia administrados 1 vez/dia ou em 2 tomadas. **Crianças de 2 a 12 anos – dose inicial**: 0,5 mg/kg/dia, durante 2 semanas, seguido por 1 mg/kg durante 2 semanas; **dose habitual de manutenção**: 2 a 10 mg/kg/dia em 1 ou 2 tomadas. **Reações adversas:** na monoterapia ocorrem cefaleia, cansaço, *rash*, tonturas, sonolência e insônia. Durante os tratamentos multidose, foram registrados casos de *rash* cutâneo, habitualmente de aparência maculopapular, que aparecem nas primeiras 4 semanas da terapia, desaparecendo com sua suspensão. Outros efeitos adversos são diplopia, visão turva, tontura, sonolência, cefaleia, cansaço, distúrbios gastrintestinais, irritabilidade/comportamento agressivo, tremores, agitação, anormalidades hepáticas transitórias e confusão. **Precauções:** as doses maiores recomendadas no início do tratamento podem associar-se com alta incidência de *rash* cutâneo, que obriga a suspensão do medicamento. A interrupção brusca de lamotrigina pode provocar crise-rebote, pelo que se recomenda redução gradual da dose ao longo de 2 semanas. **Interações:** antiepilépticos como fenitoína, carbamazepina, fenobarbital e primidona aumentam o metabolismo da lamotrigina e, portanto, diminuem sua concentração plasmática. Já o valproato de sódio reduz o metabolismo do fármaco, pois emprega as mesmas enzimas hepáticas para seu metabolismo. A administração de lamotrigina e carbamazepina produziu alterações no SNC como tonturas, ataxia, diplopia, visão turva e náuseas. Todos esses efeitos desapareceram com a redução da dose de carbamazepina. **Contraindicações:** hipersensibilidade ou intolerância à lamotrigina.

Oxcarbazepina • Análogo da carbamazepina, de farmacocinética mais segura e absorção mais rápida. Apresenta melhor perfil que a carbamazepina quanto aos efeitos adversos e tem sido considerada a droga de eleição para tratamento da neuralgia do trigêmeo. **Ações terapêuticas:** antiepiléptico. **Propriedades:** compartilha a maioria das propriedades da carbamazepina, da qual é derivado. **Indicações:** epilepsia: tratamento das crises convulsivas parciais com sintomatologia simples ou complexa, crises convulsivas tônico-clônicas generalizadas (grande mal), crises convulsivas mistas. Anticonvulsivo de primeira escolha. Neuralgia do trigêmeo. **Posologia:** o tratamento com a droga em regime mono e politerapêutico será aplicado paulatinamente e a posologia será adaptada às necessidades do paciente. **Adultos monoterapia**: a dose inicial será de 300 mg, 1 vez/dia, que será aumentada de forma gradual até se obter resposta ótima, em geral 600 mg a 1,2 g diários. **Politerapia** (em pacientes com epilepsia grave e casos refratários ao tratamento): a dose inicial será de 300 mg, 1 vez/dia, que deverá ser aumentada de forma gradual até se obter resposta ótima. A dose de manutenção é de 900 mg a 3 g diários, aproximadamente. **Crianças:** a experiência com oxcarbazepina é limitada em menores e não está disponível experiência com crianças menores de 3 anos. Devido a essa experiência limitada, as recomendações posológicas são: independentemente de sua administração em regime mono ou politerapêutico, o tratamento deverá ser aplicado com 10 mg/kg de peso corporal ao dia; essa dose será aumentada de forma gradual. A dose diária de manutenção recomendada está ao redor de 30 mg/kg de peso corporal. Se a crise não for controlada, a dose deverá ser aumentada conforme os casos, à razão de 10 mg/kg de peso corporal ao dia.

Quando uma dose exata (mg/kg) não puder ser obtida em crianças com os comprimidos disponíveis e se estime a necessidade de tratá--las com oxcarbazepina, será tomada a decisão de administrar uma dose aproximada, de acordo com as circunstâncias do caso. Mesmo que em certos pacientes seja possível a administração em 2 ingestões ao dia, recomendam--se, geralmente, 3 ingestões diárias. **Superdosagem**: os pacientes intoxicados com uma superdosagem de oxcarbazepina deverão ser tratados de forma sintomática. O fármaco deverá ser eliminado ou inativo. Aconselha-se vigiar as funções vitais, prestando atenção especial aos distúrbios da condução cardíaca, às alterações eletrolíticas e aos problemas respiratórios. O paciente deverá ser hospitalizado. **Reações adversas**: costumam ser de natureza leve e passageira, são provocadas principalmente no início do tratamento e, em geral, retornam ao prosseguir a medicação. Durante a fase de dose inicial, os efeitos colaterais mais comuns são fadiga, vertigem e ataxia. Nos estudos clínicos com oxcarbazepina administrada em regime monoterapêutico, foram relatados os seguintes efeitos colaterais. **Sistema nervoso central e periférico**: frequentes: fadiga; ocasionalmente, vertigem, distúrbios da memória, cefaleias, tremor, distúrbios do sono, parestesias. E raramente, instabilidade psíquica, *tinnitus*, ataxia, depressão, distúrbios visuais, ansiedade. **Trato gastrintestinal**: ocasionalmente, distúrbios gastrintestinais, por exemplo, náuseas. **Reações de hipersensibilidade**: ocasionalmente, eritemas. **Sangue**: ocasionalmente, decréscimo da contagem leucocitária (transitório). **Fígado**: ocasionalmente, aumento ligeiro das transaminases; em casos isolados, aumento da fosfatase alcalina. **Aparelho cardiovascular**: -raramente, hipotensão ortostática. **Outros**: ocasionalmente, aumento de peso, edema, hiponatremia, diminuição da libido nos homens, menstruação irregular; raramente, perda de peso. Além disso, em **crianças** (que recebem politerapia), vômitos, agressividade, febre (de origem desconhecida). **Precauções**: como há a possibilidade de diminuição do sódio sérico durante a medicação com oxcarbazepina, recomenda-se medi-lo antes e após o início do tratamento, a intervalos regulares. Os doentes com baixos níveis de sódio sérico e os que estão sendo tratados com diuréticos deverão ser vigiados estritamente. Em pacientes com disfunção renal ou hepática, a dose da droga deverá ser indicada com cautela, e os níveis plasmáticos da droga devem ser controlados, o que também deve ocorrer em indivíduos com doenças cardiovasculares graves e com idade avançada. Se o tratamento com oxcarbazepina for interrompido bruscamente, por exemplo, por efeitos colaterais graves, a troca por outro antiepiléptico será feita sob proteção, por exemplo, com diazepam e vigilância estrita. Já que a oxcarbazepina deprime o SNC, os pacientes tratados deverão renunciar ao consumo de bebidas alcoólicas. A alergia cruzada à oxcarbazepina é produzida aproximadamente em 25% dos doentes alérgicos à carbazepina. É provável que esta alergia cruzada ocorra pela semelhança estrutural entre ambos os fármacos. Portanto, a oxcarbazepina será indicada com cautela em pacientes alérgicos à carbamazepina. Efeitos sobre a capacidade de conduzir ou operar máquinas: dado que exerce um efeito sedativo, pode reduzir a capacidade do paciente para conduzir veículos ou operar máquinas. **Interações**: até o momento, só está disponível informação limitada sobre as interações entre a oxcarbazepina e outros antiepilépticos ou outros fármacos. Os estudos clínicos revelaram que a oxcarbazepina intensifica apenas ligeiramente (se o faz) a eliminação da fenitoína e do ácido valproico quando administrados conjuntamente. **Contraindicações:** hipersensibilidade conhecida à oxcarbazepina.

Pregabalina • Apresenta como ingrediente ativo o ácido S-3-aminometil-5-metil-hexanoico, um análogo do ácido gama-aminobutírico (Gaba) sob a forma de cápsulas de 75 mg e 150 mg, via oral. **Mecanismo de ação**: tal fármaco liga-se a uma subunidade auxiliar (proteína α 2-δ) dos canais de cálcio voltagem-dependentes no SNC, deslocando a [3H]-gabapentina. A pregabalina reduz a liberação de inúmeros neurotransmissores, como a substância P, o glutamato e a noradrenalina. **Absorção:** a pregabalina é absorvida rapidamente quando o paciente se encontra em jejum e o pico plasmático ocorre por volta de 1 hora após sua administração. Quando administrada com alimentos diminui sua absorção em torno de 30%. **Distribuição:** em modelos animais, atravessa a barreira hematoencefálica e a placenta, podendo-se observar a presença desse fármaco no leite de ratas lactantes. **Metabolismo:** a pregabalina sofre metabolismo desprezível em humanos, sendo recuperada em cerca de 98% na urina da forma inalterada. **Eliminação:** a excreção é renal e a meia-vida de eliminação de 6,3 horas. A farmacocinética da pregabalina não é influenciada pelo sexo e pela etnia. Na insuficiência renal há necessidade de ajuste de doses, o que também se verifica em pacientes com idade superior a 65 anos. Não apresenta em modelos animais teratogenicidade ou carcinogênese. Há evidências de sinais clínicos de hiperatividade do SNC e bruxismo. **Indicações:** recomenda-se em dores neuropáticas, principalmente em neuropatia diabética e neuralgia pós-herpética, com esquema posológico de 2 vezes ao dia, ou seja, 150 mg/dia. Não há dados conclusivos sobre as demais dores neuropáticas. Em **epilepsia**, emprega-se posologia similar, com redução significativa na frequência das crises. Nos casos de **transtorno de ansiedade generalizada** recomenda-se, inicialmente, 75 mg 2 vezes ao dia. Conforme a resposta e a tolerabilidade do paciente, pode-se aumentar a dose para 300 mg em 7 dias. Após esse período, pode-se elevar a dose para 450 mg/dia atingindo a dose máxima de 600 mg/dia. Em **fibromiálgicos,** recomenda-se de 300 a 450 mg/dia. Inicia-se com uma dose de 75 mg 2 vezes ao dia, podendo-se aumentá-la para 150 mg 2 vezes ao dia, observando eficácia e tolerabilidade individuais. **Contraindicações**: é contraindicada em pacientes com hipersensibilidade à pregabalina ou a qualquer componente da fórmula. **Descontinuação do tratamento:** deve ser realizado gradualmente durante os primeiros sete dias. **Uso em crianças:** não foi estabelecida ainda sua segurança e eficácia em pacientes menores de 12 anos de idade. **Advertências:** pacientes com intolerância à galactose ou má absorção de glicose-galactose não devem usar tal fármaco. **Gravidez e lactantes:** não há dados, portanto não deve ser empregada nesses casos, a menos que o benefício justifique o risco. **Efeitos sobre a habilidade de dirigir e operar máquinas:** pode produzir tontura e sonolência e, portanto, alterar a capacidade e a habilidade de dirigir e operar máquinas. **Interações medicamentosas:** não produz interações farmacocinéticas com neuromoduladores, hipoglicemiantes orais, uma vez que sua excreção é urinária de forma inalterada. **Reações adversas:** são comumente encontradas tontura e sonolência, visão turva, diplopia, vertigem, transtorno de equilíbrio, amnésia, distúrbios de atenção, dificuldade de memória, tremores, disartria, parestesia, sedação, letargia, boca seca, sede, disfunção erétil, vômitos, distensão abdominal, constipação. Incomuns: nasofaringite, sialorreia, hipoestesia bucal, epistaxe, congestão nasal, neutropenia, anorexia, hipoglicemia, aumento do lacrimejamento. São citados, também, anorgasmia, inquietação, depressão, agitação, mudanças de humor, alucinações, aumento da libido, crise de pânico, apatia. Há, por outro lado, aumento do apetite, confusão, desorientação, irritabilidade e insônia. **Superdosagem:** podem ser observados distúrbios afetivos, sonolência, estado de confusão, depressão, agitação e inquietação.

Topiramato • **Ações terapêuticas:** antiepiléptico. **Propriedades:** a atividade anticonvulsivante do topiramato estaria fundamentada em três efeitos: a) bloqueio tempo-dependente dos potenciais de ação repetitivos evocados por despolarização neuronal sustentada (possivelmente por inibição dos canais de sódio); b) aumento da entrada de cloro no neurônio mediado pelo Gaba; e c) antagonismo da ação ativadora do cainato sobre o receptor excitatório do ácido glutâmico. Estaria indicado no tratamento de pacientes com convulsões parciais refratárias e poderia ser usado em convulsões generalizadas. É bem **absorvido** por via oral, alcançando seu pico sérico em 2 a 4 horas; a ingestão de alimentos não altera a biodisponibilidade. Tem meia-vida de eliminação prolongada (18 a 24 horas); a ligação a proteínas plasmáticas é baixa (9 a 17%), o volume de distribuição é de 0,7 L/kg e a maior parte do fármaco é recuperada inalterada na urina. Pode, ocasionalmente, produzir distúrbios cognitivos, cuja influência sobre a continuidade do tratamento ainda não foi avaliada. **Indicações:** tratamento coadjuvante das convulsões parciais refratárias. **Posologia:** 400 mg/dia, em 2 tomadas. **Superdosagem:** não há registro de casos de superdosagem. **Reações adversas:** disfunção cognitiva, parestesias, sedação, enjoos, fadiga, perda de peso, diarreia, urolitíase. **Precauções:** reajustar a dose em pacientes com insuficiência renal. Administrar com precaução em pacientes com distúrbios do comportamento, demência ou outras alterações cognitivas ou com antecedentes de urolitíase. A retirada do tratamento deve ser feita de maneira gradual. **Interações:** carbamazepina, fenitoína: risco de discreta redução da concentração plasmática do topiramato. Outros antiepilépticos (ácido valproico, fenobarbital, primidona): não foram registradas alterações das concentrações plasmáticas destes fármacos quando da administração conjunta. **Contraindicações:** hipersensibilidade ao topiramato.

ANTIDEPRESSIVOS

Além dos Aines, **os antidepressivos tricíclicos (ADT)** são provavelmente as drogas mais indicadas para o tratamento da dor. Os antidepressivos tricíclicos, particularmente a **amitriptilina**, têm propriedades analgésicas independentemente do seu efeito antidepressivo e são prescritos para pacientes com dores crônicas associadas com depressão e distúrbios do sono. Acredita-se que o efeito terapêutico dessas drogas esteja relacionado à habilidade destas em aumentar a disponibilidade das aminas biogênicas, serotonina e norepinefrina, na junção sináptica no SNC. Doses abaixo de 10 mg são benéficas no tratamento das cefaleias por contração muscular e dores musculoesqueléticas. Suas **indicações** maiores são as dores neuropáticas, em especial a neuropatia diabética e a neuralgia pós-herpética.

As **reações adversas** mais comuns dos antidepressivos tricíclicos são hipotensão postural, arritmias, depressão respiratória, constipação, retenção urinária, aumento de peso corporal, prurido e diminuição da libido. São **contraindicados** em pacientes que façam uso de inibidores da monoaminoxidase, no infarto do miocárdio recente e nos distúrbios de condução. Além da excelente indicação na neuralgia pós-herpética e na neuropatia diabética, constituem-se em medicação de primeira linha no tratamento da fibromialgia associado a outras drogas e terapias não medicamentosas. **A facilitação do sono é outro efeito positivo** dos antidepressivos tricíclicos, motivo pelo qual sua administração deve ser feita sempre ao deitar, independentemente da dose diária total.

Amitriptilina • **Ações terapêuticas:** antidepressivo tricíclico. **Propriedades:** embora não tenha sido descrito o exato mecanismo de ação no tratamento da depressão, calcula-se que os antidepressivos tricíclicos aumentam a concentração na sinapse de norepinefrina ou de serotonina no SNC, ao bloquear sua recaptação pela membrana neuronal pré-sináptica. A amitriptilina parece ser mais potente no bloqueio da serotonina. Recentes investigações com antidepressivos mostram uma dessensibilização dos receptores da serotonina e dos receptores alfa-adrenérgicos ou beta-adrenérgicos. Calcula-se que a ação antidepressiva se relaciona melhor com as mudanças nas características dos receptores, produzidos pela administração crônica dos antidepressivos tricíclicos, que com o bloqueio da recaptação dos neurotransmissores; isso explica o atraso de 2 a 4 semanas na resposta terapêutica. É rapidamente absorvida por via oral. Metabolizado exclusivamente no fígado e seu metabólito ativo é a nortriptilina. A ligação a proteínas é elevada no plasma e em tecidos (96%). A eliminação é principalmente renal, durante vários dias; por sua alta fração ligada às proteínas não é dializável. A **meia-vida** é de 10 a 50 horas. É um dos antidepressivos tricíclicos com maior efeito sedante. Indicações: síndrome depressiva maior, doença maníaco-depressiva, distúrbios depressivos na psicose. Estados de ansiedade associados com depressão. Depressão com sinais vegetativos. Dor neurogênica: em dose de até 100 mg/dia em dor crônica grave (câncer, doenças reumáticas, neuralgia pós-herpética, neuropatia pós-traumática ou diabética), dor miofascial. **Posologia:** a dose deve ser individualizada. Embora com a dose inicial se possa produzir ação sedante, são necessárias de 1 a 6 semanas de tratamento para se obter a resposta antidepressiva desejada. No tratamento de manutenção, a dose diária pode ser reduzida para, em geral, 1 só tomada ao deitar, durante 6 meses a 1 ano. Em pacientes com idade avançada, adolescentes ou pacientes com doença cardiovascular, é preferível fracionar a dose. Dose usual para adultos: oral, inicialmente 25 mg, 2 a 4 vezes ao dia, ajustando logo a dosagem. **Reações adversas:** visão turva, claudicação, sucção, linguais; movimentos incontrolados das pernas ou dos braços; confusão, delírio, alucinações, constipação (principalmente em idosos), dificuldade ao falar ou engolir, nervosismo, agitação, rigidez muscular, fotossensibilidade, crises convulsivas, sudorese excessiva, pirose, vômitos. As seguintes reações indicarão a suspensão do tratamento: náuseas, vômitos, diarreia, excitação não habitual, perturbações do sono. **Precauções:** evitar a ingestão de bebidas alcoólicas. É possível que produza sonolência, portanto é necessário ter cuidado ao dirigir. A possível secura bucal pode implicar, dependendo da patologia em questão, o uso de saliva artificial. Não suspender a medicação de forma brusca.

Não se recomenda o uso em menores de 12 anos. Os pacientes com idade avançada necessitam, com mais frequência, reduzir a dose, devido à lentificação do metabolismo ou da excreção. Assim mesmo, mostram aumento da sensibilidade aos efeitos antimuscarínicos, como retenção urinária ou delírio anticolinérgico. **Interações:** o uso simultâneo com atropina pode bloquear a detoxificação desta e pode produzir íleo paralítico. Aumenta a ação dos anticoagulantes orais por inibição do metabolismo enzimático do anticoagulante. Potencializa a depressão do SNC, o que diminui o limiar das crises convulsivas a doses elevadas e diminui os efeitos da medicação anticonvulsiva. O uso simultâneo com fármacos antitireóideos pode aumentar o risco de agranulocitose. Os efeitos dos antidepressivos tricíclicos podem ser diminuídos quando usados com barbitúricos. A cimetidina inibe o metabolismo da amitriptilina e aumenta sua concentração plasmática. Outros depressores do SNC potencializam sua ação. Não é recomendado seu uso com Imao devido ao aumento do risco de convulsões graves e crises hipertensivas. O uso concomitante com drogas simpaticomiméticas pode potencializar os efeitos cardiovasculares e dar lugar a arritmias, taquicardia ou hipertensão. **Contraindicações:** é contraindicada durante o período de recuperação de infarto do miocárdio. Deverá ser avaliada a relação risco-benefício na presença de alcoolismo ativo ou tratado, asma, síndrome maníaco-depressiva ou bipolar, distúrbios hemáticos, alterações cardiovasculares, principalmente em idosos e crianças, glaucoma, disfunção hepática ou renal, hipertireoidismo, esquizofrenia, crises convulsivas e retenção urinária.

Amoxapina • **Ações terapêuticas:** antidepressivo tricíclico. **Propriedades:** é um antidepressivo tipo II (estrutura química relacionada com a imipramina) derivado da dibenzoxacepina, com atividade terapêutica similar à dos antidepressivos tricíclicos, como imipramina, desipramina, clomipramina e amitriptilina. Seu mecanismo de ação se desenvolve a partir de um aumento da concentração de norepinefrina, na sinapse neuronal, ou da 5-hidroxitriptamina (serotonina) no SNC, ao bloquear de forma não seletiva a recaptação neuroaminérgica desses neurotransmissores cerebrais. Considerando que o efeito farmacológico desses antidepressivos tricíclicos é lento e retardado (2 a 4 semanas), postula-se que o mecanismo de ação antidepressiva se relacionaria mais com as alterações produzidas ao nível dos neurorreceptores de membrana ou intracelulares, que modulariam, mediante influências intracelulares, a maior ou a menor descarga de neurotransmissores. É administrada por via oral e **absorvida** no trato digestivo de forma rápida. Logo após uma dose de 50 mg, o pico plasmático é atingido aos 60 minutos. Sua biodisponibilidade é de 18 a 54%, devido ao metabolismo de primeira passagem no fígado. Como outros tricíclicos afins, apresenta alto grau de ligação a proteínas (90%); meia-vida de eliminação (8 horas) e metabolização hepática completa (100%) de seus metabólitos 7 e 8 hidroxiamoxapina, 25% da concentração plasmática de amoxapina é eliminado pelo leite materno. **Indicações:** síndrome depressiva, depressão endógena. Síndrome maníaco-depressiva. Depressão reativa ou doenças distímicas. **Posologia:** a dose inicial aconselhada é de 50 mg/dia. O intervalo terapêutico da dose oscila entre 100 e 400 mg e não deve ultrapassar este último valor. Em indivíduos de idade avançada ou debilitados, administram-se doses de 50 a 100 mg/dia. **Reações adversas:** enjoos, sonolência, xerostomia, cefaleias, náuseas, cansaço ou debilidade, aumento de peso, diarreia, sudorese excessiva. Ocorre também visão turva, claudicação, movimentos lentos, hipotensão, ansiedade. São de incidência rara taquipneia, crises convulsivas, erupção cutânea, prurido, irritabilidade, rigidez muscular grave, dor de garganta. **Precauções:** para reduzir a irritação gastrintestinal deve ser ingerida com alimentos. Podem ser necessárias 2 a 6 semanas de tratamento para obter os efeitos antidepressivos. Evitar a ingestão de bebidas alcoólicas; possível sonolência, portanto deve-se ter cuidado ao dirigir e operar máquinas; não suspender a medicação de forma abrupta, e sim gradualmente. Não se recomenda o uso em crianças com menos de 12 anos. Pacientes de idade avançada, em geral, necessitam de redução da dose devido à lentidão do metabolismo ou da excreção, ou de ambos. **Interações:** pode bloquear a detoxificação da atropina, diminuir o limiar das crises convulsivas e reduzir os efeitos da medicação anticonvulsivante. A cimetidina pode inibir o metabolismo da imipramina e aumentar sua concentração plasmática. O uso simultâneo com guanetidina ou clonidina pode diminuir os efeitos hipotensores desses fármacos. Os anticoncepcionais orais que contêm estrogênios aumentam a biodisponibilidade da imipramina. O haloperidol, as fenotiazinas ou os tioxantenos prolongam e intensificam o efeito dos antidepressivos tricíclicos. O uso de metilfenidato aumenta as concentrações de imipramina. Não se recomenda o uso simultâneo com Imao, devido ao aumento do risco de episódios hipercinéticos, convulsões graves e crises hipertensivas. Aumenta as necessidades de riboflavina e potencializa os efeitos cardiovasculares das drogas simpaticomiméticas, o que dá lugar a arritmias, taquicardia ou hipertensão acentuada. **Contraindicações:** não deve ser usada durante o período de recuperação imediato pós-infarto do miocárdio. Deverá ser avaliada a relação risco-benefício na presença de alcoolismo, asma, síndrome maníaco-depressiva, distúrbios sanguíneos, alterações cardiovasculares (idosos e crianças), distúrbios gastrintestinais, doença geniturinária, disfunção hepática ou renal, esquizofrenia e retenção urinária.

Desipramina • **Ações terapêuticas:** antidepressivo tricíclico. **Propriedades:** usada como cloridrato, apesar de o mecanismo de ação exato no tratamento da depressão não ter sido esclarecido, estima-se que os antidepressivos tricíclicos aumentem a concentração de norepinefrina na sinapse ou de serotonina no SNC por bloqueio da recaptação pela membrana neuronal pré-sináptica. Inibe principalmente a recaptação de norepinefrina. Ao que parece, a ação antidepressiva correlaciona-se melhor com as mudanças nas características dos receptores, produzidos pela administração crônica dos antidepressivos tricíclicos que com o bloqueio da recaptação dos neurotransmissores; isso explicaria o retardo de 2 a 4 semanas na resposta terapêutica. **A absorção** é rápida e a ligação às proteínas plasmáticas é da ordem de 90%. A **meia-vida** é de 12 a 54 horas, com um ligeiro efeito antimuscarínico e sedativo. **A eliminação** é renal durante vários dias; não é dialisável devido à sua elevada união às proteínas. **Indicações:** síndrome depressiva maior, doença maníaco-depressiva bipolar, depressão com sinais vegetativos ou melancólicos, depressão reativa ou distúrbios distímicos, ansiedade no tratamento de retirada da cocaína. **Posologia:** por via oral, 25 a 50 mg 3 vezes ao dia; ajustar a dose conforme a necessidade e a tolerância. Dose máxima para adultos: até 200 mg/dia; para pacientes geriátricos: até 100 mg/dia. Doses pediátricas-crianças até 12 anos: a dose não foi estabelecida; adolescentes: 25 a 50 mg/dia em diversas doses; ajustar a dose, conforme a necessidade e a tolerância, até um máximo de 100 mg/dia. Doses geriátricas usuais: 25 a 50 mg/dia em diversas doses. **Reações adversas:** requerem atenção médica se persistirem ou forem incômodas: enjoos, sonolência, secura bucal, cefaleias, náuseas, cansaço ou debilidade, sabor desagradável e aumento de peso. De incidência menos frequente: diarreia, sudorese excessiva, pirose, vômitos, visão turva, movimentos descontrolados, confusão, delírio, alucinações, irritabilidade, contrações musculares, hipertensão ou hipotensão e taquicardia, bradicardia ou arritmias. **Precauções:** a dose deve ser individualizada para cada paciente. Para diminuir a irritação gástrica, as doses podem ser tomadas durante as refeições, ou imediatamente depois destas. A dose única diária à noite pode ser útil quando os efeitos colaterais, como sonolência excessiva ou enjoos, incomodam ou são perigosos durante o horário de trabalho. Se a medicação for suspensa bruscamente, podem ocorrer cefaleias, mal-estar, náuseas ou vômitos. Pode ser necessário um período de 2 a 6 semanas de tratamento para a obtenção dos efeitos antidepressivos. Evitar bebidas alcoólicas; ter cuidado ao dirigir ou executar trabalhos que requeiram estado de alerta. **Não é recomendado o uso de antidepressivos tricíclicos em menores de 12 anos. Interações:** os antidepressivos tricíclicos não aliviam e podem exacerbar a depressão mental induzida por corticoides. Pode potencializar a ação de fármacos que causam depressão do SNC, diminuir o limiar convulsivante e os efeitos da medicação anticonvulsiva. O uso simultâneo de barbitúricos pode diminuir o efeito dos antidepressivos tricíclicos. A cimetidina pode inibir o metabolismo dos antidepressivos tricíclicos e aumentar suas concentrações plasmáticas. Não se recomenda o uso simultâneo com Imao, devido ao aumento do risco de episódios hiperpiréticos graves e crises hipertensivas. O uso simultâneo de drogas simpaticomiméticas pode potencializar os efeitos cardiovasculares e originar arritmias, taquicardias, hipertensão ou hiperpirexia grave. **Contraindicações:** período de recuperação após infarto do miocárdio. A relação risco-benefício deverá ser avaliada na presença de alcoolismo ativo ou tratado, asma, distúrbios sanguíneos, alterações cardiovasculares, principalmente em idosos e crianças, distúrbios gastrintestinais, glaucoma, hipertensão ocular, hipertrofia de próstata (risco de retenção urinária), esquizofrenia e crises convulsivas.

Fluoxetina • **Ações terapêuticas:** antidepressivo. **Propriedades:** usada como cloridrato, é uma droga antidepressiva, não relacionada quimicamente com os tricíclicos, os tetracíclicos ou com outros antidepressivos de uso corrente, dos quais difere não só por sua estrutura química, mas também por seu mecanismo de ação. Inibidor potente e específico da recaptação de serotonina no neurônio pré-sináptico. É **bem absorvida** por via oral e o metabolismo de primeira passagem é baixo. A magnitude da absorção não é afetada pelos alimentos, embora estes diminuam ligeiramente a velocidade de absorção. Por conseguinte, pode ser administrada sem levar em consideração a relação com os alimentos. O pico de **concentração plasmática** ocorre 6 a 8 horas depois da à dose única oral de 40 mg. As maiores alterações eletroencefalográficas ocorrem entre 8 e 10 horas após a dose. A ligação às proteínas plasmáticas é alta, aproximadamente 94%. Esse fato deve ser considerado devido a possíveis interações medicamentosas. Não foram observadas diferenças significativas entre os pacientes normais e os urêmicos. A fluoxetina é desmetilada no fígado em norfluoxetina, seu principal metabólito ativo. É eliminada pela urina em 80%, dos quais 2,5%

como droga-mãe e 10% como norfluoxetina. O restante são metabólitos conjugados. Através das fezes ocorre eliminação de 15%. A meia-vida da fluoxetina é de 2 a 3 dias e a da norfluoxetina de 7 a 9 dias. **Indicações:** depressões moderadas e graves. Distúrbios obsessivo-compulsivos. **Posologia:** a dose usual inicial é de 20 mg/dia, administrada pela manhã. Aumentos de dose devem ser considerados, se após várias semanas de tratamento não for observada melhora clínica. Doses superiores (até 80 mg/dia) devem ser administradas em 2 tomadas diárias, pela manhã e durante o almoço. Após a remissão do quadro, deve ser usada a menor dose efetiva para a manutenção da melhora clínica. **Reações adversas:** náuseas, diarreia, secura bucal, erupções cutâneas, reações anafilactoides, reações maníacas ou psicóticas em indivíduos predispostos. Há também perda de peso, aumento das transaminases e leucopenia assintomática, ou ambas, confusão mental, ideias suicidas, discinesias, trombocitopenias, hiperprolactinemia, ginecomastia, mastodinia, dismenorreia, sangramento vaginal. **Precauções:** avisar os operadores de máquinas e os condutores de veículos sobre o risco de sonolência. Nos diabéticos pode ser necessário o ajuste da dose de insulina ou de hipoglicemiantes orais. **Interações:** a grande afinidade de fluoxetina pelas proteínas plasmáticas e o metabolismo hepático significativo levam-nos a pensar que as interações com outras drogas são produzidas por deslocamento ou por competição enzimática. Em doses terapêuticas, não inibe o metabolismo do etanol nem interage com ele o suficiente para potencializar seus efeitos centrais. É recomendável deixar um lapso de 2 semanas entre a administração de Imao e cloridrato de fluoxetina ou de 5 semanas no caso inverso. A administração combinada com outros antidepressivos pode aumentar os níveis plasmáticos destes. Isto também ocorre com a digitoxina e os anticoagulantes. Em alguns pacientes aumenta a meia-vida plasmática do diazepam. **Contraindicações:** hipersensibilidade à droga e crianças menores de 15 anos.

Maprotilina • **Ações terapêuticas:** antidepressivo. **Propriedades:** antidepressivo tetracíclico cujas propriedades são semelhantes às dos tricíclicos (imipramina, desipramina). Seu **mecanismo de ação** é a inibição seletiva da recaptura de noradrenalina nos terminais nervosos. Este fármaco melhora o estado de ânimo e alivia a ansiedade, a agitação e a inibição psicomotora. Em casos de depressão mascarada, atua de modo favorável sobre os sintomas somáticos predominantes do quadro clínico. Após sua administração por via oral, a **absorção** da maprotilina se processa de modo lento, mas é total; as concentrações plasmáticas máximas são alcançadas durante as 8 primeiras horas, ao passo que no líquido cerebrospinal detectam-se concentrações de maprotilina equivalentes a cerca de 2 a 13% daquelas encontradas no soro. Liga-se em 88 a 89% a proteínas plasmáticas e é eliminada em 57% através da urina e em cerca de 30% através das fezes, seja na forma inalterada, seja na forma de metabólitos (em especial glicuronídeos). A eliminação renal não é afetada caso a função renal esteja alterada (*clearance* de creatinina: 24 a 37 mL/min), exceto quando a função hepática está alterada. **Indicações:** síndromes depressivas de diferentes tipos. Depressão endógena, psicogênica, somatogênica e mascarada. Tratamento da depressão acompanhada de ansiedade, e depressões próprias de crianças e adolescentes e indivíduos com idade avançada. **Posologia:** depressão leve a moderada, adultos: via oral, 25 mg, 1 a 3 vezes/dia, ou 25 a 75 mg em tomada única. Depressão grave, adultos: via oral, 25 mg,

3 vezes/dia ou 75 mg, 1 vez/dia. Caso necessário, a dose pode ser aumentada gradativamente até um máximo de 150 mg em uma ou várias tomadas, conforme a resposta do paciente. **Superdosagem:** a superdosagem pode causar depressão ou mesmo excitação do SNC, acarretando efeitos anticolinérgicos e cardiotóxicos graves. Os sintomas compreendem sonolência, inquietude, ataxia, convulsões, estupor, hiperpirexia, coma, taquicardia, arritmias cardíacas, hipotensão e depressão respiratória. Como não há antídoto específico, recomenda-se eliminar o fármaco por indução de vômito e/ou lavagem gástrica. Além disso, recomenda-se respiração assistida de modo a controlar uma possível depressão respiratória e, em caso de hipotensão e colapso respiratório, administrar expansores plasmáticos. Se ocorrer diminuição da função miocárdica, administrar agentes inotrópicos. É conveniente administrar diazepam em caso de convulsões. **Reações adversas:** os efeitos adversos compreendem, mais frequentemente, cefaleias e vertigem; raramente, convulsões, distúrbios extrapiramidais (tremores, acatisia, mioclonias), ataxia, disartria, fraqueza, parestesias (intumescimento, formigamento), secura bucal, náuseas, vômitos, reações dérmicas (erupção, urticária) por vezes acompanhadas de febre, aumento da incidência de cáries dentárias, sudorese e aumento de peso. Com menor frequência podem ser observados púrpura, fotossensibilidade, edemas, constipação, hipotensão postural, taquicardia, arritmias cardíacas, distúrbios da condução cardíaca (bloqueio atrioventricular), palpitações, síncope, ginecomastia, galactorreia, sedação diurna, sonolência, visão turva, retenção urinária, estomatites, hepatite com ou sem icterícia, leucopenia, agranulocitose, eosinofilia, *tinnitus*, disgeusia, alterações sexuais, distúrbios do sono, agitação, ansiedade, pesadelos, inquietação, estados de confusão, delírios e alucinações. **Precauções:** recomenda-se administrar com precaução em pacientes com insuficiência hepática ou renal, dificuldades de micção, antecedentes de pressão intraocular elevada, cardiopatias, incluindo histórico de infarto do miocárdio e em pacientes com idade avançada. Nestes dois últimos casos é conveniente vigiar a função cardíaca e, se necessário, realizar eletrocardiogramas periódicos. Em pacientes com hipertireoidismo ou tratados com preparações à base de hormônios tireoidianos, a maprotilina deverá ser usada com precaução, dada a possibilidade de aumento dos efeitos adversos cardíacos. Recomenda-se, em especial durante os primeiros meses de tratamento, vigiar adequadamente os pacientes (ocorrência de febre e faringite, contagens de leucócitos), pois a maprotilina pode produzir alterações hematológicas. **Interações:** pode diminuir ou anular o efeito anti-hipertensivo dos bloqueadores da transmissão adrenérgica, como a guanetidina ou a betanidina, e aumentar o efeito sedativo da reserpina ou da metildopa. Por isso, caso haja tratamento anti-hipertensivo concomitante, recomenda-se o emprego de fármacos de outras categorias, como diuréticos, vasodilatadores ou betabloqueadores que não sofram biotransformação acentuada, e controlar a pressão arterial. Pode potencializar os efeitos cardiovasculares dos simpatomiméticos (noradrenalina, adrenalina, anfetamina, metilfenidato) e levodopa. Os fármacos que estimulam o sistema enzimático, hepático da monoxigenase (barbitúricos, fenitoína, carbamazepina) aceleram o metabolismo da maprotilina, diminuindo assim seu efeito antidepressivo. A administração simultânea com tranquilizantes maiores pode acarretar aumento das concentrações séricas da maprotilina, diminuição do

limiar convulsivo e crise epiléptica. A combinação com benzodiazepínicos pode provocar aumento da sedação. O tratamento concomitante com maprotilina e betabloqueadores que sofram elevado grau de biotransformação (propranolol) pode aumentar as concentrações plasmáticas da maprotilina, fato pelo qual, tanto no início quanto no fim do tratamento, recomenda-se ajustar a dose de maprotilina e/ou determinar sua concentração sérica. Apesar de não terem sido registrados com a maprotilina, a administração de cimetidina com outros antidepressivos tricíclicos (imipramina) pode aumentar os níveis séricos destes e provocar efeitos secundários (extrema secura bucal, distúrbios visuais). **Contraindicações:** hipersensibilidade conhecida ao fármaco, em casos suspeitos ou conhecidos de epilepsia ou limiar convulsivo baixo, em pacientes que hajam sofrido infarto do miocárdio recente ou que apresentem distúrbios da condução atrioventricular, glaucoma de ângulo fechado ou retenção urinária. Não deverá ser administrado em caso de intoxicação aguda com álcool, hipnóticos, analgésicos ou psicofármacos.

Paroxetina • **Ações terapêuticas:** antidepressivo. **Propriedades:** presume-se que sua ação antidepressiva se deva ao aumento do estímulo serotonérgico no SNC, que ocorre a partir da inibição da recaptação da serotonina pelos neurônios. Após administração oral é completamente absorvida. É metabolizada e dá origem a metabólitos 50 vezes menos potentes, que, em sua maior parte, são polares (predominam glicurônidos e sulfatos) e rapidamente eliminados. Sua distribuição pelo organismo é rápida, incluindo o SNC. As afecções renais e hepáticas provocam um incremento nas concentrações plasmáticas da paroxetina, tanto que em idosos atingem concentrações 7 a 80% superiores às dos indivíduos jovens. **Indicações:** síndromes depressivas com melancolia. Episódios depressivos maiores ou severos. Depressão recorrente. Distimias. Transtorno obsessivo-compulsivo. Usos adicionais, como terapia única ou como coadjuvante, no tratamento da neuropatia diabética e da cefaleia tensional crônica. Transtornos da conduta alimentar. **Posologia:** a dose inicial recomendada é de 20 mg/dia em uma única tomada matinal. Pode ser incrementada de 10 em 10 mg até chegar a 50 mg/dia, de acordo com a resposta do paciente. Idosos: a dose inicial deve ser de 20 mg/dia, que podem ser aumentados de 10 mg em 10 mg até um máximo de 40 mg/dia, de acordo com a resposta do paciente. **Superdosagem:** náuseas, vômitos, sonolência. Não foram observados casos fatais. O tratamento deve ser de suporte, assegurando o estabelecimento da ventilação e da oxigenação. A diurese forçada, a diálise e a hemoperfusão não são benéficas na eliminação da paroxetina do organismo. **Reações adversas:** cefaleia, astenia, dor abdominal, palpitação, vasodilatação, sudorese, tonturas, sonolência, insônia, agitação, tremores, ansiedade, náuseas, vômitos, secura bucal, alterações na ejaculação. **Precauções:** não é recomendável o uso em crianças, pois a eficácia e a segurança do fármaco não foram estabelecidas para esse grupo etário. O paciente que recebe paroxetina não deve operar máquinas nem dirigir automóveis. Para mudar de paroxetina a um Imao, ou vice-versa, deve-se suspender a administração de qualquer um deles pelo menos 2 semanas antes de iniciar a administração do outro. **Interações:** entre as manifestações comuns incluem-se rigidez, hipertermia, instabilidade autonômica (com flutuações rápidas dos sinais vitais), mudanças do estado mental (agitação extrema que pode progredir a delírio e coma). Essas reações foram observadas em pessoas que recentemente tinham suspendido a paroxetina e começavam o tratamento com um Imao. Coadministrado com triptofano, dor de cabeça, náusea, sudorese e tonturas. Varfarina: administrar com precaução. Os fármacos que afetam o metabolismo hepático podem alterar o metabolismo e a farmacocinética da paroxetina. A cimetidina inibe o metabolismo da paroxetina; deve ser ajustada a dose desta última. A coadministração de fármacos metabolizados pelo citocromo P450 (nortriptilina, amitriptilina, imipramina, desipramina, fluoxetina, fenotiazinas, propafenona, flecainida, encainida, quinidina) deve ser levada a cabo com precauções. Os pacientes que recebem paroxetina não devem ingerir álcool. **Contraindicações:** uso simultâneo com Imao, hipersensibilidade ao fármaco, insuficiência renal severa, em crianças, lactantes e na gravidez.

Sertralina • **Ações terapêuticas:** antidepressivo. **Propriedades:** o cloridrato de sertralina é um derivado da naftilamina. Potente inibidor da recaptação neuronal de serotonina. Produz uma potenciação dos efeitos da 5HT. O fármaco tem efeitos muito discretos sobre a recaptação neuronal da norepinefrina e da dopamina; em animais não tem ação estimulante, sedativa ou anticolinérgica, nem cardiotoxicidade. Não tem afinidade pelos receptores muscarínicos (colinérgicos), serotonérgicos, dopaminérgicos, adrenérgicos, histaminérgicos, gabaérgicos ou benzodiazepínicos e exibe farmacocinética proporcional à dose na faixa de 50 a 200 mg. No homem, após dose diária oral única de 50 a 200 mg durante 14 dias, as concentrações plasmáticas pico (Cmax) da sertralina são produzidas entre 4 e 8 horas. A meia-vida de eliminação plasmática da setralina é de aproximadamente 26 horas. No homem, a sertralina e a N-desmetilsertralina são metabolizadas de forma extensa, e os metabólitos resultantes são excretados pelas fezes e pela urina em quantidades similares. Só uma pequena quantidade (< 0,2%) da sertralina é excretada pela urina sem modificação. A farmacocinética em pacientes idosos é similar à dos adultos mais jovens. **Indicações:** depressão com antecedentes de mania, ou sem ela. **Posologia:** ministrar apenas 1 vez/dia, de manhã ou à noite, antes das refeições. A dose terapêutica é de 50 mg/dia, mas pode ser aumentada no caso de necessidade até um máximo de 200 mg/dia. O início do efeito terapêutico é verificado ao término de 7 dias, mesmo que em geral sejam necessárias de 2 a 4 semanas para a completa atividade antidepressiva. **Reações adversas:** as mais comuns observadas são distúrbios gastrintestinais (diarreia, náuseas e dispepsia), tremores, vertigens, insônia, sonolência, transpiração abundante, secura bucal, disfunção sexual masculina. **Precauções:** não usar em combinação com Imao. No caso de empregá-los com sertralina, deixar passar 14 dias entre o fim de uma medicação e o início de outra. **Interações:** pode produzir-se um aumento das concentrações plasmáticas da sertralina, quando administrada com outras drogas combinadas fortemente com as proteínas plasmáticas, como varfarina e digoxina. **Contraindicações:** pacientes com hipersensibilidade conhecida à droga e gravidez.

Venlafaxina • **Ações terapêuticas:** antidepressivo. **Propriedades:** é um fármaco antidepressivo com estrutura química totalmente diferente da apresentada pelos antidepressivos tricíclicos clássicos, pelos tetracíclicos e por outros agentes antidepressivos conhecidos.

Seu mecanismo de ação lembra o de outros antidepressivos (fluoxetina, sertralina e paroxetina), já que está diretamente associado à potencialização da atividade neurotransmissora no SNC. Potente inibidor da recaptação de aminas no neurônio pré-sináptico e, à diferença dos acima mencionados, além de inibir a recaptação da serotonina (5-hidroxitriptamina) age sobre a noradrenalina e a dopamina; mesmo assim, não exerce essa ação sobre os receptores muscarínicos, histaminérgicos ou alfa-adrenérgicos. É absorvida sem inconvenientes no trato digestivo (92%) nas doses habituais (25 a 100 mg/dia); sofre uma ativa e ampla biotransformação. Estima-se que aproximadamente 87% da dose administrada por via oral é excretada na urina nas primeiras 48 horas, da qual 5% corresponde ao fármaco não metabolizado, 26%, ao metabólito ativo (ODV) e 27%, a outros metabólitos inativos; isso faz com que a excreção renal seja a principal via de eliminação da venlafaxina. O processo de absorção gastrintestinal não é afetado pela presença de alimentos. A fração que se liga às proteínas plasmáticas é de 27% para uma concentração sérica de 2,5 a 2.215ng/mL. O perfil farmacocinético da venlafaxina administrada a cada 8 ou 12 horas não é alterado pela idade nem pelo gênero dos indivíduos em tratamento. Em indivíduos com transtornos renais, a meia-vida de eliminação prolongou-se aproximadamente 50% e o *clearance* de creatinina em 24%, ao passo que, em pacientes com nefropatias crônicas submetidos à diálise, a meia-vida prolongou-se em torno de 180%. A meia-vida plasmática do fármaco é similar à da fluoxetina (3 a 5 dias). **Indicações:** síndromes depressivas de grau variável. Transtornos obsessivo-compulsivos. **Posologia:** a dose habitual para iniciar o tratamento é de 75 mg/dia, a cada 8 a 12 horas, com as principais refeições. Segundo a resposta clínica, a dose poderá ser aumentada até 150 a 225 mg/dia em pacientes com transtornos depressivos severos. Após a remissão do transtorno, deve-se usar uma dose efetiva mínima de manutenção. Não é necessário ajustar a dose em indivíduos depressivos idosos, diferentemente do que acontece com os antidepressivos tricíclicos. **Reações adversas:** foram relatados nervosismo, náuseas, diarreia, erupções cutâneas, anorexia, ansiedade, insônia, confusão mental, cefaleia, secura bucal e astenia. Em geral, a tolerância clínica ao fármaco é boa e a incidência desses efeitos é baixa (3%). **Precauções:** os indivíduos que precisam manter reflexos intactos e atenção, ou que trabalham com máquinas ou veículos automotores, deverão ser advertidos do risco de desenvolver sonolência. Em indivíduos com insuficiência renal recomenda-se reduzir a dose diária. A suspensão do tratamento deverá ser lenta e gradual, devendo-se evitar a suspensão repentina. Quando se deseja substituir a venlafaxina por um antidepressivo Imao, observar um intervalo de 7 a 14 dias. As doenças depressivas severas requerem tratamentos prolongados (3 a 6 meses), para se conseguir a eutimia. Em indivíduos hipertensos o uso deve ser cuteloso e com controle tensional periódico. **Interações:** é um antidepressivo que, pela sua reduzida fração ligada às proteínas plasmáticas e sua mínima interação com o sistema citocromo P450, tem pouca tendência para gerar interações medicamentosas com outros fármacos (lítio, diazepam, cimetidina). **Contraindicações:** gravidez, lactação, hipersensibilidade ou alergia à venlafaxina. Desaconselha-se o consumo de bebidas alcoólicas, a administração a crianças menores de 18 anos. O uso deve ser evitado, também, na presença de insuficiência hepática ou renal graves.

ANTI-HISTAMÍNICOS

Betametasona • **Ações terapêuticas:** anti-inflamatório esteroide e imunossupressor. **Propriedades:** tem um átomo de flúor, em vez de cloro, que a diferencia da beclometasona. Difunde-se através das membranas celulares e forma complexos com receptores citoplasmáticos específicos. Esses complexos penetram no núcleo celular, se unem ao DNA e estimulam a transcrição do RNAm e posterior síntese de várias enzimas, responsáveis, em última instância, pelos efeitos dos corticoides sistêmicos. Diminui ou previne a resposta dos tecidos aos processos inflamatórios, com redução dos sintomas da inflamação, sem tratar a causa subjacente. Inibe a acumulação de células inflamatórias, incluídos os macrófagos e os leucócitos, nas zonas de inflamação. Também inibe a fagocitose, a liberação de enzimas lisossômicas e a síntese ou a liberação de vários mediadores químicos da inflamação. Os **mecanismos de ação** imunossupressora não são conhecidos por completo, mas podem implicar supressão ou prevenção das reações imunes mediadas por células (hipersensibilidade retardada), assim como ações mais específicas que afetem a resposta imune. Por via oral é absorvida de forma rápida e quase completa, e por via parenteral (IV, IM) o início da ação efetiva-se, em seu pico máximo, em 1 a 3 horas; a ação dura de 1 a 2 semanas. A ligação às proteínas é alta. É **metabolizada** principalmente no fígado, a maior parte em metabólitos inativos. É eliminada pelo metabolismo, seguido de excreção renal de seus metabólitos. **Indicações:** síndrome de insuficiência respiratória neonatal, doenças alérgicas ou inflamatórias, doenças reumáticas, choque associado com reações anafiláticas ou anafilactoides, doenças dermatológicas (dermatite, líquen, pênfigo, psoríase), doença do colágeno e insuficiência adrenocortical. **Posologia – adultos:** via oral, 0,6 a 7,2 mg/dia em uma única dose ou fracionados em várias doses. Dose pediátrica: insuficiência adrenocortical, 0,0175 mg/kg/dia fracionados em 3 a 4 doses; em crianças a dose é determinada mais em razão da gravidade do estado e da resposta do paciente do que pela idade ou pelo peso corporal. Formas parenterais: fosfato de betametasona, adultos: injeção intra-articular, intralesional ou em tecidos moles, até 9 mg de betametasona base, repetidos conforme a necessidade; crianças: insuficiência adrenocortical, IM, 0,017 mg/kg/dia; outras indicações: IM, 0,028 a 0,125 mg/kg com intervalos de 12 a 24 horas; acetato de betametasona, adultos: intra-articular 1,5 a 12 mg dependendo do tamanho da articulação afetada; intrabursal, 6 mg repetidos conforme a necessidade; intramuscular, 0,5 a 9 mg/dia. **Reações adversas:** a administração local reduz, mas não elimina, o risco de efeitos sistêmicos. Atenção médica é necessária. Se ocorrerem durante o uso a longo prazo, podem se manifestar como úlcera péptica, pancreatite, acne ou problemas cutâneos, síndrome de Cushing, arritmias, alterações do ciclo menstrual, debilidade muscular, náuseas ou vômitos, estrias avermelhadas, hematomas não habituais, feridas que não cicatrizam. São de incidência menos frequente: visão reduzida ou turva, redução do crescimento em crianças e adolescentes, aumento da sede, ardor, dormência, dor ou formigamento próximo ao local da injeção, alucinações, depressão ou outras alterações do estado anímico, hipotensão, urticária, sensação de falta de ar e asfixia. **Precauções:** não se recomenda a administração de vacinas à base de vírus vivos atenuados em pacientes que recebem doses farmacológicas de corticoides, pois a replicação dos vírus das vacinas pode ser potencializada. Pode ser necessário aumentar a ingestão de proteínas durante o tratamento a longo prazo. Recomenda-se repouso da articulação após a injeção intra-articular. Durante o tratamento aumenta o risco de infecção e, em pacientes pediátricos ou geriátricos, o de efeitos adversos. Recomenda-se a administração da dose mínima eficaz durante o menor tempo possível. Não se recomenda aplicar a injeção em uma articulação onde ocorreu, ou esteja em curso, uma infecção. É mais provável que os pacientes de idade avançada, em tratamento com corticoides, desenvolvam hipertensão. Além disso, os idosos, sobretudo mulheres, são mais propensos a ter osteoporose induzida por esse medicamento. **Interações:** o uso simultâneo com paracetamol favorece a formação de um metabólito hepatotóxico desse, aumentando, portanto, o risco de hepatoxicidade. O uso com analgésicos não esteroidais (Aines) pode aumentar o risco de úlcera ou de hemorragia gastrintestinal. O uso de anfotericina-B e de corticoides pode provocar hipocalemia grave. O risco de edema pode aumentar com o uso simultâneo de andrógenos ou esteroides anabolizantes. Diminui os efeitos dos anticoagulantes derivados de cumarina, heparina, estreptoquinase ou uroquinase. Os antidepressivos tricíclicos não aliviam e podem exacerbar as perturbações mentais induzidas por corticoides. As alterações no estado da tireoide do paciente ou nas doses de hormônios tireoidianos (se os estiver usando) podem tornar necessário um ajuste na dose de corticosteroides, pois no hipotireoidismo o metabolismo dos corticoides é menor e no hipertireoidismo está aumentado. Os anticoncepcionais orais ou estrogênios aumentam a meia-vida dos corticoides e seus efeitos. Os glicosídeos digitálicos aumentam o risco de arritmias. O uso associado de outros imunossupressores com doses imunossupressoras de corticoides pode aumentar o risco de infecção e a possibilidade de desenvolvimento de linfomas ou de outros distúrbios linfoproliferativos. Pode acelerar o metabolismo da mexiletina com diminuição de sua concentração no plasma. **Contraindicações:** para injeção intra-articular: anterior à artrosplastia articular, distúrbios da coagulação sanguínea, fratura intra-articular, articulação instável. Para todas as indicações deve ser avaliada a relação risco-benefício na presença de Aids, cardiopatia, insuficiência cardíaca congestiva, hipertensão, *diabetes mellitus*, glaucoma de ângulo aberto, disfunção hepática, miastenia grave, hipertireoidismo, osteoporose, lúpus eritematoso, tuberculose ativa e disfunção renal grave.

Clemastina • **Ações terapêuticas:** anti-histamínico. **Propriedades:** anti-histamínico clássico que, como os demais, bloqueia competitivamente os receptores histaminérgicos H_1 em nível periférico, evitando a resposta do beta-aminoetilimidazol (histamina). Pertence aos anti-histamínicos H_1 éter benzidrílicos. Além disso, desenvolve alguns efeitos anticolinérgicos-antimuscarínicos e neurodepressores, pois seu efeito bloqueador não é totalmente específico e seletivo como o dos novos anti-histamínicos (loratadina, terfenadina, cetirizina), que praticamente carecem dessas atividades. É empregada como fumarato por via oral e sua absorção digestiva é lenta, porém quase completa (> 95%). Alcança concentrações plasmáticas máximas em 2 a 4 horas, sofre intensa biodegradação hepática e a excreção é bifásica pela urina (57%) e pelas fezes (18%); 2% são eliminados inalterados. O efeito terapêutico persiste durante 10 a 12 horas. A ligação com a albumina plasmática é elevada (95%) e a meia-vida é prolongada (> 10 horas). **Indi-**

cações: reações alérgicas agudas ou crônicas. Rinite, sinusite e bronquite alérgica. Dermatite alérgica, urticária, dermatoses pruriginosas. Picadas de insetos. **Posologia:** adultos: 1,34 a 2,68 mg a cada 8 a 12 horas. Aconselha-se não superar a dose máxima de 8,04 mg/dia. Crianças: 0,67 a 1,34 mg a cada 12 horas. **Efeitos secundários:** são os habituais desse grupo de fármacos: embotamento, sedação, secura bucal, astenia, constipação, *rash* cutâneo, cefaleias, náuseas. **Interações:** associado com sedativos, hipnóticos, inibidores da monoaminoxidase (Imaos) e álcool potencializa os efeitos neurodepressores. **Contraindicações:** hipersensibilidade aos anti-histamínicos H_1. Prematuros e recém-nascidos. Glaucoma de ângulo estreito, úlcera péptica estenótica, hipertrofia prostática, gravidez e lactação.

Dexametasona • **Ações terapêuticas:** anti-inflamatório esteroide e imunossupressor. **Propriedades:** difunde-se através das membranas celulares e forma complexos com os receptores citoplasmáticos específicos. Estes complexos penetram no núcleo da célula, unem-se ao DNA e estimulam a transcrição do RNAm e a posterior síntese de enzimas, as responsáveis por dois tipos de efeitos dos corticosteroides sistêmicos. Como anti-inflamatório esteroide, inibe o acúmulo de células inflamatórias, incluindo macrófagos e leucócitos, na zona de inflamação. Inibe a fagocitose, a liberação de enzimas lisossômicas e a síntese ou a liberação de alguns mediadores químicos da inflamação. Como imunossupressor, reduz a concentração de linfócitos dependentes do timo, monócitos e eosinófilos. Diminui a união das imunoglobulinas aos receptores celulares de superfície e inibe a síntese ou a liberação de interleucinas e reduz a importância da resposta imune primária. Estimula o catabolismo proteico e induz o metabolismo dos aminoácidos. Aumenta a disponibilidade de glicose. É absorvido rapidamente por via oral e por completo por via IM. Sofre metabolismo no fígado, porém de forma mais lenta que outros corticoides. **A eliminação** mediante o metabolismo ocorre por excreção renal dos metabólitos inativos. **Indicações:** no tratamento de várias afecções devido a seus efeitos anti-inflamatórios e imunossupressores; proporciona alívio sintomático, mas não tem efeito sobre o desenvolvimento da doença subjacente. Terapêutica substitutiva no tratamento de insuficiência suprarrenal. Diagnóstico da síndrome de Cushing, isquemia cerebral, prevenção da síndrome de membrana hialina (acelera a maturação pulmonar fetal). Tratamento da síndrome de angústia respiratória em adultos por insuficiência pulmonar pós-traumática. Tratamento do choque por insuficiência adrenocortical e como coadjuvante no tratamento do choque associado com reações anafiláticas. É selecionável quando se requer um corticoide de ação prolongada. **Posologia: via oral – adultos**: 0,5 mg a 9 mg/dia em 1 só dose ou fracionada em várias doses. **Doses pediátricas:** 0,0233 mg/kg ou 0,67 mg/m^2 ao dia fracionada em 3 doses. Teste diagnóstico da síndrome de Cushing: oral: 1 mg em dose única à noite ou 0,5 mg a cada 6 horas durante 48 horas. **Parenteral – adultos**: injeção intra-articular ou em tecidos moles: 4 a 16 mg repetidas a cada 1 a 3 semanas; intramuscular: 8 a 16 mg com intervalos de 1 a 3 semanas. Não foi estabelecida a dose para crianças. **Reações adversas:** o risco de se produzirem reações adversas, tanto sistêmicas quanto locais, aumenta com a duração do tratamento ou com a frequência de administração. As perturbações psíquicas também podem estar relacionadas com a dose. Com a injeção local podem aparecer lesões em tecidos articulares ou reações alérgicas locais. São de incidência menos frequente: visão turva, polidipsia, diminuição do crescimento em crianças e adolescentes, ardência, dor e formigamento na região da injeção, perturbações psíquicas (obnubilações, paranoia, psicose, ilusões, delírio), erupção cutânea. Durante o uso a longo prazo podem ocorrer: ardência abdominal, melena, síndrome de Cushing, hipertensão, cãibras, mialgias, náuseas, vômitos, debilidade muscular, miopatia por esteroides, hematomas não habituais. **Precauções:** considerar que aumenta o risco de infecção durante o tratamento; em pacientes geriátricos e pediátricos aumenta o risco de reações adversas. As injeções intra-articulares podem ser repetidas com frequência não superior a 3 semanas. Após cada uma, deverá ser feito repouso. Não foram descritos problemas na lactação com doses fisiológicas baixas, mas doses maiores são excretadas no leite materno e podem causar diminuição do crescimento de crianças e inibição da produção de esteroides andrógenos. **Interações:** quando empregada simultaneamente com doses elevadas de paracetamol ou em tratamentos crônicos aumenta o risco de hepatoxicidade. Aumenta o risco de úlcera ou hemorragia gastrintestinal com os anti-inflamatórios não esteroidais (Aines). A anfotericina-B parenteral em associação com glicocorticoides pode provocar hipocalemia grave. O uso de antiácidos diminui a absorção da dexametasona. Devido à sua atividade hiperglicemiante intrínseca, pode ser necessário ajustar a dose de insulina ou de hipoglicemiantes orais. O uso conjunto de glicosídeos digitálicos aumenta a possibilidade de arritmias. Aumenta o metabolismo da mexiletina, diminuindo sua concentração plasmática. Não se recomenda a administração de vacinas com vírus vivos atenuados, dado que pode ser potencializada a replicação dos vírus da vacina. **Contraindicações:** para injeção intrartícular: distúrbios de coagulação sanguínea, fratura intra-articular, infecção periarticular, articulação instável. A relação risco-benefício deverá ser avaliada para todas as indicações a seguir: Aids, insuficiência cardíaca congestiva, disfunção renal ou hepática grave, infecção sistêmica por fungos, infecções virais ou bacterianas não controladas, glaucoma de ângulo aberto, lúpus eritematoso, tuberculose ativa.

Dexclorfeniramina • **Ações terapêuticas:** anti-histamínico H_1. **Propriedades:** derivado da propilamina, bloqueador competitivo de receptores H_1, antagoniza os efeitos provocados pela histamina. Por não bloquear a liberação do autacoides, previne mas não reverte as respostas mediadas pela liberação dessas substâncias quando já iniciadas. A ação antimuscarínica produz um efeito de secura na mucosa nasal. Atravessa a barreira hematoencefálica e provoca sedação devido à ação em receptores H_1 cerebrais, relacionados com o controle dos estados de vigília. Bloqueia a resposta à acetilcolina mediada pelos receptores muscarínicos, causando secura da mucosa nasal. É bem **absorvida** por via oral ou parenteral. Sua ligação com as proteínas plasmáticas é de 72%. Sofre **metabolismo** hepático. A meia-vida é de 12 a 15 horas. O efeito máximo é alcançado em 6 horas e a duração da ação é de 4 a 25 horas. É eliminada por via renal. **Indicações:** rinite alérgica constante ou estacionária, rinite vasomotora, conjuntivite alérgica, prurido associado com reações alérgicas, espirros e rinorreia associados com o resfriado comum. Urticária (secundária à transfusão de hemoderivados). Coadjuvante no tratamento das reações anafiláticas e anafilactoides. **Posologia: adultos:** 2 mg, por via oral, em intervalos de 4 a 6 horas. **Crianças** menores de 12 anos: 0,15 mg/kg, subdivididos em 4 doses, ou 0,5 a 1 mg a cada 4 ou 6 horas. **Superdosagem:** torpor, secura bucal e da mucosa nasal, congestão facial, alucinações, crises convulsivas, insônia (estimulação do SNC). Tratamento: sintomático, incluindo lavagem gástrica, indução do vômito, administração de vasoconstritores e líquidos IV. Evitar a administração de estimulantes (analépticos). **Reações adversas:** sonolência. Ocasionalmente provoca enjoos, taquicardia, anorexia, erupção cutânea, visão turva e outros distúrbios visuais. **Precauções:** pode mascarar os efeitos ototóxicos produzidos por doses elevadas de salicilatos, cisplatina paromomicina e vancomicina. Evitar a ingestão de álcool ou de outros depressores do SNC. Deve-se ter precaução se ocorrer sonolência. Em caso de irritação gástrica pode ser ingerida com alimentos, água ou leite. Pode inibir a lactação por seu efeito antimuscarínico. Não é recomendado o uso em recém-nascidos, nem em prematuros. Em crianças pode ocorrer reação paradoxal, caracterizada por hiperexcitabilidade. Os idosos, mais suscetíveis aos efeitos antimuscarínicos, podem apresentar enjoos, sedação, confusão, hipotensão, secura bucal e retenção urinária. **Interações:** álcool, antidepressivos tricíclicos, depressores do SNC, anti-hipertensivos depressores do SNC (clonidina, guanabenzo, metildopa, metirosina) podem potenciar os efeitos depressores da dexclorfeniramina. Potenciação dos efeitos antimuscarínicos com o uso simultâneo de haloperidol, ipatrópio, fenotiazina ou procainamida. Os Imaos podem prolongar os efeitos antimuscarínicos e depressores do SNC da dexclorfeniramina. Pode interferir com as provas cutâneas que usam alergênicos. Fármacos fotossensibilizadores: efeitos aditivos sobre a fotossensibilidade. **Contraindicações:** hipersensibilidade ao fármaco ou a outros anti-histamínicos relacionados. A relação risco-benefício deve ser avaliada na presença de asma aguda, hipertrofia prostática sintomática, predisposição à retenção urinária, glaucoma.

Loratadina • **Ações terapêuticas:** antialérgico. **Propriedades:** anti-histamínico tricíclico potente, de ação prolongada, com atividade seletiva antagônica dos receptores H_1 periféricos. **Indicações:** sintomas associados com rinite alérgica, como espirros, secreção nasal (rinorreia) e prurido. Os sinais e os sintomas oculares e nasais são aliviados rapidamente após a administração oral. Urticária crônica e outras afecções dermatológicas alérgicas. **Posologia:** adultos e crianças maiores de 12 anos: 10 mg, 1 vez/dia. Crianças de 2 a 12 anos, com peso corporal > 30 kg: 10 mg, 1 vez/dia; com peso corporal = 30kg: 5 mg, 1 vez/dia. **Reações adversas:** após a administração de loratadina, em raras ocasiões foram comunicadas reações secundárias como fadiga, sedação e dor de cabeça. **Precauções:** crianças menores de 2 anos, gravidez e lactação. **Interações:** deve ser suspensa aproximadamente 48 horas antes de qualquer teste cutâneo, uma vez que os anti-histamínicos podem impedir ou diminuir as reações que, de outro modo, seriam positivas aos indicadores de reatividade dérmica. **Contraindicações:** hipersensibilidade ou idiossincrasia a seus componentes.

Mepiramina • **Ações terapêuticas:** anti-histamínico. **Propriedades:** anti-histamínico também denominado pirilamina, derivado da etilenodiamina, que age por competição com a histamina pelos receptores H_1 das células efetoras. Dessa forma, evita parte das respostas mediadas pela histamina. O efeito sedativo hipnótico deve-se ao fato de a mepiramina atravessar a barreira hematoencefálica e ligar-se aos receptores H_1 da histamina no cérebro, os quais participam do controle dos estados

de vigília. A mepiramina é bem absorvida através do trato gastrintestinal, é metabolizada principalmente no fígado e os metabólitos produzidos são excretados em 24 horas, em sua maioria por via renal e em parte por via fecal. T emação por aproximadamente 8 horas.
Indicações: rinites de diferentes tipos (alérgica estacional ou vasomotora), conjuntivite alérgica, urticária, angioedema, urticária transfusional. Como adjuvante no tratamento das reações alérgicas e anafilactoides, insônia.
Posologia: dose usual para o **adulto** – como anti-histamínico: oral, de 25 a 50 mg a cada 8 horas; como sedativo-hipnótico: de 25 a 50 mg, 20 a 30 minutos antes de deitar. Dose máxima: até 200 mg/dia. Dose usual **pediátrica** – como anti-histamínico (crianças a partir de 6 anos): 12,5 a 25 mg a cada 8 horas, via oral. Seu uso como anti-histamínico não é recomendado para crianças menores de 6 anos. **Superdosagem:** os sinais de superdose incluem torpor ou instabilidade, secura bucal severa, secura do nariz ou da garganta, enrubescimento da face, sensação de falta de ar ou dispneia, sonolência severa, alucinações, crises convulsivas, problemas para dormir, cefaleia, sensação de desmaio. Por não haver um antídoto específico para o tratamento da superdosagem, o tratamento é sintomático e de manutenção e inclui indução do vômito, lavagem gástrica com solução de cloreto de sódio isotônica se o paciente for incapaz de vomitar em um prazo de 3 horas após a ingestão, uso de catárticos salinos, como leite de magnésia, vasopressores para o tratamento da hipotensão, oxigênio e líquidos intravenosos.
Reações adversas: dor de garganta, febre, hemorragias ou hematomas não habituais, cansaço ou debilidade não habituais, opressão no peito, sonolência, espessamento das secreções brônquicas. **Precauções:** os pacientes com intolerância a outros histamínicos podem apresentar intolerância também à mepiramina. Não foram feitos estudos sobre o efeito carcinogênico ou mutagênico em animais nem em seres humanos, por isso recomenda-se não usar em gestantes a menos que o benefício para a mãe supere o risco potencial para o feto. O uso em lactantes não é recomendado, por ser excretado em pequenas quantidades no leite materno e produzir irritabilidade ou excitação não habitual nos lactentes; por sua ação antimuscarínica, também pode inibir a secreção de leite. Não é recomendado para recém-nascidos nem prematuros, por apresentarem maior sensibilidade aos efeitos antimuscarínicos, como excitação do SNC e aumento da tendência às convulsões. Em crianças de maior idade pode ocorrer uma reação paradoxal caracterizada por hipersensibilidade. Os pacientes geriátricos têm maior propensão a sofrer enjoos, sedação, hipotensão, hiperexcitabilidade e efeitos secundários antimuscarínicos, como secura bucal e retenção urinária. O uso prolongado pode inibir ou diminuir a secreção salivar, contribuindo para o desenvolvimento de cáries, doença periodontal, candidíase oral e mal-estar. **Interações:** álcool, antidepressivos tricíclicos, anti-hipertensivos com efeitos depressores sobre o SNC, outros depressores do SNC, sulfato de magnésio parenteral, maprotilina, trazodona, amantadina, antimuscarínicos ou outros medicamentos com ação antimuscarínica, haloperidol, ipratrópio, fenotiazinas, procainamida, apomorfina, Imao, medicamentos ototóxicos (cisplatino, paromomicina, salicilatos, vancomicina), medicamentos fotossensibilizadores. **Contraindicações:** a relação risco-benefício deve ser avaliada na asma aguda, na obstrução do colo da bexiga, na hipertrofia prostática sintomática, na retenção urinária, no glaucoma de ângulo aberto e de ângulo fechado.

ANTIPSICÓTICOS

Haloperidol • **Ações terapêuticas:** antipsicótico. **Propriedades:** um derivado da butirofenona com efeitos similares aos das fenotiazinas derivadas da piperazina. Produz um bloqueio seletivo sobre o SNC por bloqueio competitivo dos receptores dopaminérgicos pós-sinápticos, no sistema dopaminérgico mesolímbico e um aumento do intercâmbio de dopaminas no nível cerebral para produzir a ação antipsicótica. A absorção por via oral é de 70%; o metabolismo, que é extenso, realiza-se no fígado; a ligação às proteínas é de 90% ou mais. Aproximadamente 40% da primeira dose oral única é excretada na urina em 5 dias, sendo 1% sob a forma de fármaco inalterado; 15% são excretados através das fezes por eliminação biliar. **Indicações:** tratamento de distúrbios psicóticos agudos e crônicos que incluem esquizofrenia, estados maníacos e psicose induzida por fármacos (psicose esteroidal). Pacientes agressivos e agitados. **Posologia:** a forma farmacêutica oral pode ser ingerida com alimentos ou com leite para diminuir a irritação gastrintestinal. Dose para adultos: 0,5 a 5 mg, 2 ou 3 vezes/dia, ajustada de forma gradual conforme as necessidades e a tolerância. Dose máxima: 100 mg/dia. Não foram estabelecidas as doses para crianças. **Reações adversas:** as crianças são muito sensíveis aos efeitos extrapiramidais. Os pacientes geriátricos ou debilitados são mais propensos ao desenvolvimento de efeitos extrapiramidais adversos e de hipotensão ortostática. Requerem atenção médica: disartria, instabilidade, rigidez de braços ou pernas, tremor e agitação de dedos e mãos, disfagia, movimentos de torção do corpo. São de incidência mais rara: claudicação, cansaço ou debilidade não habituais, tonturas, alucinações, erupção cutânea, aumento da sudorese. **Superdosagem:** dificuldade para respirar, tonturas, sonolência grave ou estado comatoso, tremores musculares, espasmos, rigidez ou movimentos descontrolados ou graves. **Precauções:** evitar a ingestão de bebidas alcoólicas ou de outros depressores do SNC durante o tratamento. Pode haver secura bucal (efeito antimuscarínico) e possível fotossensibilidade na pele. Não é recomendável seu uso em crianças menores de 3 anos. Os pacientes geriátricos são mais propensos a discinesia tardia e parkinsonismo. Os efeitos leucopênicos e trombocitopênicos do haloperidol podem provocar aumento da incidência de infecção microbiana, dificuldade na cicatrização de feridas e sangramento gengival. **Interações:** a ação do álcool é potencializada e pode ocorrer hipotensão grave. Diminui os efeitos estimulantes das anfetaminas e reduz os efeitos antipsicóticos do haloperidol. Pode aumentar ou diminuir a atividade anticoagulante de derivados cumarínicos ou da indandiona. Intensifica os efeitos antimuscarínicos da atropina e compostos relacionados. Aumenta as concentrações séricas de prolactina ao indicar-se simultaneamente com bromocriptina. Potencia a ação de depressores do SNC. Diminui os efeitos hipotensores da guanetidina e os efeitos terapêuticos da levodopa. Pode provocar efeitos mentais não desejados (desorientação) usando-se simultaneamente com metildopa. **Contraindicações:** depressão do SNC, grave ou tóxica (induzida por fármacos). Mal de Parkinson. A relação risco-benefício será avaliada no alcoolismo ativo, nas alergias, na epilepsia, na disfunção hepática ou renal, no hipertireoidismo ou na tireotoxicose, no glaucoma e na retenção urinária.

ANTIVIRAIS

Aciclovir • **Ações terapêuticas:** antiviral seletivo contra o vírus do herpes. **Propriedades:** atua contra os tipos I e II do herpes simples e vírus da varicela zóster, com baixa toxicidade para as células infectadas do homem. Quando penetra na célula infectada pelo vírus do herpes, o aciclovir sofre fosforilação, convertendo-se no composto ativo aciclovir trifosfato. Para que essa primeira etapa ocorra é necessária a presença da timidina cinase específica do vírus herpes simples. O aciclovir trifosfato atua como inibidor específico da DNA-polimerase do vírus herpes, evitando a posterior síntese de DNA viral sem afetar os processos celulares normais. Em adultos, a meia-vida plasmática do aciclovir é de 2 a 9 horas. A maior parte da droga é excretada inalterada pelos rins. Tanto a secreção tubular quanto a filtração glomerular contribuem para a eliminação renal. O único metabólito significativo é a 9-carboximetoximetilguanina, que representa 10 ou 15% da dose excretada na urina. Também é eliminado durante a hemodiálise. Pouco absorvido no trato gastrintestinal (15 a 30%), embora as concentrações séricas sejam suficientes para obter efeito terapêutico. Distribui-se amplamente nos tecidos e líquidos corporais, encontrando-se as maiores concentrações nos rins, no fígado e no intestino. As concentrações no líquido cerebrospinal são de aproximadamente 50% das concentrações plasmáticas. Atravessa a placenta e sua união às proteínas é baixa. **Indicações:** para o tratamento de infecções por vírus herpes simples e profilaxia em pacientes imunodeprimidos, sobretudo em infecções cutâneas progressivas ou disseminadas. **Posologia:** a duração do tratamento dependerá da gravidade da infecção, embora, em infecções agudas por vírus herpes simples, o tratamento adequado deva ser de 5 dias. Adultos: com função renal normal: infecções por vírus herpes simples (exceto encefalite herpética) ou vírus varicela zóster: 5 mg/kg em 8 horas. Em pacientes imunodeprimidos com infecções por vírus varicela zóster ou com encefalite herpética: 10 mg/kg em 8 horas. Função renal alterada: a administração deve ser feita com precaução e a dose será estabelecida de acordo com a depuração da creatinina: 25 a 50 mL/minuto, 5 mg/kg/12h; 10 a 25 mL/minuto, 5 mg/kg/24h; 0 (anúricos) a 10 mL/minuto, 2,5 mg/kg/24 a 48h, ou após a diálise. Crianças entre 3 meses e 12 anos: calcula-se conforme a superfície corporal. Vírus herpes simples ou vírus varicela zóster: 250 mg/m^2 a cada 8 horas. Em crianças imunodeprimidas com infecções por vírus varicela zóster: 500 mg/m^2 2/8 horas, se a função renal não estiver alterada. Em crianças com função renal alterada são necessárias modificações especiais da dose, de acordo com o grau de disfunção. Idosos: deverá ser controlada a função renal diminuindo a dose de acordo com os valores de creatinina. A dose deve ser administrada muito lentamente, em um período não inferior a 1 hora. Via oral: dose usual para adultos: 200 mg a cada 4 horas, 5 vezes/dia, durante 10 dias. Tratamento crônico supressor das infecções recorrentes: 200 mg a cada 8 horas, durante, no máximo, 6 meses. As cápsulas podem ser tomadas com os alimentos, pois não foi demonstrado que a absorção seja afetada por eles. **Reações adversas:** em alguns pacientes foi observado aumento rápido e reversível dos níveis sanguíneos de ureia ou creatinina, o que pode ser devido a níveis plasmáticos elevados da droga e ao estado de hidratação dos pacientes. Portanto, é imprescindível que a hidratação seja adequada. Por extravasamento pode aparecer uma inflamação grave, às vezes seguida de ulceração. Foram evidenciados também aumento das enzimas hepáticas, diminuição dos índices hematológicos, erupções e febre, náuseas e vômitos. Em algumas ocasiões houve reações neurológicas reversíveis, como tremores, relacionadas com confusão e alterações eletroencefalográficas. **Precauções:** deverá ser adotada com precaução em pacientes com alterações renais e, a fim de evitar acúmulo da droga, a dose será regulada de acordo com a tabela de posologia. Observar a função renal em pacientes submetidos a transplantes renais, pelo aumento que produz da creatinina ou da ureia sérica. **Interações:** a probenecida aumenta a meia-vida e as concentrações plasmáticas de aciclovir. O interferon ou o metotrexato administrados simultaneamente com aciclovir IV podem produzir anormalidades neurológicas. **Contraindicações:** pacientes que tenham demonstrado hipersensibilidade ao aciclovir. Deverá ser avaliada a relação risco-benefício em pacientes com disfunção renal, hepática ou anomalias neurológicas.

HIALURONATO DE SÓDIO

O **hialuronato de sódio** é o sal purificado do ácido hialurônico de sódio natural. Nas articulações sinoviais saudáveis, o ácido hialurônico mantém a viscosidade do líquido sinovial e reforça as propriedades de lubrificação e de absorção de impactos da cartilagem articular. O uso do hialuronato de sódio para o tratamento dos deslocamentos do disco com e sem redução parece ser promissor, bem como o seu uso para o tratamento da dor e da inflamação articular.

MEDICAÇÃO TÓPICA

A dor neuropática é definida como condição que se inicia ou é causada por lesão primária ou doença do sistema somatossensitivo. A etiologia das dores neuropáticas varia desde o trauma local até alterações do SNC. Seu tratamento, na maioria dos casos, é farmacológico, incluindo antidepressivos, analgésicos e anticonvulsivantes. A eficácia dessas medicações depende de uma variedade de fatores, como localização da dor, idade do paciente, comorbidades associadas. **Um método alternativo** clínico é a medicação tópica. Embora esse método tenha sido relatado por vários autores como útil para a dor neuropática, ainda não foi muito estudado na região orofacial.[4]

Estudo que avaliou o efeito de medicações tópicas como tratamento único ou em combinação com medicações sistêmicas no tratamento de condições de dor orofacial neuropáticas concluiu que aquelas podem proporcionar alívio rápido da dor, tanto agindo isoladamente quanto em combinações com medicações sistêmicas. A efetividade, a indicação, a dosagem e as possíveis associações ainda estão abertas à discussão.[4]

Capsaicina • Analgésico tópico. Uso externo ou interno na cavidade bucal associado a um gel anestésico. Uso adulto ou em crianças acima de 2 anos (creme). Uso adulto ou em crianças acima de 12 anos (loção). **Apresentações:** creme tópico – 0,025% – bisnaga com 50 g. Creme tópico – 0,075% – bisnaga com 50 g. Loção tópica – 0,025% – frasco contendo 60 mL. **Composição:** Creme tópico 0,025%. Creme tópico 0,075%. Loção tópica 0,025%. **Indicações:** 0,025 ou 0,075% em creme analgésico tópico ou em loção analgésica tópica são indicados no alívio da dor nos casos de neuralgia do trigêmeo, herpes-zóster, neuropatia diabética dolorosa, dor da osteoartrite ou da artrite reumatoide e odontalgia atípica. **Contraindicações:** não usar em tecidos irritados ou com lesões abertas. **Precauções:** deve ser aplicado só externamente. Evitar o contato do creme ou da loção com os olhos, com lentes de contato e com a pele irritada ou com lesões abertas. Ao ser empregada na neuropatia pós--herpética, aplicar só depois de a ferida estar cicatrizada. Lavar as mãos com sabão após aplicar o creme ou a loção de capsaicina. Se for usado para artrite das mãos, deixar agir por cerca de 30 minutos e então lavar as mãos. Não aplicar o creme em camadas densas ou em bandagens. Recomenda-se não usar esse creme em crianças com menos de 2 anos, ou menos de 12 anos de idade, a não ser por exclusiva indicação médica. Em pediatria, o creme tópico só deve ser usado em crianças acima de 2 anos de idade, sob supervisão médica. A loção tópica deve ser usada só em crianças acima de 12 anos de idade. A inalação dos resíduos de creme seco ou da loção pode provocar tosse, espirros e irritação respiratória. **Gravidez e amamentação:** não foram feitos estudos em mulheres grávidas, não sendo recomendado o uso nem durante a gestação, nem a amamentação, embora a capsaicina não passe à circulação sistêmica. **Interações:** não aplicar outros medicamentos na área em tratamento com esse creme ou loção. **Reações adversas:** os pacientes podem sentir sensação de calor e queimação no local da aplicação, principalmente durante os primeiros dias de tratamento. Esses efeitos estão relacionados com a ação farmacológica da capsaicina. Raramente a sensação de queimação local leva ao abandono do tratamento. **Posologia:** aplicar uma fina camada do creme e/ou da loção na área afetada, de 3 a 4 vezes/dia. O creme deve ser massageado na pele, até desaparecerem os resíduos do produto. Pode ocorrer sensação passageira de queimação no local, após a aplicação, que em geral desaparece após alguns dias. O efeito analgésico pode não ocorrer satisfatoriamente se o produto for aplicado menos do que 3 ou 4 vezes/dia, e a sensação de calor pode persistir. Lavar bem as mãos após a aplicação, a não ser que esteja tratando as próprias mãos e, nesses casos, lavá--las após 30 minutos.

Hercap • Medicamento fitoterápico. **Apresentações:** bisnaga: creme de óleo resina de *Capsicum annuum L.* contendo capsaicina a 0,025 e 0,05%, caixas contendo bisnaga de 30 g. **Composição:** cada 1 g do creme contém extrato tipo óleo resina de *Capsicum annuum L.* a 10%, 2,5 mg (equivalente a 0,25 mg de capsaicina). Cada 1 g do creme contém: extrato tipo óleo resina de *Capsicum annuum L.* a 10%, 5 mg (equivalente a 0,5 mg de capsaicina). **Informações técnicas.** O óleo resina de *Capsicum annum L.* apresenta os capsaicinoides como princípios ativos, cujo maior componente é a capsaicina, responsável pelos efeitos farmacológicos descritos. O uso tópico da capsaicina leva à analgesia por ação seletiva sobre fibras sensitivas aferentes chamadas fibras C, responsáveis pela transmissão da sensação de dor e prurido para o SNC. A capsaicina, quando aplicada repetidas vezes sobre a pele, diminui a quantidade do neuropeptídeo P na fenda sináptica de fibras sensitivas periféricas. Além de seu efeito analgésico, a capsaicina também tem ação anti-inflamatória por inibição competitiva com o ácido araquidônico e age como vasodilatador local. Durante as primeiras aplicações, ocorrerá sensação de queimação local, em decorrência da maior liberação do neuropeptídeo P pelas fibras nervosas sensitivas; depois de sucessivas aplicações, essa sensação diminui pela depleção do neurotransmissor, o que coincide com o início do efeito analgésico do produto. **Indicações:** o óleo resina de *Capsicum annuum L.* é indicado na dor neurálgica pós-herpética. **Contraindicações:** o óleo resina de *Capsicum annuum L.*, está contraindicado para pacientes que tenham sensibilidade a algum dos componentes da fórmula. Ele está contraindicado durante a gravidez e a amamentação pelo potencial efeito uterotônico. **Precauções:** o óleo resina de *Capsicum annuum L.* não deve ser aplicado sobre a pele lesada ou eczematizada, devendo-se aguardar a completa cicatrização para o início do tratamento. É extremamente irritante sobre as mucosas, devendo-se evitar o contato do produto com essas regiões. **Interações:** não foram observadas interações medicamentosas entre hercap (óleo resina de *Capsicum annuum L.*) e outros medicamentos de uso tópico até o momento. **Reações adversas:** desencadeia durante as primeiras aplicações o surgimento de eritema e sensação de formigamento que devem desaparecer após a primeira semana de uso. Podem ocorrer, raramente, reações de hipersensibilidade com lesões tipo urticária ou dermatite vesicante pelo uso. **Posologia:** 3 a 4 aplicações/dia, massageando até a completa absorção, durante 4 a 6 semanas, ou segundo orientação médica.

RELAXANTES MUSCULARES

Os fármacos **miorrelaxantes** são aqueles capazes de melhorar a função muscular esquelética. Condições de traumatismos, ansiedade, inflamações e/ou infecções podem associar-se ao aparecimento de espasmos musculares agudos.

Os **relaxantes musculares** ajudam a prevenir a atividade muscular aumentada associada com as DTMs. Os relaxantes musculares afetam a atividade neuronal associada com os reflexos de estiramento muscular, primariamente na área reticular lateral do tronco encefálico. Embora não se saiba se os relaxantes musculares são melhores que os analgésicos com respeito à dor, alguns relaxantes da musculatura esquelética estão disponíveis em combinações com estes últimos.

A maioria dos relaxantes musculares apresenta efeito central que seda o paciente. Talvez esta sedação seja a principal explicação para a resposta positiva apresentada por alguns pacientes.[2]

Baclofeno • **Ações terapêuticas:** relaxante muscular e antiespasmódico. **Propriedades:** é capaz de inibir os reflexos mono e polissinápticos em nível espinal. Seu mecanismo de ação não é completamente conhecido. **Indicações:** redução dos sinais e dos sintomas de espasticidade resultantes da esclerose múltipla. Quando a administração da tomada oral se mostra ineficaz, a forma injetável (intratecal) é indicada no manejo da espasticidade severa originada na medula espinal. A injeção de baclofeno pode ser considerada uma alternativa à neurocirurgia ablativa. Em algumas ocasiões tem sido adotado como terapia coadjuvante da neuralgia do trigêmeo, da mioclonia noturna, da discinesia e da distonia. **Posologia:** a determinação da dose ótima por via oral deve ser feita por titulação. Recomenda-se iniciar com baixas doses, mantidas durante 3 dias (dias 1 a 3, 2 tomadas de 5 mg; dias 4 a 6, 2 tomadas de 10 mg; dias 7 a 9, 2 tomadas de 15 mg; dias 10 a 12, 2 tomadas de 20 mg), até alcançar a dose ótima (40 a 80 mg/dia). Nunca deve ser superada a dose de 80 mg/dia (fracionada em 4 tomadas de 20 mg cada uma). Com o uso crônico a dose pode requerer um ajuste. **Superdosagem:** via oral: vômitos, hipotonia muscular, sonolência, tonturas, convulsões, perda da consciência progressiva (coma de até 24 horas de duração). Tratamento sugerido: remoção do princípio ativo por lavagem gástrica ou esvaziamento da bomba de infusão; entubação nos casos em que ocorre depressão respiratória. **Reações adversas:** sonolência, tonturas, debilidade, fadiga. Com pouca frequência: confusão, cefaleias, insônia, alucinações, parestesia, depressão, euforia, miose, midríase, diplopia, hipotensão, náuseas, constipação, disúria, impotência, prurido, congestão nasal. **Precauções:** deve-se evitar a retirada abrupta do baclofeno, exceto no caso de reações adversas severas. Não deve ser adotado durante a gravidez, a não ser que os riscos potenciais para o feto sejam justificados pelo benefício materno. Devido à possibilidade de o baclofeno produzir sedação é necessário advertir os pacientes sobre o risco de operar máquinas ou dirigir automóveis. Em epilepsia, desordens psicóticas, esquizofrenia ou estados de confusão, é possível observar exacerbações, por isso deve ser feito um seguimento próximo desses pacientes. Administrado por via oral passa ao leite materno; não há dados suficientes sobre o baclofeno injetado. Os pacientes devem estar livres de infecções antes de avaliar a resposta ao baclofeno. **Interações:** o baclofeno injetável e a morfina administrada por via peridural têm provocado hipotensão e dispneia. **Contraindicações:** hipersensibilidade ao baclofeno. A injeção de baclofeno não é recomendada para uso intravenoso, intramuscular, subcutâneo ou peridural.

Ciclobenzaprina • Até hoje, não foram encontradas comparações efetivas entre relaxantes musculares e analgésicos; ainda não se sabe se os relaxantes musculares promovem um alívio mais efetivo da dor que os analgésicos. Todavia, ao se considerar estudos incluindo pacientes com DTM, a **ciclobenzaprina** mostrou-se estatisticamente superior, tanto ao placebo quanto ao clonazepam, na redução da dor mandibular, ao despertar. Porém nenhuma das drogas teve efeito na melhora da qualidade de sono.[5] A ciclobenzaprina é um relaxante muscular que parece fornecer efeito positivo sobre uma variedade de dores musculares, como as da DTM. Essa medicação é um composto semelhante aos antidepressivos tricíclicos e, portanto, pode funcionar de maneira similar. Uma dose de 5 a 10 mg antes de dormir pode reduzir a dor muscular, especialmente pela manhã. Outra dose de 5 a 10 mg durante o dia pode ser útil para a dor, mas os pacientes geralmente acham que isso os deixa muito sonolentos para o trabalho.[2] A ciclobenzaprina provou ser efetiva para o tratamento dos espasmos agudos lombares e cervicais. **Ações terapêuticas:** miorrelaxante. **Propriedades:** usada como cloridrato, suprime o espasmo do músculo esquelético de origem local, sem interferir com a função muscular. Demonstrou-se que a ação sobre a formação reticular reduz o tônus motor, influenciando o sistema motor gama e alfa. Diminui o tônus muscular aumentado do músculo esquelético sem afetar o SNC e a consciência. **Indicações:** cervicobraquialgias, lombalgias, torcicolos, fibrosite, periartrite escapuloumeral, espasmos musculares associados com dor aguda de etiologia musculoesquelética (dor miofascial).

Posologia: a dose usual é de 10 mg, 2 a 3 vezes/dia, distribuídas em intervalos iguais. Conforme critério médico podem ser administrados 40 mg/dia; não se recomenda exceder 60 mg/dia. **Reações adversas:** nas doses recomendadas é muito bem tolerada. Ocasionalmente, podem ocorrer enjoos, secura bucal e sonolência. **Precauções:** deve ser usada por períodos não maiores do que 2 a 3 semanas. Deve ser administrada com cautela a pacientes medicados com fármacos anticolinérgicos, pessoas que operam máquinas ou dirigem veículos. Por falta de experiência, não se recomenda sua administração a crianças. **Interações:** não administrar simultaneamente com antidepressivos tricíclicos (p. ex., amitriptilina, imipramina), Imao (fenilzina, tranilcipromina). Pode potencializar os efeitos do álcool, de barbitúricos ou outros fármacos depressores do SNC. **Contraindicações:** hipersensibilidade à ciclobenzaprina e glaucoma. Retenção urinária. Uso simultâneo de Imao. Fase aguda pós-infarto do miocárdio. Pacientes com arritmias cardíacas, bloqueio ou alterações da conduta; insuficiência cardíaca congestiva. Hipertireoidismo.

Tizanidina • A **tizanidina** provou ser um auxiliar efetivo para o tratamento da cefaleia crônica diária, porém não para a cefaleia tipo tensional (CTT). É um antagonista dos receptores alfa-2-adrenérgicos, que inibe preferencialmente os mecanismos polissinápticos responsáveis pela hipertonicidade muscular, induzindo a liberação de aminoácidos excitatórios interneuronais. **Ações terapêuticas:** relaxante muscular e antiespasmódico. **Propriedades:** derivado imidazolínico que desenvolve atividade relaxante muscular central por sua ação principalmente sobre a medula espinal. Integra, com o baclofeno, o dantroleno e o diazepam, o grupo de drogas antiespasmódicas que diminuem o tônus muscular excessivo causado por diferentes condições musculoesqueléticas (lombalgia, torcicolo, cervicobraquialgia, fibrosite muscular). O **mecanismo de ação** desenvolve-se sobre as vias neuronais polissinápticas, que participam da ativação dos motoneurônios e unidades motoras, proporcionando diminuição do tônus muscular patologicamente elevado. O efeito "miotonolítico" poderia ser atribuído à sua ação agonista sobre os receptores alfa-adrenérgicos. Recentemente mencionou-se que a tizanidina poderia atuar também sobre centros supraespinais através de mecanismos locais alfa-2-adrenérgicos (agonista central). Esse agente miotonolítico é absorvido de forma rápida e quase completa após a administração oral; depois da absorção no trato digestivo alcança-se um pico plasmático entre 1 e 2 horas. Tem baixa ligação às proteínas plasmáticas (30%). A **meia-vida** de eliminação é de 3 a 5 horas e a biometabolização é, na maior parte, hepática. Aproximadamente 70% do fármaco é eliminado pela urina, sob a forma de droga inalterada ou de metabólitos com escassa atividade biológica. **Indicações:** doenças espasmódicas e dolorosas musculoesqueléticas. Esclerose múltipla; afecções neurológicas que ocorrem com espasmos musculares. Espasmos musculares dolorosos pós-cirúrgicos. Doenças da medula espinal devidas a processos degenerativos, traumáticos, infecciosos ou tumorais. **Posologia:** no tratamento da espasmoticidade, a dose deverá ser ajustada às necessidades individuais. Aconselha-se iniciar com doses baixas: 2 a 6 mg/dia, divididos a cada 8 horas. Essa posologia pode ser aumentada de forma progressiva em 2 a 4 mg a cada semana, até atingir a dose ótima, que oscila entre 12 e 24 mg, divididos em 3 a 4 doses. Em terapias prolongadas a dose ótima é de 4 mg,

3 vezes/dia. A dose máxima diária total não deve ultrapassar 36 mg. No espasmo musculoesquelético doloroso, a dose recomendada é de 2 a 4 mg, 3 vezes ao dia, dependendo da gravidade da sintomatologia. Se for necessário, pode-se agregar uma dose noturna, ao deitar, de 2 a 4 mg. **Reações adversas:** a tolerância à tizanidina depende basicamente da dose administrada e da doença tratada. Entre os fenômenos secundários mais frequentes encontram-se astenia, cansaço, sonolência, enjoos, cefaleia, secura da boca, náuseas, vômitos, constipação e insônia. Nos estudos a longo prazo, os efeitos indesejáveis que foram mais frequentes nos primeiros 3 meses diminuíram com a continuidade do tratamento. A maioria desses fenômenos foi transitória, leve e raramente motivou a suspensão do tratamento. **Precauções:** a posologia deverá ser adequada cuidadosamente em pacientes com insuficiência cardíaca, hepática ou renal. Os pacientes que conduzem veículos ou manejam maquinário devem ser prevenidos ao iniciar o tratamento, pois podem apresentar enjoos e sonolência. Em estudos pré-clínicos não foram detectados, até o momento, efeitos teratogênicos. **Interações:** não administrar de forma concomitante com bebidas alcoólicas devido ao risco de seu efeito aditivo sobre o SNC. O emprego de agentes anti-hipertensivos ou diuréticos pode potencializar a hipotensão arterial. Não foram informadas interações com psicofármacos (antidepressivos, neurolépticos, sedativos, hipnóticos), vasodilatadores, antibióticos, antidiabéticos, anticoagulantes e hormônios. **Contraindicações:** miastenia, choque, crianças menores de 12 anos, hipersensibilidade ao fármaco. Pós-operatório: insuficiência respiratória obstrutiva ou restritiva grave. Asma brônquica, DPOC e pacientes submetidos à assistência respiratória mecânica.

TOXINA BOTULÍNICA

A **toxina botulínica (TB)** é uma proteína complexa, produzida por uma bactéria anaeróbica (*Clostridium botulinum*). Sua ação se processa junto à junção neuromuscular, bloqueando a liberação pré-sináptica (exocitose) de acetilcolina, inibindo dessa maneira a contração muscular. Geralmente, após 2 dias do contato da toxina com o músculo, a porção axonal terminal começa a proliferar, formando novas sinapses com fibras musculares adjacentes. Por essa razão, o **efeito terapêutico da TB é de duração limitada**, ou seja, de 3 a 6 meses. Há vários subtipos de TB; o que apresenta maior potência é o subtipo "A".

A **TB estabelece uma denervação muscular funcional transitória**. As terminações nervosas que tiverem contato com a TB acabam por perder irreversivelmente sua função. Contudo, por um fenômeno de brotamento, serão estabelecidos novos terminais nervosos, que irão inervar as células musculares denervadas, restituindo a força e o tônus muscular, porém com menor magnitude. É indicada, entre outras condições, para espasmo hemifacial, hiperatividade muscular do bruxismo, hipertrofia de masseter, neuralgia trigeminal, fístula parotídea, síndrome de Frey, deslocamento da cabeça da mandíbula, cefaleia tensional e síndrome de dor miofascial.

Em razão de a etiologia dos pontos-gatilho miofasciais (PGM) ser pobremente compreendida, o tratamento da dor miofascial é diverso e inclui o emprego de drogas esteroidais, não esteroidais, antidepressivos, tratamento por fisioterapia/exercícios, agulhamento seco, injeções de anestésicos locais e toxina botulínica A (TB A). Estes três últimos devem ser aplicados no interior dos PGMs. Tem sido proposto que, uma vez que a TB A tem efeito de longa duração, pode proporcionar alívio sintomatológico maior que o agulhamento seco ou o uso de outros agentes de curta duração, como os anestésicos. Estudo duplo-cego, randomizado, comparando o uso da TB A com a injeção em pontos-gatilho miofasciais de bupivacaína a 0,5% para o tratamento de síndrome de dor miofascial demonstrou que não houve benefício na injeção de TB A sobre a injeção de bupivacaína, combinada com um programa de exercícios domiciliares para o tratamento da dor miofascial.[6] **As injeções em pontos-gatilho miofasciais** com diferentes soluções têm sido estudadas, principalmente, no que diz respeito ao manejo do paciente com dor miofascial. Poucos estudos têm analisado seus efeitos numa população com cefaleia crônica associada à dor miofascial. Com o propósito de analisar qual terapêutica é mais eficaz, ou seja, toxina botulínica, lidocaína e agulhamento seco, foram aplicadas injeções em pontos-gatilho em 45 pacientes, com dor miofascial e cefaleias. Nessa população, o critério principal foi a reprodução da dor pela estimulação de pelo menos um PGM. Essa amostra foi aleatoriamente dividida em três grupos: G1, agulhamento seco; G2, 0,25% de lidocaína; e G3, 0,25% de toxina botulínica, e acompanhada por um período de 12 semanas. Os autores avaliaram a intensidade, a frequência e a duração de dor, a sensibilidade no local de injeção, o tempo de obtenção e a duração do alívio e o uso de medicação de resgate. Estatisticamente, todos os grupos mostraram resultados favoráveis para os requisitos avaliados, exceto para o uso de medicação de resgate e sensibilidade local pós-injeção (o G3 mostrou melhores resultados). Concluíram que as substâncias testadas têm efeitos desejáveis sobre os distúrbios estudados. A escolha deve ser baseada em características como o uso prévio de substâncias e seus resultados, custo e desconforto. Considerações importantes como o estado crônico dos casos, a resistência a tratamentos convencionais, a periodicidade, a dosagem e a associação de modalidades terapêuticas, devem ser incluídas nos pré-requisitos adotados quando da preparação de estratégias de tratamento. Considerando seu custo reduzido, a lidocaína poderia ser adotada como uma substância de escolha e a toxina botulínica deveria ser reservada aos casos refratários, nos quais os efeitos esperados não possam ser alcançados.[7]

Toxina botulínica A • Ações terapêuticas: bloqueador neuromuscular. **Propriedades:** a toxina botulínica A (TBA) é obtida de cultivos de cepas Hall de *Clostridium botulinum*. A TBA bloqueia a condução neuromuscular por ligação aos sítios receptores nas terminações do nervo motor, ingressa nessas terminações e inibe a liberação de acetilcolina. Injetada por via intramuscular em doses terapêuticas, produz uma desnervação química cujo resultado é paralisia muscular localizada que leva à atrofia do músculo. Há evidências de que o nervo pode crescer e reinervar o músculo, fazendo com que o debilitamento seja reversível. A paralisia dos músculos injetados com toxina botulínica A é útil para reduzir as contrações anormais excessivas associadas com o blefaroespasmo. No tratamento do estrabismo, postula-se que a administração de toxina botulínica A afeta os pares musculares por indução de um alongamento atrófico do músculo injetado e o encurtamento correspondente do músculo antagonista. Após a injeção periocular de toxina observam-se mudanças eletrofisiológicas nos músculos distais, mas sem produzir debilidade ou outras mudanças clínicas por um período de várias semanas ou meses. Tal toxina apresenta-se no mercado em ampolas liofilizadas que contêm 100 U de toxina. **Indicações:** estrabismo e blefaroespasmo associado com distonia, incluído o blefaroespasmo essencial benigno ou transtornos do VII par craniano, em pacientes de 12 ou mais anos de idade. Sua eficácia em desvios de mais de 50 dioptrias, no estrabismo restritivo, na síndrome de Duane com debilidade do músculo reto lateral e no estrabismo secundário provocado pela hiper-ressecção cirúrgica do antagonista, é duvidosa ou podem ser necessárias injeções repetidas no transcurso do tempo para atingir uma resposta clínica. Não parece ser efetiva em casos de estrabismo paralítico crônico, exceto para reduzir a contratura antagonista associada à intervenção cirúrgica. Em pacientes com dor miofascial, com hipertrofia de masseter e/ou temporal, nos casos de deslocamento crônico da cabeça mandibular, neuralgia trigeminal refratária à ação farmacológica (anticonvulsivante isolado ou associado a antidepressivos). **Posologia:** para o tratamento do estrabismo, a dose recomendada é de 0,05 a 0,15 mL por músculo; esse volume corresponde a soluções que têm, após a reconstituição do liofilizado, uma concentração de 100 U/mL, 50 U/mL, 25 U/mL ou 12,5 U/mL. As doses iniciais mencionadas habitualmente geram paralisia nos músculos injetados, que começa 1 ou 2 dias depois da aplicação e aumenta em intensidade durante a primeira semana. A paralisia prolonga-se durante 2 a 6 semanas e desaparece gradualmente em período similar. Em torno de metade dos pacientes requer doses adicionais, devido a uma resposta paralítica inadequada do músculo com a dose inicial ou a fatores mecânicos (como grandes desvios ou restrições), ou devido à falta de fusão motora binocular para estabilizar o alinhamento. Quando adotada no tratamento do blefarospasmo, experimenta-se alguma tolerância se os tratamentos forem realizados com maior frequência do que a cada 3 meses e é pouco habitual que o efeito seja permanente. **Superdosagem:** não foram registrados casos de toxicidade sistêmica resultante de injeções ou ingestão oral acidental. Caso isso ocorra, a pessoa deve ser observada durante vários dias, para detectar a presença de sinais ou sintomas de debilidade ou paralisia muscular. O conteúdo total de uma ampola (100 U) é menor que a dose estimada capaz de desenvolver toxicidade sistêmica em seres humanos que pesam 6 kg ou mais. **Posologia:** no estrabismo a toxina botulínica A é preparada para ser injetada nos músculos extraoculares empregando a atividade elétrica registrada desde a ponta da agulha da injeção como guia para colocá-la dentro do músculo. As injeções não devem ser aplicadas sem ter exposição cirúrgica ou guias eletromiográficas. Para preparar o olho recomenda-se aplicar várias gotas de um anestésico local e um descongestionante ocular, vários minutos antes da injeção. Blefarospasmo: emprega-se uma agulha estéril calibre 27-30 sem guia eletromiográfica. **Reações adversas:** estrabismo: ptose (15,7%), desvio vertical (16,9%), desorientação espacial, visão dupla. Em estudos clínicos observou-se que a incidência de ptose foi muito menor depois da injeção no músculo reto inferior (0,9%) que após a injeção no músculo reto superior (37,7%). As taxas de incidência registradas em estudos clínicos desses efeitos secundários, persistentes por mais de 6 meses, foram: ptose 0,3%, desvio vertical maior de duas dioptrias de prisma 2,1%. Blefarospasmo: as taxas de reações adversas por olho tratado são: ptose 11%, irritação/lacrimejamento 10% (incluindo olho seco, lagoftalmos e fotofobia). Foram informados poucos casos de ectrópio, ceratite, diplopia e entrópio (incidência inferior a 1%). **Precauções:** a dose cumulativa em um prazo de 30 dias nunca deve exceder 200U, devido ao aumento do risco de desenvolver anticorpos. A presença de anticorpos contra toxina botulínica A pode reduzir a eficácia do tratamento. Por esse motivo, a dose de toxina botulínica A para o estrabismo e o blefarospasmo deve ser mantida o mais baixa possível, sempre inferior a 200 U/mês. Carcinogênese, mutagênese, impedimento da fertilidade: não foram feitos estudos de longo prazo em animais para avaliar o efeito potencial. Lactação: desconhece-se se é excretada no leite materno; mesmo assim, deve-se ter cautela quando administrada na mulher que amamenta. Uso pediátrico: não foram estabelecidas a eficácia e a segurança em crianças menores de 12 anos. **Interações:** potenciação com aminoglicosídios ou qualquer outro fármaco que interfira na transmissão neuromuscular. **Contraindicações:** hipersensibilidade à toxina botulínica A.

REFERÊNCIAS

1. Conti PC, Dos Santos CN, Kogawa EM, de Castro Ferreira Conti AC, de Araujo Cdos R. The treatment of painful temporomandibular joint clicking with oral splints: a randomized clinical trial. J Am Dent Assoc. 2006;137(8):1108-14.
2. Okeson JP. Bell's oralfacial pain. 5th ed. Chicago: Quintessence; 2005.
3. Grossmann E. Glossário de cabeça e pescoço. São Paulo: Quintessence; 2008.
4. Emshoff R, Bösch R, Pümpel E, Shöning H, Strobl H. Low-level laser therapy for treatment of temporomandibular joint pain: a double-blind and placebo-controlled trial. Oral Surg Oral Med Oral Pathol Oral Radiol Endod. 2008;105(4):452-6.
5. Feine JS, Lund JP. An assessment of the efficacy of physical therapy and physical modalities for the control of chronic musculoskeletal pain. Pain. 1997;71(1):5-23.
6. Graboski CL, Gray DS, Burnham RS. Botulinum toxin A versus bupivacaine trigger point injections for the treatment of myofascial pain syndrom: a randomised double-blind crossover study. Pain. 2005;118(1-2):170-5.
7. Venâncio RA, Alencar FGP Jr, Zamperini C. Botulinum toxin, lidocaine and dry-needling injections in patients with myofascial pain and headaches. J Craniomandi Pract. 2009;27(1):1-8.

LEITURAS SUGERIDAS

Al-Ani Z, Gray RJ, Davies SJ, Sloan P, Glenny AM. Stabilization splint therapy for the treatment of temporomandibular myofascial pain: a systematic review. J Dent Educ. 2005;69(11):1242-50.

Alencar JR, Becker A. Evaluation of different occlusal splints and counselling in the management of myofascial pain dysfunction. J Oral Rehab. 2009; 36(2):79-85.

Leituras sugeridas

Camparis CM, Formigoni G, Teixeira MJ, Bittencourt LR, Tufik S, de Siqueira TJ. Sleep bruxism and temporomandibular disorder: clinical and polysomnographic evaluation. Arch of Oral Biol. 2006; 51(9):721-8.

Camparis CM, Siqueira JT. Sleep bruxism: clinical aspects and characteristics in patients with and without chonic orofacial pain. Oral Surg Oral Med Oral Pathol Oral Radiol Endod. 2006;101(2):188-93.

Clark GT, Minakuchi H. Oral appliances. In: Laskin DM, Greene CS, Hylander WL. TMDs an evidence-based approach to diagnosis and treatment. Chicago: Quintessence; 2006.

de Andrade ED. Terapêutica medicamentosa em odontologia. Porto Alegre: Artmed; 2006.

de Leeuw R, editor. General assessement of the orofacial pain patient. In: de Leeuw R, editor. Orofacial pain: guidelines for assessment, diagnosis, and management. 4th ed. Chicago: Quintessence; 2008.

Dionne RA. Pharmacologic treatments for temporomandibular disorders. Oral Surg Oral Med Oral Pathol Oral Radiol Endod. 1997;83:134-42.

Dionne RA. Pharmacologic approaches. In: Laskin DM, Greene, CS, Hylander WL. TMDs an evidence-based approach to diagnosis and treatment. Chicago: Quintessence; 2006.

Drummond JP. Dor: o que todo médico deve saber. São Paulo: Atheneu; 2006.

Dubner R, Ren K. Persistent orofacial pain. In: Laskin DM, Greene CS, Hylander WL. TMDs an evidence-based approach to diagnosis and treatment. Chicago: Quintessence; 2006.

Feine JS, Thomason JM. Physical medicine. In: Laskin DM, Greene CS, Hylander WL. TMDs an evidence-based approach to diagnosis and treatment. Chicago: Quintessence; 2006.

Freynhagen R, Strojek K, Griesing T, Whalen E, Balkenohl M. Efficacy of pregabalin in neuropathic pain evaluated in a 12-week, randomised, double-blind, multicentre, placebo-controlled trial of flexible-and fixed-dose regimens. Pain. 2005;115(3):254-63.

Fricton J. Current evidence providing clarity in management of temporomandibular disorders: summary of a systematic review of randomized clinical trials for intra-oral appliances and occlusal therapies. J Evid Base Dent Pract. 2006;6(1):48-52.

Gavish V, Winocur YS, Ventura M, Halachmi M, Gazit E. Effect of stabilization splint therapy on pain during chewing in patients suffering from myofascial pain. J Oral Rehab. 2002;29(12):1181-6.

Groenewegen HJ, Uylings HB. The prefrontal cortex and the integration of sensory, limbic and autonomic information. Prog Brain Res. 2000;126:3-28.

Grossmann E. O uso da toxina botulínica-A no tratamento de ponto-gatilho miofascial localizado no feixe inferior do músculo pterigóideo lateral: relato de caso. Rev Dor. 2001;3(4):132-9.

Grossmann E, Kosminsky M, Lopes NM. Disfunção temporomandibular. In: Alves Neto O, Issy AM. Dor: princípios e prática. Porto Alegre: Artmed, 2009. p. 597-626.

Heir G, Karolchek S, Kalladka M, Vishwanath A, Gomes J, Khatri R, et al. Use of topical medication in orofacial neuropathic pain: a retrospectiv study. Oral Surg Oral Med Oral Pathol Oral Radiol Endod. 2008;105(4):466-9.

Herman CR, Schiffman EL, Look JO, Rindal DB. The effectiveness of adding pharmacologic treatment with clonazepan or cyclobenzaprine to patient education and self care for the treatment of jaw pain upon awakening: a randomized clinical trial. J Orofac Pain. 2002;16(1):64-70.

Ho K, Tan K. Botulinum toxin A for myofascial trigger point injection: a qualitative systematic review. European Journal of Pain. 2007;11(5):519-27.

Laskin DM. Indications and limitations of TMJ surgery. In: Laskin DM, Greene CS, Hylander WL. TMDs an evidence-based approach to diagnosis and treatment. Chicago: Quintessence; 2006. p. 413-9.

Lavigne GJ, Kato T, Kolta A, Sessle BJ. Neurobiological mechanisms involved in sleep bruxism. Crit Rev Oral Biol Med. 2003;14(1):30-46.

Lemos AI. Dor crônica: diagnóstico, investigação, tratamento. São Paulo: Atheneu; 2007.

Long DM. Fifteen years of transcutaneous electrical stimulation for pain control. Stereotact Funct Neurosurg. 1991;56(1):2-19.

Leituras sugeridas

Lotaif AC, Mitrirattanakull S, Clark GT. Orofacial muscle pain: new advances in concept and therapy. J Calif Dent Assoc. 2006;34(8):625-30.

Mellick GA, Mellick LB. Regional head and face pain relief following lower cervical intramuscular anesthetic injection. Headache. 2003;43:1109-11.

Mense S, Simons DG, Russell IJ. Dor muscular: natureza, diagnóstico e tratamento. Barueri: Manole; 2008.

Meyerson BA. Electrostimulation procedures: effects, presumed rationale, and possible mechanisms. In: Advances in pain research and therapy. New York: Raven Press; 1983. v. 5.

Ohira RY. Vade-mécum de substâncias de uso terapêutico. 11. ed. São Paulo: Soriak; 2005.

Okeson JP. Tratamento das desordens temporomandibulares e oclusão. Rio de Janeiro: Elsevier; 2008.

Oliveira W. Disfunções temporomandibulares. São Paulo: Artmed; 2002. v. 6.

Paiva HJ. Noções e conceitos básicos em oclusão, disfunção temporomandibular e dor orofacial. São Paulo: Santos; 2008.

Raphael KG, Marbach JJ. Widespread pain and the effectiveness of oral splints in myofascial face pain. J Am Dent Assoc. 2001;132:305-16.

Raphael KG, Marbach JJ, Klausner JJ, Teaford MF, Fischoff DK. Is bruxism severity a predictor of oral splint efficacy in patients with myofascial face pain? J Oral Rehabil. 2003;30(1):17-9.

Rosenstock J, Tuchman M, Lamoreaux L, Sharma U. Pregabalin for thetreatment of painful diabetic peripheral neuropathy: a double-blind,placebo-controlled trial. Pain. 2004;110(3):628-38.

Sabatowski R, Galvez R, Cherry DA, Jacquot F, Vicent E, Maisonobe P, et al. Pregabalin reduces pain and improvessleep and mood disturbances in patients with post-herpetic neuralgia: results of a randomised, placebo-controlled clinical trial. Pain. 2004;109(1-2):26-35.

Sakata RK, Issy AM. Fármacos para tratamento da dor. São Paulo: Manole; 2008.

Sanitá PV, Alencar Jr FG. Myofascial pain syndrome as a contributing factor in patients with chronic headaches. Pain. 2009;17(1)15-25.

Siqueira JT, Siqueira SR. Dores orais e dor facial atípica. In: Alves Neto O, Issy AM. Dor: princípios e prática. Porto Alegre: Artmed; 2009. p. 627-37.

Sociedade Internacional de Cefaléia. Classificação internacional das cefaléias. 2. ed. São Paulo: Segmento Farma; 2004.

Sperança PA, Dutra JS, Souza JM. Fundamentos da terapêutica medicamentosa nas DTMs e DOFs. In: Paiva HJ. Noções e conceitos básicos em oclusão, disfunção temporomandibular e dor orofacial. São Paulo: Santos; 2008. p. 281-317.

Shinozaki T, Sakamoto E, Shiiba S, Shiiba S, Ichikawa F, Arakawa Y, et al. Cervical plexus block helps in diagnosis of orofacial pain originating from cervical structures. Tohoku J Exp Med. 2006;210(1):41-7.

Tölle T, Freynhagen R, Versavel M, Trostmann U, Young JP Jr. Pregabalin for relief of neuropathic pain associated with diabetic neuropathy: a randomized, double-blind study. Eur J Pain. 2008;12(2):203-13.

Wall PD. Apresentação. In: Mense S, Simons DG, Russell IJ. Dor muscular: natureza, diagnóstico e tratamento. Barueri: Manole; 2008.

Capítulo 7

TERAPÊUTICA CLÍNICA E CIRÚRGICA

Eduardo Grossmann
Helson José de Paiva
Thiago Kreutz Grossmann
Angela Maria Fernandes Vieira de Paiva

INTRODUÇÃO

As terapêuticas clínicas e cirúrgicas representam um conjunto de ações conduzidas pelos profissionais da saúde que visa à melhoria da condição dolorosa ou à cura do paciente com dor bucofacial, independentemente de ser aguda ou crônica. Embora essas diferentes modalidades terapêuticas sejam discutidas separadamente, em geral, funcionam melhor quando são adequadamente selecionadas e combinadas às necessidades de cada paciente. A seleção apropriada de qual será adotada, se de forma isolada, ou subsequencial, quando, como e por quanto tempo para cada paciente pode ser tarefa difícil para o profissional da área da saúde, já que ele nem sempre tem tal conhecimento e formação. Especialistas que com frequência tratam pacientes com dor bucofacial deveriam trabalhar em equipe, quer de forma interdisciplinar, quer multidisciplinar. Isso seria compensador tanto para o paciente quanto para o profissional.

As terapêuticas clínicas podem ser divididas em: agulhamento seco e infiltrações anestésicas, acupuntura, ajuste oclusal, calor, dispositivos interoclusais, estimulação nervosa elétrica transcutânea (Tens), exercícios de manipulação mandibular, *laser* frio, tratamento ortodôntico, terapia comportamental, tratamento multimodal, ultrassom.

As cirúrgicas para articulação temporomandibular incluem ancoragem do disco, artrocentese, artroscopia, condilectomia, discectomia, manipulação mandibular assistida com aumento de pressão hidrostática, reposicionamento discal e tuberculotomia.

Os tratamentos neurocirúrgicos envolvem procedimentos centrais, como descompressão microvascular, *gamma knife*, microcompressão percutânea do gânglio trigeminal com balão, rizotomia trigeminal por radiofrequência, e os periféricos, como neurotomia periférica.

TERAPÊUTICAS CLÍNICAS

Acupuntura • Emprega o sistema antinociceptor do organismo para reduzir os níveis de dor e de sua modulação. A estimulação de certos pontos de acupuntura parece causar a liberação de endorfinas, o que reduz as sensações dolorosas pelo bloqueio na transmissão dos impulsos nóxicos, reduzindo assim as sensações de dor.[7] Embora seu exato mecanismo de ação seja ainda desconhecido, a acupuntura tem sido usada para o tratamento da dor crônica musculoesquelética e os estudos sobre sua aplicação para o tratamento das DTMs sugerem que é benéfica.[8] O uso da acupuntura para o tratamento da dor difundiu-se muito nas últimas décadas. Todavia, a literatura científica sobre o assunto, embasada em evidências, mostra resultados nem sempre concordantes. Uma revisão sistemática[9] avaliando a efetividade da acupuntura nas DTMs demonstrou que: (1) as evidências são limitadas em quantidade; (2) mostram benefícios de curta duração da acupuntura para a dor das DTMs de origem muscular; (3) a acupuntura local teve a maior redução de dor; (4) os pontos distais demonstraram eficácia; (5) mais pesquisas são necessárias para estabelecer quais os pontos e/ou as combinações destes que devem ser usados e a duração de sua eficácia. Esses mesmos autores[9] sugerem o uso dos seguintes pontos: estômago[6,7] e intestino grosso[4] para o tratamento da dor das DTMs de origem muscular. Outra revisão sistemática,[10] de um total de sete estudos, testando os efeitos da acupuntura verdadeira, comparada à acupuntura falsa, demonstrou evidência limitada (fraca) de que a acupuntura convencional é mais efetiva do que a acupuntura falsa no alívio da dor e na sensibilidade do músculo masseter nas DTMs. A maioria das revisões sistemáticas encontrou evidências de que acupuntura é melhor do que outros tratamentos e comparável a outras modalidades de tratamentos conservadores. Poucas revisões sistemáticas relataram quaisquer eventos adversos ou efeitos colaterais do tratamento com acupuntura. No tratamento de pacientes com DTM, os efeitos colaterais parecem ser raros ou, as complicações, apenas de menor intensidade.[11] Ainda são necessários estudos clínicos rigorosos para avaliar a acupuntura como terapia auxiliar, antes que as recomendações em relação às suas aplicações possam ser efetivamente feitas.[8]

Agulhamento seco/Infiltração anestésica de pontos-gatilho miofasciais • Tanto o agulhamento seco quanto as infiltrações anestésicas sem vasoconstritor de pontos-gatilho miofasciais (PGM) apresentam resultados similares, uma vez que o efeito maior se deve à ação da própria agulha no interior do PGM.[1-3] Portanto, parece que a precisão do agulhamento ou da infiltração é diretamente proporcional ao resultado desejado.[4] Quando se institui uma terapia ou outra, há o alívio ou a eliminação da dor que pode se propagar além dos efeitos do anestésico, ou da própria agulha.[5] O agulhamento seco é uma modalidade de tratamento adotada por diferentes profissionais da área da saúde do mundo inteiro. Técnica minimamente invasiva, de custo baixo, fácil de ser replicada e de baixo risco. Sua eficácia tem sido confirmada em diversas pesquisas e duas abrangentes revisões sistemáticas. O agulhamento seco pode ser usado como parte do tratamento complexo para dor musculoesquelética crônica e pode ser aplicado por médicos de família, reumatologistas, ortopedistas, fisiatras, especialistas em dor, dentistas e fisioterapeutas. O método de agulhamento seco profundo demonstrou ser mais eficaz que o superficial para o tratamento da dor associada a pontos-gatilho miofasciais. No entanto, em áreas com risco potencial de eventos adversos significativos, como pulmões e grandes vasos sanguíneos, sugere-se o emprego da técnica de agulhamento superficial, que também mostrou-se eficaz, embora em menor grau. Estudos adicionais são necessários para avaliar a eficácia do agulhamento seco superficial e há também grande necessidade de mais pesquisa sobre a etiologia dos PGMs na manutenção dos quadros de dor miofascial.[6]

Ajuste oclusal • Há certa evidência de que terapias como aparelhos oclusais, acupuntura, terapia comportamental, exercícios mandibulares, treinamento postural e alguns tratamentos farmacológicos possam ser efetivas no alívio da dor por DTM.[11] O ajuste oclusal (AO) já foi considerado benéfico para o tratamento das DTMs à época em que as interferências oclusais eram consideradas entre seus fatores etiológicos. Indiscutivelmente, no decorrer de décadas, o fator oclusal perdeu a importância que tinha como principal responsável pela etiologia das DTMs. As pesquisas mostraram que uma série de outros fatores era responsável pelo desencadeamento dessas disfunções. Portanto, quando se inicia o tratamento das DTMs, a opção deve ser preferencialmente por procedimentos reversíveis e não pelo AO. Da mesma forma, o ajuste oclusal por desgaste jamais deve ser indicado para eliminar o bruxismo. As revisões sistemáticas da literatura têm mostrado que não há evidências suficientes para concluir que o AO é útil para prevenir ou tratar as DTMs. Pelas razões apresentadas, e porque o AO é uma modalidade de tratamento irreversível, este deveria, raramente, ser considerado para o tratamento primário nas disfunções.[12]

Nem o ajuste oclusal nem o tratamento ortodôntico devem ser indicados para tratar ou prevenir a DTM, uma vez que não apresentam eficácia e segurança adequadas, associadas à fraca de evidência de seus benefícios.[13]

Calor • Baseia-se na premissa de que este aumenta a circulação na área sobre a qual é aplicado. Embora a origem da dor muscular seja incerta e complexa, a maioria das teorias discute que a condição inicial de diminuição do fluxo sanguíneo para os tecidos é responsável pela mialgia associada à sensibilidade dolorosa local. O calor neutraliza essa condição, causando vasodilatação nos tecidos comprometidos, levando à redução dos sintomas. O calor úmido aplicado sobre a área do músculo sintomático pode, frequentemente, reduzir os níveis de dor e desconforto. Embora haja compressas comercialmente disponíveis que podem ser aquecidas em forno de micro-ondas, também é possível simplesmente usar uma toalha úmida e quente (com temperatura entre 40 e 45 °C) sobre a área sintomática, por um período que não deve exceder 30 minutos,[7] divididos em 3 intervalos contínuos de 10 minutos cada um, de 1 a 3 vezes/dia.[14,15]

Dispositivos interoclusais • Apresentam como sinonímia placas oclusais, placa de mordida, placa estabilizadora, órteses oclusais, aparelhos oclusais, esplintes oclusais, placas miorrelaxantes e dispositivos interoclusais. As placas oclusais são a forma terapêutica mais comum usada no tratamento de pacientes com diagnóstico de DTM.[16] Seus diferentes tipos têm sido usados há mais de meio século, no entanto tem havido considerável debate sobre seu *design*, utilização e sobre qual seu mecanismo de ação.[17]

Nos casos agudos, pode ser utilizado diurnamente por um determinado período e depois só à noite, se houver redução dos sintomas. Nos casos de persistência do bruxismo noturno com dor matinal, aconselha-se uso à noite. Quando os pacientes apresentam uma resposta ruim ao uso da placa em 3 a 4 semanas, seu uso deve ser reavaliado.[8] Podem ser categorizadas em dois grandes grupos: que recobrem todos os dentes (cobertura total) e que recobrem apenas alguns dentes (cobertura parcial). A maioria dos aparelhos bucais é confeccionada para se prender e recobrir apenas uma arcada (a maxila ou a mandíbula), embora alguns possam ser fabricados para ambas. Podem ser classificados como aparelhos que reposicionam ou realinham as relações maxilomandibulares (reposicionadores) e aqueles que não pretendem mudar tais relações (estabilizadores ou não reposicionadores).[18]

O propósito primário da placa oclusal estabilizadora (POE) é proporcionar uma oclusão ideal temporária, possibilitando que a atividade muscular anormal seja reduzida, resultando em "equilíbrio neuromuscular".[19] Quando usada em pacientes com DTM para tratamento da mialgia e/ou de artralgia não visa a modificar as relações maxilomandibulares existentes, mas, ao contrário, serve como instrumento de modificação comportamental, que faz com que o paciente fique alerta em relação a qualquer parafunção bucal. As POEs também podem ser usadas para o manejo de uma oclusão instável, isto é, quando um paciente não tem múltiplos contatos dentários posteriores bilateralmente. A teoria básica que explica como esses aparelhos trabalham é assunto de considerável controvérsia, porém certamente parte da efetividade destes resulta do modo pelo qual auxiliam os pacientes a reconhecer e reduzir comportamentos de apertamento e atrição dentária. A decisão em relação ao tipo de aparelho estabilizador a ser usado (maxilar ou mandibular) é baseada em vários fatores que dependem da condição clínica de cada caso. Os pacientes devem reduzir o tempo de uso dos aparelhos depois que sua dor maxilomandibular tiver sido aliviada. Todavia, se houver evidência de continuação do desgaste da superfície oclusal do aparelho, o que indica bruxismo intenso, o uso contínuo à noite é indicado mesmo por longos períodos.[18] Não há evidência demonstrando diferença estatisticamente significativa na efetividade da terapia por POE, na redução de sintomas em pacientes com dor miofascial, quando comparada com outros tratamentos convencionais, como a acupuntura, outros tipos de placas oclusais e *biofeedback*. Com base numa revisão sistemática, na qual 20 estudos randomizados controlados potencialmente relevantes foram identificados, os autores concluíram haver pouca evidência a favor ou contra o uso da terapia por POE, sobre outras intervenções para o tratamento da dor miofascial temporomandibular.[20] Outra revisão sistemática[19] mais recente comparando a terapia com POE à acupuntura, a placas oclusais diversas, a *biofeedback*, a controle do estresse, a exercícios de relaxamento mandibular, a aparelhos não oclusivos e a nenhum tratamento, constatou haver evidências insuficientes a favor ou contra o uso da terapia com POE para o tratamento da síndrome de dor e disfunção temporomandibular.

Um estudo clínico[21] duplo-cego, randomizado controlado, testando a eficácia de placas oclusais com desoclusão por guia canina e oclusão balanceada bilateral, em pacientes que apresentavam estalido articular doloroso, demonstrou que o tipo de guia lateral não influenciou a melhora dos indivíduos, assim como todos os indivíduos tiveram diminuição da dor na escala visual-analógica (EVA).

A confecção de placas oclusais (PO) em posição de relação cêntrica para pacientes com disfunções temporomandibulares é questionável, visto que essa posição tem sido definida para sistemas estomatognáticos assintomáticos. Assim, a máxima intercuspidação pode ser empregada em pacientes com estabilidade oclusal. Amostra de 20 pacientes com DTM de origem muscular e bruxismo foi dividida em dois grupos. No grupo 1 foi empregada uma placa em máxima intercuspidação; no grupo 2, em posição de relação cêntrica. Após três meses de uso, fez-se nova avaliação clínica e exames de eletrognatografia e eletromiografia. Observou-se um reposicionamento mandibular durante a terapia, como demonstrado pela alteração dos contatos oclusais sobre a placa. Ambos os tipos de dispositivos interoclusais foram efetivos para o controle da dor e apresentaram ação similar. Os resultados sugeriram que a posição de máxima intercuspidação pode ser usada para a confecção de PO em pacientes com estabilidade oclusal sem grandes discrepâncias entre a posição de relação cêntrica e a de máxima intercuspidação.[22]

A partir de uma revisão 39 estudos randomizados e controlados, as placas oclusais foram revisadas. Em geral, esses dispositivos têm mostrado efeitos terapêuticos modestos na redução da dor das DTMs quando comparados a placebos nos pacientes com dor severa e quando seus resultados são comparados a outros tratamentos. As conclusões às quais se pode chegar com base nessa revisão baseada em evidências são: (1) as placas oclusais podem reduzir a dor das DTMs quando comparadas às placas não oclusivas naqueles indivíduos com dor mais severa, por disfunção; (2) as placas oclusais, a curto prazo, foram igualmente efetivas na redução da dor por DTM, quando comparadas às condutas de medicina física (fisioterapia), medicina comportamental e tratamento por acupuntura; todavia, os efeitos a longo prazo da terapia comportamental parecem ser melhores que as placas na redução dos sintomas nos pacientes com elevado quadro de dor e disfunção, nos quais os problemas psicossociais podem estar presentes; (3) alguma evidência sugere que as placas reposicionadoras anteriores e as macias são efetivas na redução da dor por DTM, quando comparadas a controles placebos; (4) as placas reposicionadoras anteriores são pelo menos iguais ou mais efetivas no tratamento do estalido temporomandibular e do travamento articular que as placas estabilizadoras; (5) há pouca evidência de que as placas planas anteriores são eficazes nos casos de cefaleias, bem como há evidências inconclusivas de efetividade quando comparadas às placas estabilizadoras para a dor por DTM. O efeito da terapia por aparelhos oclusais para as DTMs depende não só da seleção destes, mas também de quão bem eles são ajustados para facilitar o conforto dos pacientes. É importante notar que podem ocorrer complicações pelo seu uso excessivo ou incorreto.[23]

Atualmente, há informação suficiente na literatura científica para permitir que se chegue a algumas conclusões baseadas em evidências sobre as placas oclusais. Estas têm sido consideradas para tratar certos tipos de DTMs musculares mais que para as condições intra-articulares, embora possam ser úteis para ambas as condições em pacientes adequadamente selecionados. Esses aparelhos podem ser vistos como "muletas bucomandibulares", porque proporcionam um alívio sintomático enquanto os pacientes os usam. Para tratar o bruxismo do sono não há nenhuma dúvida de que podem proporcionar proteção contra o desgaste excessivo dos dentes. Não impedem as pessoas de executar as atividades parafuncionais à noite, mas podem diminuir sua duração, frequência ou intensidade para alguns pacientes ao longo de períodos variáveis; para a maioria dos pacientes com bruxismo do sono, esses aparelhos podem ser muito úteis.[17]

Recente revisão sistemática[24] concluiu não haver evidência suficiente para afirmar que a placa oclusal é efetiva no tratamento do bruxismo do sono. A indicação para seu uso é questionável, mas pode ser que haja algum benefício no que diz respeito aos desgastes dentários. Em um estudo clínico,[25] duplo-cego, controlado, foi comparada a efetividade de diferentes placas oclusais associadas com aconselhamento e autocuidados, no manejo dos sinais e dos sintomas de dor miofascial. Esse estudo empregou uma amostra com 42 pacientes portadores de dor miofascial, cuja queixa principal foi dor na área do músculo masseter, com um seguimento de 90 dias. Observou-se que todos os pacientes melhoraram ao longo do tempo, independentemente dos tipos de placas usadas, nos três grupos experimentais da pesquisa (placa oclusal rígida, macia e sem cobertura oclusal). Os resultados mostraram que os três diferentes tipos de aparelhos, quando associados ao aconselhamento, foram capazes de reduzir o índice de severidade de sintomas entre o início e o fim da pesquisa, após três meses.

De acordo com o que foi analisado, discutido e concluído em vários estudos e pesquisas, ainda não há nenhuma evidência sólida para se afirmar conclusivamente a eficácia de qualquer terapia física ou outra modalidade isolada de tratamento. Ao que parece, a despeito do tempo da afirmação, até este momento, a máxima de Feine e Lund[25] *continua* verdadeira: *qualquer tratamento reversível e não invasivo é melhor do que nenhum tratamento*. Como já se destacou, os distúrbios funcionais do sistema mastigatório podem ser tão complicados como o próprio sistema. Embora diversos tratamentos tenham sido recomendados, nenhum é universalmente eficaz para todos os pacientes, em todos os momentos. A seleção do tratamento adequado inicia-se com uma compreensão profunda do distúrbio e de sua etiologia, sendo portanto essencial conhecer as várias opções de tratamento para lidar de maneira eficiente com o paciente, suas queixas e manifestações sintomáticas.[26] Só assim será possível um manejo adequado da condição que possibilite o restabelecimento das atividades funcionais normais e, consequentemente, da melhora da qualidade de vida do indivíduo.

Estimulação nervosa elétrica transcutânea (Tens) • A terapia com Tens emprega uma corrente elétrica de baixa voltagem, pulsada, que apresenta uma forma de onda bifásica, simétrica ou assimétrica, balanceada com uma semionda quadrada positiva e um pico negativo.[27] Quando aplicada na superfície cutânea por meio de eletrodos, objetiva relaxar os músculos hiperativos e promover o alívio da dor.[28] Há diferentes formas de frequência, intensidade e duração de pulso. Classificam-se em dois grupos: de alta frequência, maior de 50 Hz, e de baixa frequência, menor de 10 Hz. Usualmente a Tens emprega a alta frequência de 50 a 150 Hz e baixa intensidade. Isso produz uma estimulação de forma contínua das fibras nervosas. Quando se faz o ajuste da intensidade, devem-se evitar contrações musculares, procurando obter-se hipoestesia ou parestesia na região tratada, regulando o aparelho conforme a sensibilidade do paciente. Pesquisas indicam que intensidades que variam de 10 a 30 miliampères são as mais adequadas, produzindo poucas fasciculações. Recomenda-se como tempo de pulso valores entre 40 a 75 microssegundos.[29] A Tens age sobre os músculos mastigatórios possibilitando contrações rítmicas, o que gera aumento da circulação sanguínea local e, assim, redução do edema intersticial e do acúmulo tecidual de metabólitos nocivos. Dessa forma, a dor é reduzida, aumentando a disponibilidade energética de radicais fosfatos, diminuindo a hipoxia muscular e a fadiga dos músculos da mastigação.[30] Outra base teórica para a eletroanalgesia é a teoria do portão da dor de Melzack e Wall.[31] Esta propõe que há um portão no corno dorsal da medula espinal que regula a entrada nociceptiva através de fibras nervosas aferentes de pequeno diâmetro. Ela pode ser contrabalançada, ou mesmo anulada, por estímulos táteis, de pressão e/ou por corrente elétrica[29] sobre fibras de largo diâmetro, resultando em uma inibição do estímulo nociceptivo a estruturas espinais e supraespinais, atuando no portão da dor. Portanto, a Tens agiria envolvendo mecanismos periféricos e centrais.[31] A Tens é considerada uma modalidade terapêutica relativamente econômica, segura e não invasiva, que pode ser usada para tratar uma variedade de condições dolorosas.[28] Os eletrodos podem ser de silicone, com aplicação de gel entre eles e a pele, ou ser autoadesivos. Posicionam-se na origem da dor, ou o mais próximo possível do local de maior algia, dentro do mesmo dermátomo, miótomo e sobre pontos-gatilho miofasciais ou nos pontos de acupuntura. Há também a opção de colocá-los no trajeto dos nervos periféricos envolvidos na gênese e/ou na manutenção da dor. O que determina o posicionamento deles é o resultado obtido ante a dor.[32] Estudo-piloto foi desenhado[33] para comparar o *biofeedback* eletromiográfico e a Tens em pacientes com bruxismo. Nesse trabalho, ambos os tratamentos conduziram ao relaxamento local dos músculos mastigatórios, tendo havido redução estatisticamente significativa dos níveis eletromiográficos para o grupo que envolveu o músculo masseter após o uso de Tens. Uma revisão sistemática[28] foi feita avaliando a eficácia analgésica da Tens. As conclusões obtidas questionam sua eficácia como tratamento isolado para a dor aguda em adultos. Os dados desse estudo mostraram-se insuficientes em razão do preenchimento incompleto das formas de tratamento por muitos dos estudos preteridos, tornando a interpretação e a análise impossível de ser replicada. Pesquisa[32] conduzida entre 1975 e 1990 empregando uma revisão de 25 estudos, sobre a eficácia da Tens no alívio de diferentes tipos de dores, concluiu que tal terapia pode ser empregada como adjuvante no controle da dor. Menciona, ainda, ser difícil comparar as pesquisas envolvendo Tens, uma vez que há grandes diferenças no modelo experimental empregado, assim como na metodologia (número médio de pacientes é menor nos estudos considerados eficazes), o que, teoricamente, diminuiria sua significância.

Exercícios de manipulação mandibular • Os exercícios de manipulação mandibular, ou de abertura com contrarresistência e alongamentos, só devem ser feitos após a remissão da sintomatologia (principalmente o controle da dor), ou durante o tratamento de alongamento associado ao uso de *spray* de resfriamento.

Uma revisão sistemática encontrou efetividade no tratamento da dor por DTM nos exercícios ativos e nos treinamentos posturais.[11]

Frio • Tem provado ser um método relativamente simples e com frequência eficaz na redução da dor. Relata-se que a crioterapia estimula o relaxamento dos músculos que se encontram em espasmo, aliviando assim a condição de dor neles presente. O gelo deve ser aplicado diretamente sobre a área afetada, em movimentos circulares sem pressão, sobre os tecidos moles e não deve ser deixado sobre os tecidos por mais do que 5 a 7 minutos. Sua aplicação produzirá, de início, uma sensação de desconforto que irá rapidamente se transformar em queimação. A continuação da aplicação resultará, a seguir, em dor leve e, em seguida, em hipoestesia ou parestesia. Quando esta se iniciar, o gelo deverá ser removido, visto que em seguida ocorrerá um efeito rebote, ou seja, um aquecimento dos tecidos que promove aumento do fluxo sanguíneo e auxilia na reparação tecidual. Outra terapia de resfriamento utiliza os *sprays* de cloreto de etila ou fluormetano. O *spray* deve ser aplicado na área desejada a uma distância de 30 a 60 cm por, aproximadamente, 5 segundos. Depois que o tecido for reaquecido, repete-se o procedimento. Antes do uso deste, devem-se proteger as áreas dos olhos, das orelhas, do nariz e da boca com uma toalha. A ação do *spray* tem menor penetração nos tecidos que o gelo, por isso a redução da dor com seu uso está mais relacionada à estimulação de fibras nervosas cutâneas, de mais grosso calibre (fibras Beta), as quais bloqueiam a ação das fibras de dor que são de menor diâmetro (fibras A delta e C).[7]

Laser • Acredita-se que o *laser* frio acelere a síntese do colágeno, aumente a vascularização dos tecidos na cicatrização, diminua o número de microrganismos e diminua a dor. Embora na literatura internacional tenham sido publicados diversos relatos de casos nos quais a laserterapia foi usada para dores persistentes na ATM, esta ainda não é considerada modalidade de fisioterapia de rotina no tratamento das DTMs.[7] Recentemente, um estudo[34] duplo-cego, randomizado e placebo-controlado foi empregado para testar a efetividade da terapia com *laser* de baixa potência no manejo da dor da articulação temporomandibular. Tal estudo não encontrou diferenças significativas entre o uso de *laser* e de placebo como conduta para tratamento da artralgia temporomandibular, durante a função. Portanto, sugere-se que a terapia com esse tipo de *laser* de baixa potência não seja melhor do que o placebo.

A terapia com o *laser* de baixa potência tem tido avanços para o tratamento das DTMs. Vários estudos têm investigado a eficácia da terapêutica com *laser*; mas, em razão dos desenhos metodologicamente pobres de tais estudos, não tem sido possível avaliar a efetividade dos tratamentos, nem os parâmetros para a sua padronização. Em razão do pequeno número de amostras de alguns estudos, são necessárias novas pesquisas que deem sustentação ao uso da terapia por *laser* de baixa potência no tratamento das DTMs.[8]

Terapia comportamental e tratamento multimodal • As revisões sistemáticas de terapia comportamental concluíram que essas abordagens foram efetivas no tratamento da dor por DTM. Tais modalidades incluíram educação, *biofeedback*, treinamento de relaxamento, controle do estresse e terapia cognitivo-comportamental. Vários estudos primários indicam que a terapia comportamental foi tão efetiva quanto outras formas de tratamento conservador das DTMs. Uma revisão sistemática relatou que a maioria dos pacientes com DTM, sem envolvimento psicológico, beneficiou-se com os tratamentos mais simples. Os pacientes com dor por DTM e distúrbios psicológicos maiores necessitaram de abordagem terapêutica combinada.[11] Em resumo, há alguma evidência de que os aparelhos oclusais, a acupuntura, a terapia comportamental, os exercícios mandibulares, o treinamento postural e alguns tratamentos farmacológicos podem ser efetivos no alívio da dor em pacientes com DTM. Há falta de evidência para os efeitos das modalidades eletrofísicas e cirurgia. O ajuste oclusal parece não ter nenhum efeito de acordo com as evidências disponíveis.[11]

Tratamento ortodôntico • A exemplo das outras categorias de reabilitação bucal, não pode ser considerado seguro, com base em evidências, como modalidade terapêutica primária, capaz de prevenir ou tratar disfunções temporomandibulares (DTMs), levando-se em conta que a instabilidade oclusal decorrente de diferentes condições de más oclusões, bem como de outras patologias oclusais, pode, em alguns indivíduos, ser fator predisponente de DTM e em outros, não. Torna-se difícil, se não impossível, assegurar que tal tratamento poderá prevenir o aparecimento de uma DTM ou mesmo, já estando esta presente, que seja capaz de curá-la. Seguindo o mesmo raciocínio, não é mais aceitável assegurar a presença da má oclusão, por si só, como um fator determinante do surgimento de uma DTM, em dado indivíduo. Todavia, convém lembrar que, naturalmente, ao longo de um tratamento ortodôntico e/ou ortopédico, o paciente poderá experimentar diferentes condições de dor bucofacial, tanto na instalação quanto nas ativações de aparelhos e ainda em consequência da instabilidade (transitória) das posições maxilomandibulares em repouso e, principalmente, nas atividades funcionais diuturnas do sistema mastigatório.[11,35]

Ultrassom • Modalidade física de tratamento usado para problemas musculoesqueléticos. Quando transmitidas através do tecido, as oscilações de alta frequência são convertidas em calor que pode alcançar até 5 centímetros de profundidade.[4] Tal método visa a produzir aumento de temperatura na interface dos tecidos, em maior profundidade, o que faz com que atue melhor que o calor superficial. Alguns autores recomendam que seja adotado em associação com o calor de superfície, em especial quando se trata de pacientes pós-trauma.[7]

TERAPÊUTICAS CIRÚRGICAS

A cirurgia da ATM é efetiva para distúrbios articulares específicos. Todavia, a complexidade das técnicas cirúrgicas, as complicações potenciais, a prevalência de fatores contribuintes comportamentais e psicossociais e a avaliação de abordagens não cirúrgicas sugerem que a cirurgia das ATMs deveria ser usada só em casos criteriosamente selecionados. Trata--se de terapia de exceção e não eleição.[36] A decisão para tratar cirurgicamente o paciente depende do grau de patologia ou de desarranjo anatômico presente internamente na articulação, do reparo potencial da condição, do desempenho do tratamento não cirúrgico e do grau de limitação que o problema cria para ele em seu dia a dia. Os pacientes com depressão ou bruxismo noturno incontrolável, com processo legal em andamento,[8] para o qual não se consiga restabelecer um controle adequado dos fatores musculares[1] e feito por razões preventivas, podem ter um prognóstico cirúrgico ruim, devendo-se evitar a cirurgia da articulação temporomandibular. O clínico precisa ter conhecimento bastante amplo, bem como alta capacidade de discernimento, sobre as complicações potenciais das falhas cirúrgicas, incluindo o eventual surgimento de distúrbios neuropáticos, como a dor por desaferentação.

A abordagem cirúrgica pode incluir ancoragem do disco, lavagem articular (artrocentese), artroscopia, condilectomia, discectomia, manipulação mandibular assistida com aumento de pressão hidrostática, reposicionamento discal e tuberculotomia.[5,8,36,37] As condições que afetam as articulações temporomandibulares (ATMs) podem ser divididas em tratamento farmacológico, cirúrgico e combinados. Este último inicia-se com medicação, mas devido à falta de efetividade associa-se à cirurgia. Desse modo, o tratamento cirúrgico pode desempenhar importante papel no manejo primário ou secundário dos problemas das ATMs. Por essa razão, é essencial para os clínicos que tratam tais problemas compreender quando a cirurgia é ou não indicada, saber quais técnicas são mais bem-sucedidas, especialmente porque na literatura diferentes abordagens cirúrgicas são frequentemente recomendadas para tratar a mesma condição. As condições sempre tratadas cirurgicamente envolvem problemas de hiper ou hipodesenvolvimento da mandíbula, resultantes de alterações do crescimento de sua cabeça, de anquilose mandibular, de neoplasias benignas e malignas das ATMs e de deslocamento do disco sem redução com dor e limitação da abertura da boca com evidência de imagem por ressonância magnética nuclear, e/ou por artroscopia de aderência do disco que não responderam a diferentes modalidades de tratamento clínico.[5,8,37,38] Além das condições inflamatórias que afetam as ATMs, a cirurgia pode ser indicada, secundariamente, nos casos de artrites, fraturas do processo condilar, deslocamento do disco com redução e deslocamento mandibular.[38]

É essencial compreender não apenas quando a cirurgia é ou não indicada para o manejo de certos distúrbios da ATM, mas também qual é o melhor procedimento para tratar determinado paciente em particular, quando esta é indicada. O clínico deveria estar apto a encontrar estudos clínicos bem desenhados e randomizados na literatura para ajudá-lo na tomada de decisões. Infelizmente, tais estudos não existem até o presente momento. Por isso, antes de adotar quaisquer novos procedimentos, deve-se agir com cautela até que haja evidência suficiente, a longo prazo, para comprovar sua efetividade.[38]

Agulha única • A técnica de agulha única (TAU) emprega as mesmas substâncias da artrocentese (soro fisiológico ou solução de Ringer lactato) e adota como abordagem o recesso posterior, ou seja, 10 mm anterior e 2 mm inferior à linha média canto-trago para injeção e aspiração de fluidos. Há vantagens em relação à abordagem da artrocentese tradicional com duas agulhas. A primeira seria menor tempo de execução. O posicionamento de uma única agulha pode permitir acesso mais seguro e estável para o espaço articular, enquanto o posicionamento de uma segunda agulha pode interferir na estabilidade da primeira. O uso de uma única agulha pode reduzir os riscos de lesão nervosa (paresia do facial) devido ao menor trauma da intervenção, assim como a dor dos pacientes no pós-operatório devido à menor manipulação articular. A TAU utiliza injeção de fluido sob pressão com o paciente em posição de boca aberta, a fim de expandir a fossa mandibular. Depois da injeção, o paciente é solicitado a fechar a boca e o líquido é retirado com essa mesma agulha. Todo esse processo de injeção e remoção de líquido deve ser repetido dez vezes (com um volume total de cerca de 40 mL). A injeção, sob pressão do fluido, é útil para romper aderências, comumente responsáveis pela limitação do movimento translatório da cabeça da mandíbula, o qual explica principalmente os fenômenos de fixação do disco à fossa mandibular e/ou ao tubérculo articular. Isso permite imediata melhoria na abertura da boca. Outra vantagem da TAU sobre a técnica convencional de artrocentese (duas agulhas) é o menor risco da injeção do hialuronato de sódio (HS) fluir para fora do compartimento superior, uma vez que está ausente a segunda agulha. Portanto, a TAU pode permitir que o HS permaneça em sua totalidade junto ao compartimento superior. A TAU tem demonstrado resultados promissores na clínica, e estudos futuros devem ser conduzidos para comparar os achados deste protocolo com os da técnica de duas agulhas tradicionais.[41]

Essa técnica é de simples execução, baixo custo, pouco invasiva, não requer instrumental, material e equipamentos sofisticados, proporciona risco ínfimo de infecção, morbidade ou lesão nervosa. Apresenta, contudo, algumas limitações: dificilmente consegue-se eliminar as substâncias algogênicas (lavagem articular) presentes no fluido sinovial do compartimento superior da ATM, responsável pela dor e por alterações ósseas e fibrocartilagíneas, já que o volume total circulante é muito baixo. Mesmo que o cirurgião-dentista exerça certa pressão do êmbolo da seringa sobre o líquido, apenas parte deste retornará pela agulha, independentemente de o paciente fechar a boca. Poderá parte do líquido extravasar do compartimento superior em direção à face, produzindo um edema local, o que pode gerar dor no trans e no pós-operatório; o rompimento de aderências (lise) não ocorrerá em sua totalidade, e como o número de repetições é em torno de 10, o tempo do procedimento pode ser igual ou superior ao da artrocentese.

Ancoragem do disco • Técnica cirúrgica em que se perfura a porção posterolateral da cabeça da mandíbula, fixando nesta uma âncora que servirá de apoio para que se faça a fixação do disco a esta.[39] Em vez da âncora, podem-se empregar parafusos reabsorvíveis com a mesma finalidade. As indicações são casos de deslocamento do disco sem redução, terapias conservadoras clínicas ou cirúrgicas, pouco invasivas (artrocentese, manipulação mandibular assistida com aumento de pressão hidrostática) que tenham falhado, assim como casos de deslocamento da cabeça da mandíbula. Empregam-se também nos casos de osteoartrite primária ou secundária. As maiores desvantagens de tal técnica são a possibilidade do disco estar muito alterado dimensionalmente, fraturado e/ou perfurado, ou a médio prazo ocorrer o desgarramento do disco da cabeça mandibular. Nesta última situação, pode ser necessário reintervir, colocando uma segunda âncora.

Artrocentese • Esta técnica utiliza uma única agulha (TAU), cânulas,[40-43] duas[44-49] ou mais agulhas inseridas de forma transcutânea, podendo haver só uma agulha de entrada, ou uma de entrada e outra(s) de saída. Tradicionalmente, empregam-se duas agulhas introduzidas, preferencialmente, no compartimento supradiscal, no qual circula uma substância biocompatível como solução fisiológica, anestésico local, solução de Ringer com lactato, opioides e hialuronato de sódio. Depois da antissepsia, colocam-se campos cirúrgicos estéreis e inicia-se o procedimento com anestesia local dos nervos auriculotemporal, massetérico e temporal profundo posterior. Traça-se a seguir uma linha reta com azul de metileno e palito junto à pele que vai da porção média do trago da orelha até o canto lateral do globo ocular. Nessa linha, marcam-se dois pontos para a inserção de agulhas. O primeiro ponto, mais posterior, ficará a uma distância de 10 mm do trago e 2 mm abaixo da linha cantotragal. Uma segunda marcação será feita a 20 mm do trago e 10 mm abaixo dessa mesma linha. Um abridor de boca estéril deve ser colocado sobre as arcadas dentais do lado contralateral ao da realização da artrocentese para permitir o deslocamento da cabeça da mandíbula para baixo e para frente, facilitando a abordagem ao recesso posterior do compartimento superior da ATM. Introduz-se uma agulha 30/0,7 ou 40/1,2 no ponto mais posterior, conectada a uma seringa de 5 mL na qual se injeta 1 a 4 mL de soro fisiológico para distender o espaço articular. Em seguida, uma segunda agulha deverá ser introduzida no compartimento distendido, à frente da primeira agulha, para que se inicie o procedimento propriamente dito. A quantidade necessária de soro fisiológico varia de 100 a 400 mL.[50] O objetivo de tal terapêutica é produzir uma lavagem articular, diluir substâncias algogênicas locais, restabelecer a normopressão intra-articular e avaliar quais substâncias estão presentes no fluido sinovial.[41-47] Uma nova abordagem de artrocentese sob alta pressão foi publicada recentemente.[51] Tal técnica aumentaria a pressão hidráulica no compartimento superior, podendo alargá-lo,

inclusive liberando adesões no caso de deslocamento do disco sem redução crônica. Trata-se de uma técnica simples, de fácil execução, podendo ser realizada sob anestesia local, com ou sem sedação, de baixo custo, replicável, pouco invasiva, de baixa morbidade, com excelentes resultados.[8,38,43-48,52-61] Suas indicações são nos casos de deslocamento do disco com e sem redução em fase aguda ou crônica, em paciente portador de sinovite, de hemartrose da ATM que podem levar a adesões, à anquilose fibrosa e óssea.[38] As possíveis complicações que podem ocorrer são edema pós-operatório por extravasamento de solução intra-articular, equimose ou hematoma periauricular, sangramento perioperatório por lesão vascular, paresia do ramo zigomático ou temporal do nervo facial pelo bloqueio anestésico local, ou paralisia do ramo zigomático ou do bucal por traumatismo da agulha, bradicardia e hematoma extradural[54,62-65]

Artroscopia • Técnica mais invasiva que a artrocentese, tendo as mesmas indicações. É feita sob anestesia geral, envolvendo cânulas, trocanteres, um artroscópio de diminuta dimensão conectado a um sistema de câmeras que projeta a imagem maximizada em um monitor. Pode-se promover a lise de aderências ou adesões à lavagem e à manipulação do complexo cabeça e disco articular. Quando necessário, também se pode fazer a miotomia, principalmente da cabeça superior do músculo pterigóideo lateral em relação à banda anterior do disco articular, remoção de material para biópsia, de espículas ósseas e colocação de agentes esclerosantes, entre outras. Há ainda a possibilidade, através de uma pequena incisão junto à região pré-auricular, de se realizar o reposicionamento para posterior do nervo disco e sua estabilização. As grandes desvantagens de tal técnica são treinamento prévio em serviço especializado, disponibilidade em nível hospitalar de material e instrumental adequados, diminuto espaço para o procedimento cirúrgico propriamente dito, possibilidade de lesão nervosa, sobretudo do nervo facial, perfuração da orelha média ou interna, fístula salivar e lesão de grande vaso, como da artéria maxilar. As vantagens de tal técnica cirúrgica são inexistência de cicatriz ou cicatriz diminuta, visualização do campo operatório quando comparado à artrocentese e menor tempo de internação, com melhor recuperação do paciente no pós-operatório, quando comparada à artrotomia.[44,56,57,68-72]

Cânula de dupla agulha • Técnica similar às demais, embora empregue um dispositivo metálico de aço inox que tem dois tubos: um de irrigação e outro de aspiração. O comprimento da cânula é de 80 mm e os diâmetros do tubo são de 1 e de 0,5 mm. O diâmetro do trocanter é 0,8 mm. A cânula com o trocanter é introduzida no compartimento superior da articulação, usando como guia a linha trago--canto externo da cavidade orbital. Em seguida, o trocanter é removido do tubo de irrigação e uma seringa contendo solução salina é injetada, promovendo a lavagem articular. Essa técnica permite uma lavagem com e sem pressão, respectivamente (com seringa, ou bolsa de solução salina fixada a 1 metro de altura da face do paciente). É extremamente segura, conduzida também com anestesia local, de fácil execução, e permite empregar volumes desejáveis de 50 a 500 mL, possibilitando lise de aderências e lavagem articular.[40]

Cânula única de Shepard • Emprega também um dispositivo metálico que tem duas agulhas fundidas com lumens independentes. Em uma extremidade injeta-se o volume de substância desejada e na outra sai esta, associada a substâncias algogênicas presentes no compartimento superior da ATM. Apresenta acompanhamento de mais de 10 anos.[66]

Condilectomia • Técnica cirúrgica que envolve a remoção completa da cabeça da mandíbula por acesso extrabucal (pré-auricular e/ou submandibular ou pós-auricular). Pode ser realizada por acesso intrabucal por meio de vídeo, com a remoção no mesmo ato cirúrgico do processo coronoide da mandíbula. Tal técnica é indicada nos casos de neoplasias malignas ou benignas como anquilose óssea, anquilose fibrosa, hiperplasia do processo condilar, doenças degenerativas em evolução. É importante interpor entre o remanescente mandibular e a fossa uma fina lâmina de silicone, fáscia temporal, músculo temporal, ou empregar enxertos ósseos condrocostais, fíbula e próteses metálicas articulares. O objetivo maior é tentar evitar a neoformação óssea e, em consequência, a recidiva do caso. Independentemente da técnica empregada, é importante instituir um programa de fisioterapia diário por um período não inferior a 6 meses.[38,57,68]

Discectomia • Procedimento cirúrgico que visa à completa remoção do disco, assim como seus elementos de fixação – ligamentos. Indica-se nos casos de neoplasias benignas, malignas em casos avançados de deterioração ou fratura do disco. Após a remoção do disco, é recomendável empregar enxertos autógenos à base de fáscia temporal, cartilagem da orelha, músculo temporal, derme e tecido adiposo retirado da parte interna da coxa ou do abdome.[38,57]

Manipulação mandibular assistida com aumento de pressão hidrostática • Esta técnica emprega uma agulha introduzida geralmente no compartimento supradiscal que deposita, sob pressão, solução fisiológica, anestésico local ou hialuronato de sódio. Esta última substância é um sal do ácido hiarulônico purificado, cuja dose recomendada é cerca de 0,7 mL (denomina-se de viscossuplementação). Pode ser empregada nos casos de deslocamento do disco (DD) com ou sem redução em fase aguda (com aderência à fossa ou a vertente anterior do tubérculo articular), no qual a dor é a principal queixa. Esse DD pode estar associado a ruído articular, limitação da abertura bucal e/ou do movimento lateral, medial ou protrusivo da mandíbula. Esse procedimento pode liberar aderências e diluir substâncias algogênicas locais. O diagnóstico diferencial e as estratégias clínicas são as partes mais importantes para um tratamento bem-sucedido. Em caso de dúvidas, ou em se tratando de pesquisa clínica, podem-se empregar técnicas de imagem, como tomografia computadorizada, artrografia e ressonância nuclear magnética.[5,55,57,58,73,74]

Reposicionamento discal • O reposicionamento do disco da ATM está indicado nos casos de leve interferência mecânica da função articular. Quando o disco está intacto, embora fora de posição, pode ser reposicionado com sutura, sem tensão, tendo-se o cuidado de remover o excesso de tecido junto à porção posterior deste. Uma plastia óssea da fossa e/ou do tubérculo articular pode ser necessária nos casos de doença degenerativa ou quando o complexo cabeça mandibular-fossa-disco, no ato transoperatório, apresenta algum ruído articular ou contatos grosseiros. Encerrada esta etapa, lava-se o espaço articular e procede-se ao fechamento por planos. No pós-operatório, o paciente pode experienciar dor, edema facial, limitação da abertura da boca e mudança na oclusão na região de molares ipsilateral do lado operado (leve mordida aberta) que desaparece no período de 15 a 20 dias. Há casos em que o paciente pode ter dificuldade de fechamento total do globo ocular, assim como de enrugar a fronte. Isso pode perdurar por 30 a 90 dias. A fisioterapia deve ser iniciada tão logo o paciente esteja desperto, para ser evitar a formação de aderências e adesões. Tal técnica cirúrgica tem mostrado sucesso em 80 a 95% dos casos, embora nem sempre o disco se mantenha reposicionado.[57] A normalização da função é mais importante que a correção da anatomia para o desaparecimento dos sinais e dos sintomas de uma DTM.[75]

Tuberculotomia • Técnica indicada nos casos de subluxação com quadro de dor associada ou deslocamento da cabeça da mandíbula (luxação) de repetição, em que o tratamento clínico produziu pouca ou nenhuma resposta adequada. É um procedimento que objetiva a remoção ou a redução do tubérculo articular, no qual se procura alterá-lo no sentido lateromedial, propiciando uma superfície plana e suave. Com isso, evita-se o travamento da cabeça da mandíbula junto à vertente anterior desse tubérculo.[68,76,77] Tal procedimento cirúrgico parece ser o de mais fácil execução, com menor tempo cirúrgico, apresentando um resultado imediato no pós-operatório, sem que haja restrição alimentar, com menor grau de morbidade, permitindo um movimento adequado do complexo cabeça-disco articular. Pode-se, também, em vez de eliminar o tubérculo articular, criar uma barreira biomecânica à movimentação da cabeça da mandíbula. Tal técnica pode ser feita colocando-se um pino metálico (implante osteointegrado), enxerto ósseo, uma miniplaca fixada por parafusos junto ao tubérculo articular, ou ainda realizar uma fratura em galho verde do arco zigomático.[68,77-79]

Unidade concêntrica de agulhas (UCA) • Tal técnica[67] consiste na inserção de uma agulha mais fina e mais comprida (50 mm) no interior de uma agulha mais grossa com comprimento menor (38 mm). A primeira agulha, mais comprida, não bloqueia a luz da agulha mais grossa, o que possibilita que a substância a ser perfundida pelo compartimento superior articular lave esse local e saia pelo espaço ente ambas as agulhas, refluindo à superfície da pele. A irrigação através dessa unidade concêntrica de agulhas (UCA) permite uma punção única da ATM de forma simples, de fácil execução, de baixo custo, pouco traumática, com baixo risco de lesão nervosa e de hemorragia, replicável e com pouco desconforto e dor no trans e no pós-cirúrgico. O paciente recebe um sedativo bucal 30 minutos antes do procedimento, sempre feito no hospital. Realiza-se antissepsia da área da punção com a colocação de uma torunda de gaze no meato acústico externo, impedindo que a solução de irrigação penetre na orelha. Procede-se a seguir à anestesia local do nervo auriculotemporal com cloridrato de lidocaína com vasoconstritor 1:80.000, seguida de punção anestésica profunda na região onde será inserida a UCA. Traça-se uma linha horizontal do canto do olho ao trago, fazendo-se uma marcação de 10 mm à frente do trago e de 0,5 mm abaixo dessa linha. A unidade concêntrica de agulhas é inserida no compartimento superior, solicitando-se ao paciente que abra um pouco a boca para permitir a entrada daquela. Uma vez que a unidade concêntrica de agulhas esteja dentro desse compartimento, a lavagem é realizada com solução de Ringer com lactato, com especial atenção à localização da ponta das agulhas. Cuidado extra é tomado para não deslocar o local da punção enquanto a irrigação está sendo feita, o que pode causar o extravasamento de líquido para os tecidos moles circundantes, produzindo dor e edema local. Caso isso ocorra, deve-se interromper tal procedimento, tentado-se recolocar as agulhas no local demarcado. A irrigação é controlada através do volume de circulação diante da entrada e da saída do líquido em cada injeção. A lavagem é feita com o auxílio de uma seringa, quando se empregam volumes de cerca de 50 mL. No entanto, se houver necessidade e se perfundir um volume maior, 500 mL, pode-se lançar mão de uma bolsa de solução de Ringer com lactato. Quando, por outro lado, desejar-se uma lavagem articular sob alta pressão, deve-se proceder à artrocentese clássica,[43,54] ou empregar outro dispositvo como cânula de *shaper*[66] em vez da técnica de unidade concêntrica de agulhas.

TERAPÊUTICAS NEUROCIRÚRGICAS

Descompressão microvascular • Técnica cirúrgica indicada em indivíduos que gozem de boa saúde, mas apresentem neuralgia trigeminal, neuralgia vagoglossofaríngea, espasmo facial não responsivo a tratamento clínico e/ou farmacológico, ou para os quais as demais técnicas percutâneas[80-82] tenham falhado. Realiza-se sob anestesia geral com o paciente colocado em decúbito lateral, fazendo-se tricotomia do couro cabeludo, seguida de incisão suboccipital, craniectomia retromastóidea de aproximadamente 2,5 cm, abertura da dura-máter, aspiração de líquor e afastamento do cerebelo. Com auxílio do microscópio cirúrgico pode-se observar um conflito neurovascular envolvendo uma veia ou artéria. Identificada tal alteração, interpõe-se teflon[80] entre o vaso e o nervo, obtendo-se uma descompressão satisfatória entre aqueles. Segue-se a remoção dos afastadores, fechamento da dura-máter, da camada muscular e da pele. Embora a descompressão microvascular seja mais invasiva, é considerada padrão-ouro[82,83] tanto pela sua resolubilidade quanto pela menor probabilidade de efeitos colaterais, como parestesia de face e anestesia dolorosa.

Gamma knife • Trata-se de uma radiocirurgia estereotáxica (RE), minimamente invasiva, que está se tornando comum no tratamento da neuralgia trigeminal. É indicada nos casos de pacientes que não podem se submeter à descompressão microvascular. Identifica-se por meio de ressonância magnética sequencial a porção central da raiz nervosa trigeminal envolvida por compressão vascular e aplicam-se doses radiocirúrgicas de 70 a 90 gray. Nos casos em que não se observa nesse exame de imagem tal conflito neurovascular, localiza-se a zona de entrada do nervo trigêmeo na ponte ou uma posição pré-selecionada e utiliza-se a RE. Embora a descompressão microvascular seja superior em relação à *Gamma knife* (GK) ao longo de um período de seguimento médio de 2 anos, há relatos de que a GK pode ser uma intervenção mais eficiente primariamente e procedimento de escolha para recidivas nos casos de neuralgia trigeminal. Não há dados suficientes até este momento para avaliar os resultados a longo prazo ou complicações de GK, particularmente com respeito aos efeitos da radiação sobre a área da raiz trigeminal. Além disso, uma vez que unidades de radiocirurgia *Gamma Knife* são raras na maioria dos centros,[84] a escolha da técnica de tratamento está restrita, sendo dirigida à descompressão microvascular[83,84] e microcompressão percutânea do gânglio trigeminal com balão.[85,86]

Microcompressão percutânea do gânglio trigeminal com balão • Adota-se tal técnica neurocirúrgica em pacientes com dor trigeminal envolvendo principalmente sua primeira divisão, podendo ser empregada nas suas demais divisões. É um método simples, com índice zero de mortalidade e pouca morbidade. Nessa técnica há pouco risco de diminuição do reflexo corneano e baixíssimo risco de anestesia dolorosa. Não há exigência de cooperação por parte do paciente. Pode-se realizar o procedimento sob anestesia troncular do gânglio trigeminal ou sob anestesia geral com entubação bucotraqueal associada ao emprego de um intensificador de imagem (fluoroscopia). O paciente é colocado em posição submento-vertical e lateral com antissepsia da face e colocação de campos cirúrgicos. Uma agulha G15 é inserida 3 cm lateralmente à comissura labial, e direcionada para o ponto de intersecção entre o plano coronal que passa 3 cm anterior ao trago e o plano que passa pelo centro da pupila. Quando se atinge a base do crânio junto à grande asa do esfenoide, a agulha é movida em direção ao forame oval. Emprega-se como reparo anatômico o ponto de intersecção do clivo com a pirâmide petrosa, situado 0,5 a 1 cm abaixo do soalho da sela turca. A seguir, um cateter de Fogarty nº 4 é introduzido pela luz da agulha, sendo monitorado fluoroscopicamente até atingir a ponta da agulha ou ultrapassá-la levemente. Infla-se o balão localizado na extremidade do cateter com 0,65 a 1 mL de contraste iodado por um período de 1 minuto. Em seguida, desinfla-se o balão, removendo este e a própria agulha.[85,86]

Neurotomia periférica • Em idosos com saúde debilitada, a neurectomia periférica, especialmente dos nervos supraorbital e infraorbital, fornece um alívio eficaz da dor com duração de aproximadamente 12 meses. O desenvolvimento de possível disestesia e um rápido retorno da dor, na maioria dos casos tratados, faz com que esse procedimento seja pouco atraente para o paciente com maior expectativa de vida.[87]

Rizotomia trigeminal por radiofrequência (RFRF) • Indicada para pacientes acima de 65 anos, portadores de neuralgia trigeminal,[88] não controlados por dose de até 800 mg de carbamazepina, com intolerância a essa droga, ou que não respondem aos demais neuromoduladores como oxcarbazepina e gabapentina, pré-gabalina, entre outros (ver Capítulo 6). Necessariamente indica-se esse procedimento quando a dor envolver o II e/ou o III ramo do trigêmeo. Realiza-se esse procedimento em nível hospitalar, com sedação de tiopental ou propofol. A punção do forame oval é realizada de forma similar à empregada na técnica de microcompressão percutânea do gânglio trigeminal com balão. Ao atingir o forame oval, identifica-se o ramo nervoso trigeminal envolvido por meio de estimulação elétrica de 0,2 a 1 V, a 70 Hz. O passo seguinte compreende a geração de temperatura de 65 °C durante um minuto e meio sobre o(s) ramo(s) acometido(s). Obtém-se um resultado satisfatório tanto quando há presença de hipoestesia local no território do ramo nervoso envolvido quanto ao se estimular pontos-gatilho ou zonas-gatilho neurálgicas preexistentes localizadas no antímero facial correspondente. Não há manifestação de dor por parte do paciente. As complicações e os efeitos colaterais podem incluir diminuição do reflexo corneano, anestesia dolorosa, disestesia e fraqueza massetérica homolateral.[85]

REFERÊNCIAS

1. Grossmann E, Lorandi CS. Ponto-gatilho miofascial: localização atípica. Rev Odonto Cienc. 1994;9(7):129-34.
2. Grossmann E, Brito JH, Lorandi CS. Uso de procaína na eliminação dos pontos-gatilho miofasciais e sua relação com a síndrome de dor e disfunção miofascial. Rev Odonto Cienc. 1996;21:75-91.
3. Lewit K. The needle effect in the relief of miofascial pain. Pain. 1979; 6(1):83-90.
4. Simons DG, Travell JG, Simons LS. Travell and Simons' myofascial pain and dysfunction: the trigger point manual. Baltimore: Williams & Wilkins; 1999. v.1
5. Sharav Y, Benoliel R. Orofacial pain and headache. Edinburgh: Elsevier; 2008.
6. Kalichman L, Vulfsons S. Dry needling in the management of musculoskeletal pain. J Am Board Fam Med. 2010;23(5):640-6.
7. Okeson JP. Tratamento das desordens temporomandibulares e oclusão. Rio de Janeiro: Elsevier; 2008.
8. de Leeuw R. Temporomandibular disorders. In: de Leeuw R, editor. Orofacial pain: guidelines for assessment, diagnosis, and management. 4th ed. Chicago: Quintessence; 2008. p. 129-204.
9. La Touche R, Angulo-Díaz-Parreño S, de-la-Hoz JL, Fernández-Carnero J, Ge HY, Linares MT, et al. Effectiveness of acupuncture in the treatment of tmd of muscular origin: a systematic review of the last decade. J Alternative Complementare Medicine. 2010;16(1):1-6.

Referências

10. Jung A, Shin BC, Lee MS, Sim H, Ernst E. Acupuncture for treating temporomandibular joint disorders: a systematic review and meta-analysis of randomized, sham-controlled trials. J Dent. 2011;39(5):341-50.
11. List T, Axelsson S. Management of TMD: evidence from systematic reviews and meta-analyses. J Oral Rehabil. 2010;37:430-51.
12. Januzzi E, Alves BM, Grossmann E, Leite FM, Vieira OS, Flecha OD. Oclusão e disfunções temporomandibulares: uma análise crítica da literatura. Rev Dor. 2010;11(4): 329-33.
13. Bales JM, Epstein JB. The role of malocclusion and orthodontics in temporomandibular disorders. J Can Dent Assoc. 1994;60(10):899-905.
14. Oliveira W. Disfunções temporomandibulares. São Paulo: Artmed; 2002. v. 6.
15. Paiva HJ. Noções e conceitos básicos em oclusão, disfunção temporomandibular e dor orofacial. São Paulo: Santos; 2008.
16. Alencar Junior FG, Becker A. Evaluation of different occlusal splints and counselling in the management of myofascial pain dysfunction. J Oral Rehabil. 2009;36:79-85.
17. Klasser GD, Greene CS. Oral appliances in the management of temporomandibular disorders. Oral Surg Oral Med Oral Pathol Oral Radiol Endod. 2009;107:12-23.
18. Glaros AG, Owais Z, Lausten L. Reduction in parafunctional activity: a potential mechanism for the effectiveness of splint therapy. J Oral Rehab. 2007;34:97-104.
19. Al-Ani MZ, Davies SJ, Gray RJ, Sloan P, Glenny A. Stabilization splint therapy for temporomandibular pain dysfunction syndrome. Cochrane Database Syst Rev. 2005;69(11):1242-50.
20. Al-Ani Z, Gray RJ, Davies SJ, Sloan P, Glenny AM. Stabilization splint therapy for the treatment of temporomandibular myofascial pain: a systematic review. J Dent Educ. 2005;69(11):1242-50.
21. Conti PC, dos Santos CN, Kogawa EM, de Castro Ferreira Conti AC, de Araujo C dos R. The treatment of painful temporomandibular joint clicking with oral splints: a randomized clinical trial. J Am Dent Assoc. 2006;137(8):1108-14.
22. Clark GT, Minakuchi H. Oral appliances. In: Laskin DM, Greene CS, Hylander WL. TMDs an evidence-based approach to diagnosis and treatment. Chicago: Quintessence; 2006. p. 377-90.
23. Fricton J. Current evidence providing clarity in management of temporomandibular disorders: summary of a systematic review of randomized clinical trials for intra-oral appliances and occlusal therapies. J Evid Base Dent Pract. 2006; 6:48-52.
24. Macedo CR, Silva AB, Machado MA, Saconato H, Prado GF. Occlusal splints for treating sleep bruxism (tooth grinding). Cochrane Database Syst Rev. 2007;17(4).
25. Feine JS, Lund JP. An assessment of the efficacy of physical therapy and physical modalities for the control of chronic musculoskeletal pain. Pain. 1997;71:5-23.
26. Paiva HJ, Paiva AM. Ajuste oclusal por desgaste seletivo: por que, quando, onde e como. Porto Alegre: Artmed; 2011. p. 95-148.
27. Silveira DW, Gusmão CA. A utilização da estimulação elétrica nervosa transcutânea (tens) no tratamento da espasticidade: uma revisão bibliográfica. Rev Saúde Com. 2008;4(1):64-71.
28. Esposito CJ, Shay JS, Morgan B. Electronic dental anesthesia: a pilot study. Quintessence Int. 1993;24(3):167-70.
29. Santuzzi CH, Gonçalves WL, Rocha SS, Castro ME, Gouvea SA, Abreu GR. Efeitos da crioterapia, estimulação elétrica transcutânea e da sua associação na atividade elétrica do nervo femoral em ratos. Rev Bras Fisioter. 2008;12(6):441-6.
30. Gomez CE, Christensen LV. Stimulus-response latencies of two instruments delivering transcutaneous electrical neuromuscular stimulation (TENS). J Oral Rehabil. 1991;18(1):87-94.
31. Santana JM, Lauretti GR. Possíveis mecanismos de ação da estimulação elétrica nervosa transcutânea no controle da dor. Rev Dor. 2006; 7(1):716-28.

32. Pena R, Barbosa LA, Ishikawa NM. Estimulação elétrica transcutânea do nervo (TENS) na dor oncológica- uma revisão da literatura. Revista Bras Cancerol. 2008;54(2):193-9.

33. Wieselmann-Penkner K, Janda M, Lorenzoni M, Polanski R. A comparison of the muscular relaxation effect of TENS and EMG-biofeedback in patients with bruxism. J Oral Rehabil. 2001; 28(9):849-53.

34. Emshoff R, Bösch R, Pümpel E, Schöning H, Strobl H. Low-level laser therapy for treatment of temporomandibular joint pain: a double-blind and placebo-controlled trial. Oral Surg Oral Med Oral Pathol Oral Radiol Endod. 2008;105(4):452-6.

35. Michelotti A, Iodice G. The role of orthodontics in temporomandibular disorders. J Oral Rehabil. 2010;37(6):411-29.

36. Grossmann E, Grossmann TK. Artrocentese aplicada à articulação temporomandibular. In: de Siqueira JT, Teixeira MJ, editores. Dor orofacial diagnóstico e terapêutica. Porto Alegre: Artmed; 2012. p. 676-82.

37. Grossmann E. O papel do cirurgião: dentista na clínica de dor. In: Castro AB, editor. A clínica de dor: organização, funcionamento e bases científicas. Curitiba: Maio; 2003. p. 164-201.

38. Laskin DM. Indications and limitations of tmj surgery. In: Laskin DM, Greene CS, Hylander WL. TMDs an evidence-based approach to diagnosis and treatment. Chicago: Quintessence; 2006. p. 413-9.

39. Mehra P, Wolford LM. The Mitek mini anchor for TMJ disc repositioning: surgical technique and results. Int J Oral Maxillofac Surg. 2001;30(6): 497-503.

40. Alkan A, Bas B. The use of double-needle canula method for temporomandibular joint arthrocentesis: clinical report. Eur J Dent. 2007;1(3): 179-82.

41. Guarda-Nardini L, Manfredini D, Ferronato G. Arthrocentesis of the temporomandibular joint: a proposal for a single-needle technique . Oral Surg Oral Med Oral Pathol Oral Radiol Endod. 2008;106(4):483-6.

42. Rahal A, Poirier J, Ahmarani C. Single-puncture arthrocentesis: introducing a new technique and a novel device. J Oral Maxillofac Surg. 2009; 67(8):1771-3.

43. Nitzan DW, Dolwick MF, Martinez GA. Temporomandibular joint arthrocentesis: a simplified treatment for severe, limited mouth opening. J Oral Maxillofac Surg. 1991;49(11):1163-70.

44. Murakami K, Hosaka H, Moriya Y, Segami N, Iizuka T. Short-term treatment outcome study for the management of temporomandibular joint of closed lock. A comparison of arthrocentesis to nonsurgical therapy and arthroscopy lysis and lavage. Oral Surg Oral Med Oral Pathol Oral Radiol Endod.1995;80(3):253-7.

45. Hosaka H, Murakami K, Goto K, Iikuza T. Outcome of arthocentesis for temporomandibular joint with closed lock at 3 years follow up. Oral Surg Oral Med Oral Pathol Radiol Endod. 1996; 82(5):501-4.

46. Nitzan DW, Samson B, Better H. Long-term outcome of arthrocentesis for sudden-onset, persistent, severe closed lock of the temporomandibular joint. J Oral Maxillofac Surg. 1997;55(2):151-8.

47. Carvajal WA, Laskin DM. Long-term evaluation of arthrocentesis for the treatment of internal derangements of the temporomandibular joint. J Oral Maxillofac Surg. 2000;58(8):852-7.

48. Nitzan DW, Price A. The use of arthrocentesis for the treatment of osteoarthritic temporomandibular joint. J Oral Maxillofac Surg. 2001; 59(10):1154-60.

49. Alpaslan GH, Alpaslan C. Efficacy of temporomandibular joint arthrocentesis with and without injection of sodium hyaluronate in treatment of internal derangements. J Oral Maxillofac Surg. 2001;59(6):613-9.

50. American Association of Oral Maxillofacial Surgeons. Parameters of care for oral and maxillofacial surgery. a guide for practice, monitoring and evaluation (AAOMS Parameters of Care-95). J Oral Maxillofac Surg. 1992;50(7 Suppl 2):205-8.

Referências

51. Alkan A, Kilic E. A new approach to arthrocentesis of the temporomandibular joint. Int J Oral Maxillofac Surg. 2009;38(1):85-6.

52. Grossmann E, Collares MV. Minimally invasive therapy in the treatment of disk displacement without reduction: mandibular manipulation assisted by increased hydraulic pressure. Braz J Craniomaxillofac Surg. 2001;4(1):22-8.

53. Al-Belasy FA, Dolwick MF. Arthrocentesis for the treatment of temporomandibular joint closed lock: a review article. Int J Oral Maxillof Surg. 2007;36(9):773-82.

54. Dimitroulis G, Dolwick MF, Martinez A. Temporomandibular joint arthrocentesis and lavage for the treatment of closed lock: a follow-up study. Br J Oral Maxillofac Surg. 1995;33(1):23-7.

55. Emshoff R, Gerhard S, Ennemoser T, Rudisch A. Magnetic resonance imaging findings of internal derangement, osteoarthrosis, effusion, and bone marrow edema before and after performance of arthrocentesis and hydraulic distension of the temporomandibular joint. Oral Surg Oral Med Oral Pathol Oral Radiol Endod. 2006;101(6):784-90.

56. Grossmann E, Collares MV. Arthocentesis and lavage in the treatment of articular disk displacement without reduction. Braz J Craniomaxillofac Surg. 2000;3(1):27-31.

57. Dolwick MF. Temporomandibular joint surgery for internal derangement. Dent Clin North Am. 2007;51(1):195-208.

58. Emshoff R, Rudisch A, Bösch R, Gassner R. Effect of arthrocentesis and hydraulic distension on the temporomandibular joint disk position. Oral Surg Oral Med Oral Pathol Oral Radiol Endod. 2000;89(3):271-7.

59. Ethunandan M, Wilson AW. Temporomandibular joint arthrocentesis: more questions than answers? J Oral Maxillofac Surg. 2006;64(6):952-5.

60. Aktas I, Yalcin S, Sencer S. Prognostic indicators of the outcome of arthrocentesis with and without sodium hyaluronate injection for the treatment of disc displacement without reduction: a magnetic resonance imaging study. Int J Oral Maxillofac Surg. 2010;39(11):1080-5.

61. Nishimura M, Segami N, Kaneyama K. Prognostic factors in arthrocentesis of the temporomandibular joint: evaluation of 100 patients with internal derangement. J Oral Maxillofac Surg. 2001;59(8):874-8.

62. Carrol TA, Smith K, Jakubowski J. Extradural haematoma following temporomandibular joint arthrocentesis and lavage. Br J Neurosurg. 2000; 14:152-4.

63. Spallaccia F, Rivaroli P, Cascone P. Temporomandibular joint arthrocentesis: long-term results. Bull Group Int Rech Sci Stomatol Odontol. 2000; 42(1):31-7.

64. Stein JI. TJM arthrocentesis: a conservative surgical alternative. N Y S Dent J. 1995;61:68-76.

65. Frost DE, Kendell BD. The use of arthocentesis for treatment of temporomandibular joint disorders. J Oral Maxillofac Surg. 1999;57:583-7.

66. Rehman K-U, Hall T. Single needle arthrocentesis. Brit J of Oral and Maxillof Surg. 2009;47:403-4.

67. Öreroglu AR, Özkaya O, Öztürk MB, Bingöl D, Akan M. Concentric-needle cannula method for single-puncture arthrocentesis in temporomandibular joint disease: an inexpensive and feasible technique. J Oral Maxillofac Surg. 2011;69:2334-8.

68. Perter RA, Gross SG. Tratamento clínico das disfunções temporomandibulares e da dor orofacial. São Paulo: Quintessence; 2005. p. 254-72.

69. Davis CL, Kaminishi RM, Marshall MW. Arthroscopic surgery for treatment of closed lock. J Oral Maxillofac Surg. 1991;49(7):704-7.

70. Kaneyama K, Segami N, Sato J, Murakami K, Iizuka T. Outcomes of 152 temporomandibular joints following arthroscopic anterolateral capsular release by holmium: YAG laser or electrocautery. Oral Surg Oral Med Oral Pathol Oral Radiol Endod. 2004;97(5):546-52.

71. Israel HA, Behrman DA, Friedman JM, Silberstein J. Rationale for early versus late intervention with arthroscopy for treatment of Inflammatory/degenerative temporomandibular joint disorders. J Oral Maxillofac Surg. 2010;68(11):2661-7.

72. McCain JP, Sanders B, Koslin MG, Quinn JH, Peters PB, Indresano AT. Temporomandibular joint arthroscopy: a 6-year multicenter retrospective study of 4,831 joints. J Oral Maxillofac Surg. 1992;50(9):926-30.

73. Kurita H, Uehara S, Yokochi M, Nakatsuka A, Kobayashi H, Kurashina K. A long-term follow-up study of radiographically evident degenerative changes in the temporomandibular joint with different conditions of disk displacement. Int J Oral Maxillofac Surg. 2006;35(1):49-54.

74. Whyte AM, McNamara D, Rosenberg I, Whyte AW. Magnetic resonance imaging in the evaluation of temporomandibular joint disc displacement: a review of 144 cases. Int J Oral Maxillofac Surg. 2006;35(8):696-703.

75. Grossmann E, Brito JH. Uso de placa de reposicionamento mandibular modificada no tratamento de luxação anterior de disco articular: avaliação clínica e por ressonância magnética nuclear. Rev Odonto Cienc. 1996;11(21):93-114.

76. Laskin DM, Greene CS, Hylander W L. Temporomandibular disorders an evidence-based approach to diagnosis and treatment. Chicago: Quintessence; 2006. p. 548.

77. Puelacher WC, Waldhart E. Miniplate eminoplasty: a new surgical treatment for TMJ- dislocation. J Craniomaxillofac Surg. 1993;21(4):176-8.

78. Grossmann E. Luxação aguda da articulação temporomandibular em paciente portador da síndrome da imunodeficiência adquirida. Rev Simbidor. 2001;2(2):97-100.

79. Gutierez LM, Grossmann TK, Grossmann E. Deslocamento anterior da cabeça da mandíbula: diagnóstico e tratamento Rev Dor. 2011;12(1):46-52.

80. Filho PN, Bezerra M, Mufarrej G. Espasmos hemifacial: resultados da descompressão microvascular em 53 pacientes. Arq Neuropsiquiatr. 1990;48(2):210-6.

81. Kraemer JL, Pereira Filho AA, David G, Faria M de B. Vertebrobasilar dolichoectasia as a cause of trigeminal neuralgia: the role of microvascular decompression. Case report. Arq Neuropsiquiatr. 2006;(64)1:128-31.

82. Pollock BE. Surgical management of medically refractory trigeminal neuralgia. Curr Neurol Neurosci Rep. 2012;12(2):125-31.

83. Tronnier VM, Rasche D, Hamer J, Kienle AL, Kunze S. treatment of idiopathic trigeminal neuralgia: comparison of long-term outcome after radiofrequency rhizotomy and microvascular decompression. Neurosurgery. 2001;48(6):1261-68.

84. Benoliel R, Heir GR, Eliav E. Neurophatic orofacial pain. In: Sharav Y, Benoliel R, editors. Orofacial pain and headache. Edinburgh: Mosby; 2008. p. 255-94.

85. Gusmão S, Magaldi M, Arantes A. Rizotomia trigeminal por radiofreqüência para tratamento da neuralgia do trigêmeo. Arq Neuropsiquiatr. 2003; 61(2-B):434-40.

86. Corrêa CF, Teixeira MJ. Balloon compression of the Gasserian Ganglion for the treatment of trigeminal neuralgia. Stereot Func Neurosurg. 1998;71:83-9.

87. Rappaport ZH. Neurosurgical aspects of orofacial pain. In: Sharav Y, Benoliel R, editors. Orofacial Pain and Headache. Edinburgh: Mosby; 2008. p. 295-303.

88. Shakur SF, Bhansali A, Mian AY, Rosseau GL. Neurosurgical treatment of trigeminal neuralgia. Dis Mon. 2011;57(10):570-82.